# IN HET LAND VAN DUTROUX

# Kristien Hemmerechts
## *In het land van Dutroux*

ROMAN

UITGEVERIJ ATLAS
AMSTERDAM/ANTWERPEN

Omslagontwerp: Marjo Starink
Omslagillustratie: Thomas Legrève
Auteursfoto: Bart Castelein

ISBN 978 90 450 0273 6
D/2007/0108/592
NUR 301

www.uitgeverijatlas.nl

*Rie, maart 2004*

'Als je niet weet wat je moet doen,' zei mijn vader, 'dan neem je een blad papier en je verdeelt het in twee kolommen. Boven de rechterkolom zet je een plusteken en boven de linker een min.'

Hij liep naar 'de bureau', nam een vel briefpapier en keerde ermee naar de keuken terug. Het was kwart over zeven en hij had zijn badjas aan omdat mama niet wilde dat hij zijn overall al bij het ontbijt droeg. Als je papa liet begaan, zei ze, dan zou hij zijn overall zelfs niet uittrekken om een bad te nemen. In de winter droeg hij er een anorak overheen, waarvan de kap met bont was afgezet, maar in de zomer liet hij de knoopjes openstaan, zodat je de rosse haartjes kon zien die rond zijn tepels groeiden.

Mama had zich al aangekleed, omdat zij de pompen bediende. Vanaf zeven uur konden mensen bij ons komen tanken. Vroeger, toen de garage van papa's neef was, werden de pompen vanaf zes uur bemand, maar ze gingen al om vijf uur dicht. De nieuwe openingsuren waren duidelijk aangeplakt, vergezeld van de oproep: 'Voorkom ontgoochelingen. Vul tijdig uw tank!', maar dikwijls werden mijn ouders door woest getoeter uit hun slaap gehaald. Tijdens het weekend gebeurde het dat dronken chauffeurs tegen de pompen pisten of op de metalen bever kotsten. Soms lagen er zelfs drollen. Mijn vader vertikte het om voor die hooligans op te staan en weigerde aan chantage toe te geven, maar na iedere aanslag zat hij tot diep in de nacht over zijn berekeningen gebogen. Misschien konden we beter weer om zes uur opengaan. 'Je moet het roer om durven gooien,' zei hij. 'Je moet leven met de vinger aan de pols.'

De bureau had een raam tot op de grond en late, hoopvolle

klanten zagen mijn vader in zijn overall aan de metalen tafel zitten waaraan ook zijn neef greep op zijn administratie had proberen te krijgen. Op de borstzak van zijn overall was een bever geborduurd, die zijn gele knaagtanden bloot lachte en een Engelse sleutel in zijn rechterpoot hield. Onze achternaam stond in gele letters op zijn bolle buik: Van Beveren. Mijn vaders neef, Frans Van Beveren, had het logo ontworpen. Hij had ook de metalen bever laten maken, die in de wind om zijn as danste en de klanten met een guitige lach welkom heette. Als er ongeduldig op het raam werd gebonkt, gebaarde papa dat hij met rust gelaten wilde worden. Of hij gooide een van de pluchen bevers, die klanten voor een prikje konden kopen, naar het raam. Mijn zus en ik, die achter in de tuin sliepen, merkten weinig of niets van het late misbaar.

'Bij dokters is dat nog erger,' zei papa gelaten. 'Maar wij zijn ook dokters. Autodokters.'

'En ik ben het verpleegsterke dat met de chirurg is getrouwd.'
Mama lachte.


Telkens wanneer iemand over de kabel reed, rinkelde in de keuken een belletje. De garage had een aparte in- en uitgang, maar omdat veel klanten de uitgang als ingang gebruikten, had mijn vader de kabel ook daar over de grond gespannen en liet elke klant het belletje twee keer rinkelen. De kabel was een grote vooruitgang, zei mijn moeder, die anders nooit naar achteren had kunnen gaan. Stipt om zeven uur haalde ze de schakelaar over en snerpte soms meteen het eerste signaal door de keuken. De keuken was ook woon- en zitkamer. 's Morgens ontbeten we er en 's avonds maakten Roos en ik er ons huiswerk. Of we keken televisie. Samen met de badkamer vormde de keuken de 'bijbouw'. Wanneer mijn ouders over verbouwingen praatten, ging de bijbouw altijd als eerste tegen de vlakte. 'Het dak is rot,' zei mijn moeder. Of: 'Alle tegels liggen los.' Of: 'Er is hier geen lucht.' Geregeld haalde ze het formulier uit de lade waarmee een bouwvergunning kon worden aangevraagd en legde het op tafel. Naam, adres, beroep en geboortedatum van de aanvrager had ze al ingevuld, maar het vakje voor de architect was het struikelblok. Mijn moeder, die er prat op ging het beroep van de klanten te kunnen raden, hoopte dat er op een dag een architect zou komen tanken die bereid werd gevonden zijn naam en handtekening op het formulier te zetten. Papa kon dan zelf de bouwplannen tekenen. Hij had al een hele map vol. Maar papa was bang voor pottenkijkers. Destijds had zijn neef zonder bouwvergunning naast de garage een wc en een douche voor de klanten gebouwd. Hoe minder hij de gemeente zag, hoe beter. Hij wilde geen slapende honden wakker maken.

'Rudy!' zei mijn moeder. Papa was opgestaan om een vel papier uit de bureau te halen.

'Wat is er?'

'Je bent niet gekleed!'

Papa was te dik geworden voor zijn badjas, maar hij wilde de nieuwe, die oma voor hem uit Brighton had gestuurd, niet dragen. 'Er is iets met de stof,' zei hij. 'Jouw ouders proberen me te vergiftigen.'

'Er is iets met jouw buik,' zei mama. Ze knoopte de ceintuur van zijn badjas los, trok de panden strakker over zijn buik en knoopte de ceintuur weer dicht. Papa had ooit met een vriend gevochten, die een fles whisky had stukgeslagen en in papa's buik geduwd. Papa had zijn bewustzijn verloren en was meer dan een uur blijven liggen voor iemand hem naar een ziekenhuis had gebracht. De wonden waren te laat gehecht en er groeide wild vlees op het litteken. Altijd als mama zijn ceintuur losknoopte, zagen we de paarse kring op zijn witte huid. Ook op de zool van zijn rechtervoet zat een litteken van die keer dat hij met vrienden in de Lesse had gezwommen en in een roestig blik had getrapt. Toen had hij een spuitje tegen tetanus gekregen. En hij was ooit met zijn hoofd door de voorruit van zijn Porsche gevlogen, maar de littekens daarvan zaten onder zijn haar.

'Je drinkt te veel bier, Rudy.'

Papa haalde zijn schouders op en duwde de deur naar de bureau open.

'Deur dicht,' riep mama, want anders konden voorbijgangers ons zien zitten. In alle bouwplannen die zij en papa smeedden, was privacy een absolute prioriteit. Privacy en een aparte keuken, zodat mama's kleren en haar niet langer naar eten roken. De dampkap maakte vooral lawaai en ratelde zo hard dat mama het belletje soms niet hoorde. En ook een badkamer met douche moest er komen. Als er één ding was dat mama miste, dan was het een badkamer met douche. En kranen die niet lekten. En een goed verlichte spiegel om zich op te maken. Vroeger had mama dat allemaal gehad en kon ze zo lang in haar bed blijven liggen als ze wilde.

'Ja,' zei papa, 'maar je moest wel tot drie uur werken. Dat zeg je er niet bij, dat je tot drie uur 's nachts moest werken.'

'Alleen als het druk was.'

'Maar het was altijd druk.'

'Dat kun jij niet weten, Rudy. Jij was er niet altijd.'

'Er' was bij meneer Auguste, bij wie papa mama had weggehaald. Omdat de clown in het circus altijd Auguste heette, dachten Roos en ik toen we klein waren dat mama in een circus had gewerkt. Mama vond dat zo grappig dat ze ons in die waan liet.

Roos en ik zagen papa in zijn badjas of in zijn overall. Op zondag nam hij een bad in de badkamer zonder douche en trok hij gewone kleren aan, maar alle andere dagen stond hij in zijn overall in de put auto's te repareren. Of hij zat in de bureau berekeningen te maken. Het gebeurde dat chauffeurs hun kapotte auto 's nachts voor de garage achterlieten. Ze stopten de sleutels in de brievenbus en krabbelden een paar woorden op een briefje. Het eerste wat mijn vader deed wanneer hij opstond, was uit het raam kijken om te zien hoeveel 'zieken' er die nacht waren binnengebracht. Mijn moeder was dan al beneden.

Papa duwde zijn bord en zijn kop weg en legde het vel briefpapier op tafel. Het was twintig over zeven en mama had nog niet één keer hoeven opstaan om de pomp te bedienen. Op gewone dagen zou papa angstvallig de bel in het oog hebben gehouden, alsof hij daarmee klanten kon lokken, maar het wás geen gewone dag. Roos moest na school de bakker antwoord geven. Ze had een week bedenktijd gekregen, maar die was nu om. De bakker kon niet eeuwig wachten. Als Roos op zondag niet in de winkel kwam helpen, moest hij een andere kracht zoeken.

Mama droeg haar nieuwe trui van Trois Suisses en een broek die haar zus voor zichzelf had gekocht, maar aan mama had gegeven omdat ze er een dik gat in had. Ze had haar haar opgestoken en droeg de oorbellen die papa voor haar verjaardag had gekocht. Over de leuning van haar stoel hing de warme anorak die ze aantrok zodra het belletje rinkelde.

Papa's ogen schoten heen en weer, maar hij zag niet wat hij zocht.

'Haal eens een pen, lieveke,' zei hij.

Dat was tegen mij. Ik had het langst in Sinterklaas geloofd en zou dus ook het langst in hem geloven. Mama zuchtte. Ze had de vertoning al zo dikwijls meegemaakt. Ook Roos en ik konden niet geloven dat ze opnieuw zou worden opgevoerd. Maar papa beschouwde het als zijn plicht om ons te helpen dilemma's op te lossen. Twijfel was een ziekte waartegen zo snel mogelijk een remedie moest worden gezocht. Het was een verfoeilijke kwaal, waarvan hij zijn besluiteloze dochters wilde genezen.

Er zat een pen tussen de catalogus van Trois Suisses, die mama op de televisie had gelegd, en ook in de bureau lagen pennen die

9

de vertegenwoordigers hadden achtergelaten of vergeten, maar ik glipte naar de kamer van Roos en mij achter in de tuin. Roos en ik hadden ons eigen badkamertje met een toilet en een wastafel. Er was alleen een koudwaterkraan en als het vroor moesten we het water afsluiten, maar dat gebeurde niet dikwijls. 'Tuin' was een groot woord voor het grasveld waarop papa de auto's parkeerde die hij nog moest repareren en de gerepareerde die nog niet waren opgehaald. Maar in de lente zette hij bakken met geraniums op de vensterbank van ons huisje, en ook tussen de pompen zette hij manden met geraniums en petunia's.

Niet alleen moest Roos de bakker antwoord geven, maar het was ook de derde donderdag van de maand en dan kwam de vertegenwoordiger van Texaco altijd langs. Papa stond de vertegenwoordigers liever zelf te woord, omdat hij zich minder snel liet inpakken dan mama, maar in zijn put kon hij niet ruiken wie er in de bureau was. 'Wat niet weet, wat niet deert,' zei mama, die intussen ook wel wist dat ze niet alles moest geloven wat zo'n vertegenwoordiger haar probeerde wijs te maken. Ik had altijd medelijden met de vertegenwoordigers. Ze droegen een grijs pak, zwarte schoenen, een lichtblauw overhemd en een lelijke das. Ze zagen bleek en moesten geduldig wachten terwijl mijn moeder de klanten bediende of de telefoon aannam. Sommigen gedroegen zich alsof ze een deel van het interieur waren. Als ik hun een kop koffie of thee aanbood, weigerden ze steevast. Ze konden natuurlijk niet overal thee of koffie drinken. De vertegenwoordiger van Texaco was anders. Om te beginnen droeg hij een spijkerbroek en hij nam alles aan wat ik hem aanbood. In ruil kreeg ik van hem stickers en sleutelhangers. Hij heette Klaus met een K. Dat moest hij erbij zeggen, zei hij, anders schreven mensen zijn naam met een C. En wist ik waarom? Ik schudde mijn hoofd. Omdat ze aan prins Claus dachten. Wist ik wie prins Claus was? Ja? En wist ik waarom mijn mama hem altijd zo lang liet wachten? Ik schudde mijn hoofd, al kende ik het antwoord. Mama wilde hem zo lang mogelijk in de garage houden. Ze had het me zelf gezegd. Ze wilde hem ontmaskeren, want volgens haar was hij helemaal geen vertegenwoordiger. Hij deed maar een beetje alsof, omdat hij nu eenmaal ergens de kost mee moest verdienen. Ze beweerde niet dat hij een oplichter was, maar ze gaf hem hooguit een jaar. 'Daarna,' zei ze, 'komt er opnieuw zo'n grijs, onopvallend kereltje.'

Elk moment van die dag herinner ik me alsof het gisteren was, maar het is vijftien jaar geleden. En ook Roos kan die dag in januari 1989 tot in de kleinste details navertellen. Ook zij is hem niet vergeten.

Roos belt uit Canada om te zeggen dat haar lokale krant, *The Regina Mail*, een voorpagina-artikel heeft gewijd aan het proces tegen Dutroux, dat bijna acht jaar na zijn arrestatie eindelijk van start is gegaan.

'In al de jaren dat ik hier woon, is dit de eerste keer dat er iets over België in de pers verschijnt. Plotseling weet iedereen hier dat ik Belgische ben. Die Canadezen kunnen zo propvol vooroordelen zitten. "Is paedophilia common in Belgium?" Alsof Canada geen pedofielen heeft!'

'Wat zeg je dan?'

'Ik zeg niets. Of ik zeg dat Dutroux geen pedofiel is.'

'De beroemdste Belg,' zeg ik met een zucht. 'Alle omroepen van de hele wereld hebben een ploeg naar Aarlen gestuurd. In de hele stad en streek is geen hotelkamer meer te krijgen. Op sommige dagen wil ik er alles over weten, maar op andere kan ik er geen woord meer over horen.'

'Ze zijn zo mooi geworden.'

'Wie?'

'Sabine en Laetitia. Ze zien er beter uit dan meisjes die niet misbruikt zijn.'

Ze zwijgt.

'Roos,' zeg ik.

'It's okay,' zegt ze. 'Herinner jij je die roze gestikte nylon sprei-en die op ons bed lagen?'

'Lagen?' zeg ik. 'Waarom zeg je "lagen"?'

'Bedoel je dat ze er nog altijd liggen?'

'Alles ligt er nog, Roos. Niets is weggegooid of vervangen. Alleen de pompen zijn weg, maar dat moest.'

'Ja,' zegt ze. 'Dat moest.'

'En de bever is ook weg. Die had ik moeten houden.'

'Maar hij roestte.'

'Ja, hij roestte. Heb je al nieuws?'

'Nee,' zegt ze. 'Ik heb nog geen nieuws. Je moet niet zo ongeduldig zijn. Daar word ík ongeduldig van. Als er nieuws is, ben jij de eerste die het hoort.'

'De tweede,' zeg ik. 'Jij bent de eerste. Als ik jou was, zou ik het daarna aan de vader vertellen.'

Ze lacht. 'Oké,' zegt ze. 'Dan ben jij de derde.'

Ik probeer me voor te stellen hoe ze daar zit. Ze draagt haar haar weer lang en er zit een koptelefoon met een microfoontje op haar hoofd. Roos is 'operator 306' van de telefooncentrale van Regina, de hoofdstad van Saskatchewan. De 3 verwijst naar het derde departement en binnen dat departement is zij de zesde operator die in dienst is genomen. Canadezen tikken niet graag zelf een nummer in. Ze drukken liever op 0 en dan komen ze bij een operator terecht. Bij mijn zus Roos, bijvoorbeeld.

Sinds ze in Canada woont, schrijft ze haar naam 'Rose', anders denken ze dat ze 'Roes' heet. Dat was in Brighton al een probleem. Maar nu gebruikt ze ook Mikes naam, want het woord 'beaver' is in Canada heel dubbelzinnig. 'Beaver' is daar zoiets als 'poes' in Zuid-Afrika. Of 'muis' en 'pruim' bij ons. Maar bij ons kun je Muys heten zonder dat iemand daar schunnige opmerkingen over maakt. Roos Van Beveren zou Roes Beaver zijn geworden en daar zou iedereen zich vrolijk over hebben gemaakt, maar nu is ze Rose Jarvis. En niemand maakt nog akelige opmerkingen over haar haar of over haar sproeten. 'You've got lovely hair,' zeggen de inwoners van Regina. Of: 'I love your freckles.' En allemaal denken ze dat ze Engelse voorouders heeft, maar dat dachten de mensen hier ook, zeker als ze wisten dat de ouders van mama in Brighton wonen. En dan konden wij honderd keer uitleggen dat ze daar voor opa's longen zijn gaan wonen en dat Roos haar rosse haar heeft geërfd van haar erg Vlaamse papa, die ros borsthaar en een rosse baard had, mensen geloofden ons niet. Er stroomde Engels bloed door haar aderen, al besefte ze dat zelf niet.

Als Roos wil kan ze mij via haar switchboard in Regina met iemand in Gent of Brussel doorverbinden, of zelfs met mijn buren zonder dat het mij of haar een cent kost. Ze mag alleen niet betrapt worden, maar er is nauwelijks controle. Het is ook niet alsof we iets stelen. We gebruiken iets, maar het verslijt er niet van. Het betekent alleen dat iemand anders op dat ogenblik die lijn niet kan gebruiken. Roos is een maand in opleiding geweest, maar nu, zegt ze, kan ze dat switchboard met haar tenen bedienen. Als ze 'Hold on a second while I put you through' zegt, moet ik even mijn mond houden. Of: 'Operator 306 listening, how may I help you?' Soms is het daar een gekkenhuis, alsof heel Saskatchewan tegelijkertijd wil bellen.

Ik vraag haar nooit wanneer ze naar België komt en zij vraagt mij nooit wanneer ik haar kom opzoeken.

'Ik wil wel,' zegt ze. 'Soms prik ik zelfs een datum, en dan is er iets wat me tegenhoudt.'

Maar we bellen of mailen bijna iedere dag. En als we een webcam installeren, kunnen we elkaar zelfs zien. Waarom zou je uren vliegen en elkaar op de zenuwen werken door in elkaars huis te zitten? Roos stond op het punt in het klooster te treden toen Mike Jarvis over haar tas struikelde. Zijn kazerne was uitgenodigd door de brandweerlui van zusterstad Brighton om ideeën uit te wisselen, en iedere avond gingen de Britten en de Canadezen in de karaokebar op de pier samen zingen. Roos zat er om afscheid van haar vriendinnen te nemen. Ze was vierentwintig en ze had een kwart van haar leven in Brighton gewoond. 'Het waren zijn handen,' zegt ze. 'Ik ben gevallen voor zijn handen. De handen van een *firefighter*.' Mike had 'The Rose' voor haar gezongen: 'It's the heart afraid of breaking that never learns to dance.' En: 'Onder de bittere sneeuw ligt het zaad dat in de lentezon zal ontkiemen tot de roos.'

Vanuit Brighton was ze hem naar Regina gevolgd. Er was geen tijd voor een tussenstop in Ockerghem. En nu was ze dertig en had ze een vijfde van haar leven in Regina gewoond, een vijfde in Brighton en drie vijfden in Ockerghem. Haar leven was als een taart verdeeld. In drie stukken was de Belgische vlag geprikt, in eentje de Union Jack en in eentje de Canadese vlag. Als Roos ooit negentig wordt, vormen de jaren met mij en mama en papa in de garage nog slechts een vijfde van de taart.

'Straks herken ik je niet meer.'

Maar dat is onzin. Als ik blind word, zal ik haar stem herkennen, en als ik mijn gehoor verlies, zal ik aan haar geur weten dat zij het is. Roos met de rode haren en de duizend sproeten op haar armen, benen, rug en borst. Roos, die iedere zondag in het klooster ging voorlezen en niet wist wat ze moest zeggen toen de bakker aan mama vroeg of haar oudste dochter geen zin had om in de winkel te komen helpen. Zes uurtjes per week. Op zondag van zeven tot één. Roos had net haar vijftiende verjaardag gevierd, maar iedereen schatte haar achttien. De bakker bood honderdzestig frank per uur, wat in de praktijk op duizend frank voor die zes uur neerkwam; de nonnen gaven haar honderd frank voor een hele ochtend. En soms gaven ze niets, want ze waren als de leliën des velds en dachten niet aan aardse zaken. En dus was papa een vel briefpapier uit zijn bureau gaan halen om Roos te helpen de knoop door te hakken. Het was háár beslissing en háár geld, had hij gezegd. Mama had dat beaamd. Roos mocht zich door niets of niemand onder druk laten zetten. Papa zou haar helpen, maar niet beïnvloeden.

Als Roos drie zondagen bij de bakker werkte, kon ze bij Trois Suisses dezelfde trui bestellen als mama. Hij had een diepe v-hals en was zacht als de vacht van een lam. In de catalogus werd hij in karmijnrood, oudroze, oceaanblauw, okergeel, citroengeel, watergroen en grasgroen aangeboden. Trois Suisses bood wel dertig verschillende truien in alle mogelijke kleurschakeringen aan, en ook bloesjes en broeken en ondergoed en sjaaltjes. Mama kocht zelden meer dan één stuk tegelijk, maar als Roos haar eigen geld had, dan mocht ze het besteden zoals ze wilde. Roos en ik bewaarden onze kleren in een koffer onder ons bed, omdat er in het tuinhuisje geen plaats voor een kleerkast was. Al onze vrienden en vriendinnen benijdden ons omdat we ons eigen huisje hadden. En we hadden ook nog eens de put waarin papa stond om auto's te repareren, en drie pompen, die we zelf konden bedienen. Roos en ik deden het zelden, maar we konden het wel. Er kwam nooit iemand logeren, dus niemand wist dat de daken rot waren en wij beter in een regenjas dan in een pyjama konden slapen.

'In een tent hadden we droger gelegen,' zegt Roos.

Maar bij mama en papa in de slaapkamer was het nog erger, dus klaagden we niet.

Als papa tijd had, kroop hij op het dak om een lek met een stuk *roofing* te dichten, maar de regen vond altijd wel een nieuwe barst of scheur. Omdat mama en papa spaarden voor de verbouwing, was er alleen geld voor lapmiddelen. In alle bouwplannen was een traditioneel schuin dak met rode pannen en een Velux-dakraam voorzien. Platte daken waren een vergissing, zei mama. Die hoorden thuis in een mediterraan klimaat.

Ik duwde de deur van onze kamer open en liet me op mijn bed vallen. In de loop van de nacht was de sprei van mijn bed gegleden. Dat gebeurde iedere nacht. Mama had de spreien van haar ouders gekregen, die ze bij een tombola hadden gewonnen. Sinds ze in Brighton woonden en van hun rente moesten leven, speelden ze in de lotto en knipten ze alle mogelijke voordeelbonnen uit. En ook aan elke tombola namen ze deel. Met de spullen die ze wonnen gingen ze 's zaterdags op een rommelmarkt staan. Of ze gaven ze aan een van hun dochters mee. De badjas van papa hadden ze waarschijnlijk ook ergens gewonnen.

Mama had een sprei in een tas gepropt en was ermee naar de stoffenwinkel gegaan om bijpassende roze gordijnstof te kopen. Tussen onze kamer en de badkamer hing een roze plastic douchegordijn en ook de emmers die we bij zware regenval op strategische plekken moesten zetten, waren roze. Roos haatte de kleur. Ze was Rosse Roos, Roze Ros, Sproetnik Roos en soms ook Tetten Roos. Opa noemde haar zijn 'English Rose', al was ze niet Engelser dan hij. Alleen thuis en bij de nonnen was Roos gewoon Roos of Roosje. Onlangs had mama voor haar bij Trois Suisses een c-cup besteld, maar hij was te klein en ze had hem moeten ruilen voor een D-cup. Dat was het mooie van Trois Suisses: alles wat je bestelde, mocht je terugsturen. Je kreeg je geld terug, behalve als de kleren beschadigd waren. Roos had gedreigd me te vermoorden als ik het waagde tegen iemand in de klas een woord over die D-cup te zeggen. We waren in hetzelfde jaar geboren, zij in januari en ik in december, en we zaten in dezelfde klas. Anders dan Roos had ik geen bijnamen. Ik was Rie Van Beveren. In januari 1989, toen Roos moest beslissen of ze de nonnen aan hun lot zou overlaten om iedere zondag broodjes en gebak te gaan verkopen, had ik een bescheiden A-cup. Meestal vergat ik een beha aan te trekken, omdat ik die eigenlijk nog niet nodig had.

Roos kwam binnen.

'Papa wacht,' zei ze.

'Hij kan een pen uit de bureau nemen.'

'Hij zei dat hij wacht.'

Ze ging op de rand van haar bed zitten. Ze had schoenen aangetrokken om te gaan ontbijten, maar geen sokken. Die schoenen schopte ze nu uit en ze zette de tenen van haar rechtervoet op de tenen van haar linkervoet. Als ik schoenen zonder sokken droeg, kreeg ik pijn in mijn oren. En ik was bang dat ik zou gaan kotsen. Van nylon ondergoed kreeg ik hartkloppingen en rubberlaarzen kon ik zelfs niet mét sokken verdragen.

Roos zette de elektrische radiator aan en sloeg de sprei om haar schouders. We wisten nooit wat het zuinigst was: de verwarming aan laten terwijl we ontbeten, of niet. Mama en papa wisten het ook niet en het was beter papa geen vragen te stellen over dingen die hij niet wist, want daar werd hij kregelig van. De garage en de bijbouw werden met gaskachels verwarmd. In principe was het mogelijk de gasleiding tot het tuinhuisje door te trekken, maar omdat mijn ouders van plan waren het tuinhuisje af te breken en ons elk een echte eigen kamer te geven, had het weinig zin geld in een extra leiding te steken. Papa, die de hele dag in de onverwarmde put stond, klaagde nooit.

We moesten allebei nog een oefening voor wiskunde maken.

'Was jij klaar met ontbijten?' vroeg ik.

Ze schudde haar hoofd.

'Waarom begon je erover?' vroeg ik.

'Mama begon. En de bakker verwacht vandaag antwoord. Volgens mij mag ik nog niet werken. Iedereen doet alsof ik achttien ben, maar ik ben pas vijftien. Ze zijn in staat iemand om te kopen om het geboorteregister te vervalsen. Waarom moet ik gaan werken en jij niet?'

'Jij werkt al jaren, Roos.'

'Dat is geen werken, Rie. Denk je dat ze nog kleren voor me koopt als ik weiger?'

'Vast wel.'

'Als ik kon, ging ik in het klooster wonen.'

Ik zweeg. Als ze dat deed, zou ik 's nachts alleen naar de regendruppels liggen luisteren. En ik zou alleen mijn huiswerk moeten maken.

'Er is daar plaats,' zei ze. 'Vroeger waren er tachtig nonnen, die elk hun eigen kamer hadden. Tachtig!'

Ik zou mama kunnen vragen of ik op de bank in de keuken mocht slapen. Zij en papa konden rustig televisiekijken of doen wat ze deden als Roos en ik sliepen. Ik was een diepe slaper. Nooit hoorde ik papa onze kamer binnenkomen als hij kwam kijken of alles in orde was. Een dief of een moordenaar zou kunnen inbreken zonder dat ik iets hoorde. Misschien was het beter dat je het niet hoorde, zei Roos, die van het geringste geluid wakker schrok. Pas nadat papa langs was geweest, schoof ze de grendel op de deur. Het hek aan de zijkant van de garage ging al om zeven uur 's avonds dicht. Papa had bovenaan prikkeldraad gespannen om inbrekers af te schrikken. Hij was als de dood dat iemand met de auto van een van de klanten zou wegrijden.

'Waarom zeg je niets? Als ik niet te jong ben om te werken, ben ik ook niet te jong om in te treden. Zuster Hildegarde was zeventien toen ze intrad. Dat is maar twee jaar ouder dan ik.'

'Zuster Hildegarde kwam uit Hongarije.'

'Wat maakt dat uit?'

'Ze was gevlucht. Daarom namen de nonnen haar op.'

'Ik kan toch ook zeggen dat ik ben gevlucht. Kan ik niet zeggen dat ik ben gevlucht? Je kunt me altijd komen opzoeken. Je weet dat je me altijd kunt komen opzoeken.'

Ik knikte. Op mij had het klooster dezelfde uitwerking als schoenen zonder sokken, nylon ondergoed en rubberlaarzen.

De nonnen hadden hun eigen kapel, waar bij het beeld van de Zwarte Madonna dag en nacht een zee van kaarsjes brandde. Niemand wist waarom de Madonna zwart was en de nonnen weigerden het beeld af te staan om te laten onderzoeken of de zwarte verf later was aangebracht en uit welke ingrediënten die bestond. De Madonna droeg een lichtgele kapmantel, waarbij haar zwarte gezicht en handen afstaken. Roos had me een aantal keren mee naar binnen gesmokkeld. Ik had haar geholpen de was die op de uitgesleten vloerstenen was gedrupt weg te krabben en de kaarsjes die waren opgebrand te vervangen. Roos mocht zoveel kaarsjes aansteken als ze wilde. Ze veegde het stof van de banken, gooide de verwelkte bloemen weg en dweilde de vloer. Ze straalde alsof ze zelf de Maagd Maria was.

Als ze klaar was, ging ze met het boek waaruit ze zou voorlezen zitten wachten tot de nonnen, log en onhandig als zeeleeuwen op het droge, naar hun vaste plekje schuifelden. Ze sloegen een kruisteken, zeiden het Weesgegroet en gaven Roos een teken dat ze mocht beginnen. Na een kwartier zat de oudste non, die doof was, te knikkebollen en nog eens een kwartier later luisterde alleen Zuster Hildegarde nog. Roos klapte het boek dicht en Zuster Hildegarde las het gedicht voor dat ze in de loop van de week geschreven had. Telkens opnieuw schreef Zuster Hildegarde 'de huis van mijn Vader' en legde Roos uit dat het 'het huis' moest zijn. Ook met de verleden tijd sprong de Hongaarse zuster creatief om. 'Ik beed U om vergeefnis.' 'Smeltte ik voor U, Gij zoudt mij mogen drinken.' Tegen etenstijd schrokken de nonnen wakker, geprikkeld door de geur die vanuit de keuken zijn weg naar hun neusgaten vond. Roos kreeg haar honderd frank en ging naar huis.

'Dat is geen klooster,' zei mama, die niet begreep wat haar dochter daar zocht. 'Dat is een rusthuis.'

De nonnen hadden Roos voor haar vijftiende verjaardag een reproductie gegeven van het schilderij dat een zuster van de congregatie ooit van de Zwarte Madonna had gemaakt. Tot grote frustratie van de nonnen hing het originele schilderij in de parochiekerk en weigerde de priester het af te staan. De Zwarte Madonna was een curiosum, dat bezoekers naar zijn kerk lokte, want het klooster kon niet worden bezocht. Er was zelfs een boek aan gewijd dat achter in de kerk werd verkocht, samen met reproducties van het schilderij. De legende wilde dat elke poging om het beeld te fotograferen was mislukt. Hoe zorgvuldig de fotograaf zijn toestel ook instelde, altijd waren de foto's overbelicht. Het boek bracht de Zwarte Madonna in verband met de beroemde icoon van Czestochowa, die ieder jaar duizenden pelgrims trok. De auteur suggereerde dat de bisschop de nonnen onder druk moest zetten om ook hun Madonna met andere gelovigen te delen.

De nonnen lieten de priester niet meer binnen, maar hun ogen waren te zwak om zelf in de bijbel en het gebedenboek te lezen, en ze wisten ook allang wat erin stond. Wat ze nodig hadden, was iemand die de krant voorlas. Of een roman. Iets spannends. Iets om te lachen. Iets waarmee ze konden meeleven. Zoals *Kristin Lavransdochter*. Het had Roos een jaar gekost om dat boek van a tot z voor te lezen en Zuster Hildegarde was de enige die het helemaal had gehoord. Maar zij dacht aan Hongarije en aan poëzie. Gedichten schrijven was een daad van hoogmoed, maar bij gebrek aan een priester werd er in het klooster geen biecht meer afgenomen en werden er ook geen zonden meer begaan.

'Kun je het niet combineren?' vroeg ik. 'Kun je 's morgens niet bij de bakker in de winkel helpen en na de middag in het klooster voorlezen?'

Op zondagmiddag gingen zij en ik rolschaatsen. Ik was bereid het schaatsen op te offeren als ik haar daarmee thuis kon houden.

'Na de middag kijken ze televisie.'

'Mag dat?'

'Kloosters zijn geen gevangenissen. En ook in gevangenissen wordt televisiegekeken. De nonnen doen wat ze willen.'

'Wanneer ga je de poster ophangen? Vind je hem niet mooi? Ben je er niet blij mee?'

Ze haalde haar schouders op. 'Ik denk niet dat ze nog kleren voor me zal kopen. "Eet maar bij de bakker," zal ze zeggen. "Daar hebben ze eten genoeg!"'

'Heb jij een pen?'

'Natuurlijk heb ik een pen.' Ze ging liggen en staarde naar het plafond. Vroeger hadden zij en ik om beurten gezegd wat we in de bruine vochtkringen zagen.

'Straks komt die vertegenwoordiger,' zei ik.

'Hij zal haar trui mooi vinden,' zei ze.

Als Roos vóór de verbouwing in het klooster ging wonen en mama en papa mij niet op de bank in de keuken lieten slapen, zou ik me moeten opknopen. Ik zou een stevig, lang touw moeten zoeken en een haak die mijn gewicht kon dragen.

'We moeten ons nog wassen en die oefening maken,' zei Roos. Ze ging weer rechtop zitten. 'Jij hebt die ook nog niet gemaakt, hè?'

Ik schudde mijn hoofd. Het was te koud om me te wassen en het was te koud om aan wiskunde te denken. Ik deed de jas die ik over mijn nachthemd had aangetrokken uit, en ook mijn nachthemd deed ik uit, maar toen ik de kleren begon aan te trekken die ik de dag tevoren had gedragen en de dag daarvoor, zei Roos dat ik me moest wassen.

'Morgen,' zei ik.

'Nee,' zei ze. 'Je moet je vandaag wassen.'

Terwijl ik de wastafel liet vollopen, ging de deur open.

'Wel,' zei papa, 'waar blijft die pen?'

Hij klonk erg opgewekt.

'Rie is zich aan het wassen,' zei Roos.

'En jij?' vroeg papa. 'Ga jij je ook wassen?'

Ik draaide de kraan dicht en hoorde dat hij op het bed naast haar ging zitten.

'Straks, papa,' zei Roos.

Ik hield het roze gordijn opzij en zag dat papa zijn arm om haar heen geslagen had. Hij droeg nog altijd de badjas waarvan mama vond dat hij er te dik voor was geworden omdat hij te veel bier dronk. Ik liet het gordijn los, nam het washandje en stak het in het koude water. Omdat we allebei hetzelfde washandje gebruikten, wasten we er nooit ons gezicht mee. Dat deden we met onze handen.

'Wat wordt het,' zei papa, 'kloosterij of bakkerij?'

Ik hoorde dat hij haar een kus gaf.

'Ik zal wel naar de bakkerij gaan,' zei Roos.

Ik droogde me af en trok mijn ondergoed aan.

'Jij kiest, Roosje.'

Opnieuw gaf hij haar een kus.

'Je weet wat ik altijd zeg: rechts zet je de pluspunten en links de minpunten en dan weeg je ze tegen elkaar af.'

'Ik ben klaar!' riep ik.

Ze stonden op en papa ging weg.

'Jij kiest, Roosje,' mompelde ze boos. Ze nam de opgerolde poster die ze van de nonnen gekregen had, en legde hem onder haar bed.

Ik kniel naast Roos' bed. Haar koffer staat er niet meer, maar de poster is al die jaren blijven liggen. Nooit heeft ze hem ontrold, nooit heeft ze hem hier aan de muur gehangen. Het klooster was het klooster en de garage de garage. Die twee mochten niets met elkaar te maken hebben. Ik veeg het stof eraf. Het elastiekje is verweerd en verpulvert onder mijn handen. Daar is ze, de Zwarte Madonna van Ockerghem, geschilderd als een icoon, al dan niet in navolging van de Poolse Maagd.

'Voor Roos, die blank is als de lelie, in eeuwige bescherming. De Zusters van Santa Nigra.'

Ik stop de reproductie in een koker, schrijf er Roos' adres op en breng hem naar de post. Als de garage straks wordt verkocht, zal elke kast en lade moeten worden leeggemaakt. Spullen zullen moeten worden weggegooid of verdeeld of naar een kringloop-winkel gebracht. Roos kennende zal ze de ene dag aankondigen dat ze niets hoeft te hebben en de volgende zal ze een lijstje sturen van wat ze graag wil.

Kruidvat heeft een kwart miljoen euro voor de garage geboden. In december hebben ze voor het eerst gepolst of er van onze kant interesse was. Ze hadden het over de grond en de ligging, alsof de garage, de bijbouw en het tuinhuisje al afgebroken waren.

'Drijf de prijs op,' zei Roos. 'Kijk hoe ver ze gaan. Zeg dat die gebouwen voor ons grote emotionele waarde hebben. Noem on-ze kindertijd paradijselijk.' De kakelende lach van operator 306 stak de oceaan over.

Nu eens vindt ze dat we moeten verkopen, dan weer zegt ze dat we beter kunnen wachten. En ook ik weet niet wat ik wil. Net als de metalen bever draaien we in de wind. Geen ruggengraat, zou pap-pie hebben gezegd, terwijl het zo eenvoudig is: pluspunten rechts, minpunten links, en vervolgens de optelsom maken. Ik pluk een madeliefje en trek er een voor een de bloemblaadjes uit. We ver-kopen, we verkopen niet, we verkopen, we verkopen niet, we ver-kopen... Kiezen is nog altijd verliezen.

Minstens de helft van het Kruidvat-management is hier al over de vloer geweest. Ik laat ze de foto's zien die Frans Van Beveren in 1961 bij de opening van de garage en het benzinestation heeft gemaakt en waarop de pompen nog niet zo dicht bij de straat staan omdat die nog niet was verbreed, en ik toon ze het briefpapier met het logo, en daarna geef ik ze het bodemsaneringsdossier ter inzage. Bovenop ligt het certificaat waarin met stempels en handtekeningen officieel wordt verklaard dat het laatste onderzoek van de bodemmonsters bevredigende resultaten heeft opgeleverd. 'Wij zien ons niet genoodzaakt verdere actie aan te bevelen.' Meestal vragen ze of ik hun een kopie van dat certificaat kan bezorgen, waarop ze me hun kaartje overhandigen. Ze dragen een pak en een gouden zegelring en een dasspeld, en ze zien eruit als de vertegenwoordigers, maar ze zijn minder bleek. Misschien hebben ze een abonnement bij de zonnebank. En altijd vragen ze wie de draaischijf gebruikt en wie de uitgestalde keramiek heeft gemaakt. En dan geef ik hun mijn kaartje: keRamIEk. Dat heeft papa nog bedacht. Het klinkt flauw, maar door de belettering en de lay-out is het op het kaartje wel mooi.

Eén keer is er een vrouw komen kijken. Ook zij droeg een pak, al had het een vrouwelijke snit, en de dasspeld was door een broche vervangen, maar verder was er weinig verschil. Met haar leesbril op het puntje van haar neus bestudeerde ze het dossier en maakte ze aantekeningen op haar laptop. Ze had een fles Evian en haar eigen glas meegebracht, en ze nam zelfs geen kopje thee of koffie aan. Ik had haar de tafel in de keuken aangeboden, maar ze had gevraagd of ze in de bureau mocht werken. Ze wilde de plek voelen, zei ze. Op haar kaartje stond dat ze *Sales and Acquisition Officer for the Benelux* was.

'Ik ken deze buurt,' zei ze. 'De zus van mijn stiefvader woonde hier. Ze gaf les op de Nederlandse school. Ze herinnert zich uw ouders.' Ze glimlachte en ook ik glimlachte. 'Vroeger was hier bij de kerk een restaurant waar je stoofvlees kon krijgen, en pasteitjes. Maar die heetten *vol-au-vent*.' Het Franse woord rolde moeizaam uit haar Nederlandse mond.

Het restaurant bestaat nog altijd. De reproductie die jaren onder Roos' bed heeft gelegen, hangt er aan de muur, en je kunt er een Zwarte Madonna drinken. Ook op het label van het zoete, donkere bier staat de onvermijdelijke reproductie. Als mama jarig was, trakteerde papa ons op een etentje in De Zwarte Madonna. Het was een vreemd idee dat de Nederlandse vrouw met haar stiefvader en diens zus misschien aan een tafeltje naast het onze had gezeten.

'Uw moeder heette Rachel, niet?'

Ik knikte. 'En mijn vader heette Rudy. Toen ze trouwden, huurde hij een Rolls Royce en dansten ze de hele nacht de rock-'n-roll. Vier maanden later werd Roos geboren en nog eens elf maanden later Rie.'

Ze legde haar hand op het dossier. 'Ik wilde u iets vragen.' Ze beet op haar lip. 'De zoon van die stieftante heeft nog regelmatig contact met mensen uit de buurt. Hem is verteld dat zowel uw vader als uw moeder aan kanker is gestorven. Klopt dat?'

Ik knikte. Ze greep even naar haar broche en stelde toen de vraag waarvoor ze naar Ockerghem was afgezakt.

'Leeft dat in de buurt?' vroeg ze.

'Wat?'

'Dat uw ouders allebei aan kanker zijn gestorven.'

'Mevrouw, hoe zou ik dat moeten weten?'

'Hebt u daarom de bodem laten saneren?'

Plotseling had ik een enorme hekel aan deze vrouw en aan haar berekenende vriendelijkheid.

'Alles wat u wilt of kunt weten, staat in het dossier.'

'Soms is het goed om het uit de mond van de betrokken personen te horen.'

'Misschien zou het voor mij goed zijn om uit uw mond te horen waarom Kruidvat de garage wil kopen als er zoveel vraagtekens zijn.'

'U moet mij niet verkeerd begrijpen. Wij staan in principe positief tegenover dit project, maar wij kunnen niet over één nacht ijs gaan. Wanneer wij hier investeren, dan moeten we alle negatieve factoren en actoren uitschakelen.'

'Dat weet ik. U bent niet de eerste Kruidvatter die hier komt. Na de dood van mijn vader... Zoals u zei is mijn vader... Het spijt me.' Even zat ik met mijn handen voor mijn mond en met mijn ogen dicht. 'De gemeente wilde mijn vader allang zijn vergunning afpakken. Ze noemden de garage en het benzinestation een anomalie omdat de pompen te dicht bij de straat stonden. Het helt hier en de weg maakt een bocht. Vroeger kregen we veel vrachtverkeer. Soms hadden ze een hele nacht gereden als ze 's morgens kwamen tanken. Ze namen een douche, dronken koffie en rustten even uit. De gemeente beweerde dat de garage vrachtverkeer aantrok. En dat vroeg of laat een tientonner de controle over zijn stuur zou verliezen. De schade zou niet te overzien zijn. Mijn vader wees met een beschuldigende vinger naar de gemeente. Zij hadden destijds gelobbyd om een oprit naar de autoweg te krijgen. Zij hadden zijn neef een vergunning gegeven. En zíj hadden de weg verbreed. Er waren fouten gemaakt, waar hij niet de rekening voor wilde betalen. Het was altijd duidelijk dat de gemeente de dood van mijn vader zou aangrijpen om de vergunning nietig te verklaren. Mijn vader heeft me ook nooit gevraagd om ervoor te vechten. Er was een nieuwe bestemming: mijn atelier. Maar hij wilde dat de gemeente haar ongelijk toegaf. Ze hebben negentig centimeter voor zijn pompen weggehaald. Negentig centimeter! Aan de overkant is de stoep even breed gebleven, want daar had de moeder van de schepen van openbare werken toen een café. Je kunt van veel dingen kanker krijgen.'

'Ja,' zei ze met een diepe zucht. 'Zullen we samen iets gaan eten?'

Ik schudde mijn hoofd.

'Het spijt me. Ik wilde geen oude wonden openrijten, maar wij moeten ook aan het welzijn van ons personeel denken.'

'Misschien had ik beter informatie achter kunnen houden, die u dan had kunnen ontdekken.' Ik hoorde hoe bitter ik klonk. 'Mensen zijn hier altijd vrij in- en uitgelopen. Wij hadden niets te verbergen.'

'Heet dat restaurant niet De Zwarte Madonna?'

'Ja,' zei ik. 'De Zwarte Madonna beschermt ons. Weinig mensen hebben haar gezien. Ze staat in de kapel van het klooster.'

'Is hier een klooster?'

'Heeft uw stieftante u dat nooit verteld?'

'Ik denk niet dat ze gelovig is.'

'Mijn ouders waren ook niet gelovig. Daarom heeft de Madonna hen niet beschermd.'

De vrouw knipperde met haar ogen en greep telkens opnieuw naar haar broche. Meende ik wat ik zei of maakte ik een misplaatste grap?

Iedereen wilde op ieder uur van de dag kunnen tanken, maar niemand wilde iets met diesel of benzine te maken hebben. Ik had nog nooit iemand ontmoet die van de geur van benzine hield. Nooit.

'Een kwart miljoen euro is tien miljoen Belgische frank,' zeg ik tegen Roos, die nooit euro's heeft gebruikt.

'Wat wil jij?' vraagt ze.

'Ik weet het niet. Ik weet het echt niet.'

'Ik ook niet,' zegt ze.

Bij papa is het snel gegaan. Eind '99 is de diagnose gesteld en zes maanden later was het afgelopen. Hij had berekend dat hij er in 2004 mee ophield. Dan was hij zestig. Eerst zat het in zijn dikke darm en daarna bleek ook zijn lever aangetast. Toen hij op het eind mager en verschrompeld in zijn bed lag, dacht ik dikwijls: nu is zijn badjas niet meer te klein. Het lange litteken van de operatie sneed door de paarse kring wild vlees. Het begon vlak onder zijn borstbeen en eindigde in zijn rosse schaamhaar. Papa beweerde dat ze al zijn darmen uit zijn buik hadden gehaald om ze centimeter voor centimeter te onderzoeken. 'Ik was wakker,' zei hij. 'Ze hadden me plaatselijk verdoofd. Ze denken dat ik het niet heb gemerkt, maar ze hebben ook gezonde stukken weggeknipt om er worst van te maken. En toen ze zagen hoe lekker mijn lever was, hebben ze er de helft van opgesmuld.'

Roos woonde toen al in Canada. Ze belde iedere dag, maar ze bleef daar. En ze weigerde met hem te praten. Ik zette de telefoon op luidspreker zodat papa haar stem en haar bezorgde vragen kon horen, maar zodra hij de hoorn overnam, hing ze op. Het zou me niet hebben verbaasd als ze ook op zijn begrafenis niet was komen opdagen, maar ze wilde zich er met haar eigen ogen van vergewissen dat hij dood was. Ze noemde God genadig.

'Ik vind wel,' zegt ze, 'dat jij op zes van die tien miljoen recht hebt.'

'Dat vind ik ook. Ik krijg een miljoen omdat ik mama heb verzorgd en een tweede miljoen omdat ik papa heb verzorgd, en van de overige acht miljoen krijgen we elk de helft.' Ik lach. Als het ooit zover komt, zullen we het geld eerlijk verdelen, maar voorlopig lijkt niemand met zekerheid te weten of het ooit zover komt. Roos zou huur van me kunnen eisen. Of compensatie voor de vele jaren kost en inwoon die ik wel en zij niet genoten heeft. 'Ben je gek?' zegt ze als ik het ter sprake breng. 'Ik had toch ook kunnen blijven.'

'Maar je bent niet gebleven.'

'Nee, ik ben niet gebleven.'

Zelfs de Zwarte Madonna heeft haar niet hier kunnen houden. Ik weet niet wie nu de was van de stenen krabt, nieuwe kaarsen aansteekt en Zuster Hildegarde taaltips geeft. Ik heb haar plaats in het klooster niet ingenomen, maar misschien, zegt Roos met een lach, heeft Maria dat gedaan, net als in de Beatrijslegende.

De nonnen hebben zulke zwakke ogen dat ze het kaarsvet niet op de vloerstenen zien druipen. Hun handen bibberen zo ongecontroleerd dat ze geen lucifer kunnen aanstrijken. Misschien kan intussen zelfs Zuster Hildegarde geen pen meer vasthouden. Arme Zuster Hildegarde, die nooit haar geliefde Hongarije heeft weergezien. Die iedere week meer taalfouten maakte, alsof haar hersenen koppig de vreemde taal afstootten.

'Hoe staan ze in België de laatste tijd tegenover borstkanker?'

'Niet anders dan vroeger, veronderstel ik.'

Even blijft het stil aan de andere kant van de lijn. In Saskatchewan is het halfdrie in de ochtend. Mijn zusje heeft nachtdienst, wat betekent dat ze met een beetje geluk min of meer ongehinderd kan bellen. Gisteren heeft Sabine Dardenne haar getuigenis tegen Dutroux afgelegd. Ik wil er met Roos over praten, maar Roos wil het over borstkanker hebben. Marc Dutroux is in Canada niet langer voorpaginanieuws.

'Je hoort hier steeds vaker over vrouwen die hun borsten preventief laten amputeren.'

'Roos,' zeg ik, 'wij krijgen geen kanker. De kanker in onze familie is uitgewoed.'

'Jij zou het ook moeten laten doen, Rie. Kanker heeft niets met de grootte van je borsten te maken.'

'Dat weet ik, Roos, maar ik wil mijn borsten niet kwijt.'

'Ik heb er met Mike over gesproken. Hij zegt dat hij mijn beslissing respecteert.'

'Beslissing?'

'We willen drie kinderen, maar als die hun borstvoeding hebben gehad, dan gaan ze eraf.'

'Bedoel je dat jij aan een chirurg wilt vragen om je gezonde borsten te amputeren? Welke chirurg doet zoiets?'

'Elke chirurg aan wie ik vertel dat allebei mijn ouders aan kanker zijn gestorven. Ik heb dezelfde borsten als mama.'

'Aan de buitenkant, ja, maar daarom nog niet aan de binnenkant. Oma heeft geen borstkanker.'

'Oma niet, nee.'

'En mama's zussen ook niet. Kanker heeft niet altijd een oorzaak. Soms krijg je kanker omdat je kanker krijgt.'

'Dat is niet waar, Roos. Jij leeft in ontkenning. Jij hebt altijd in ontkenning geleefd. Je krijgt kanker omdat je er aanleg voor hebt en omdat externe factoren die aanleg activeren. De aanleg zit in je genen. Die krijg je mee als cadeautje van je ouders.'

'Misschien waren er in papa's en mama's geval alleen externe factoren. Ze hebben altijd in een benzinestation gewoond. Dat is nou niet wat je noemt een gezonde omgeving.'

'En wij, Rie? Waar zijn wij grootgebracht? Waar woon jíj? Operator 306. How may I help you? Even geduld, Rie. Er is een ongeluk gebeurd. Yes, stay on the line, I'll get back to you.'

'Roos,' zeg ik als ze weer tijd voor me heeft, 'je weet wat papa altijd zei: neem een blad papier, verdeel het in twee kolommen en maak een lijstje met pluspunten en eentje met minpunten.'

'Er zou één plus staan, Rie. Borstvoeding. Dat is alles. En laat papa hier alsjeblieft buiten.'

'Waar heeft die therapie voor gediend, Roos?'

'Therapie dient om therapeuten geld te laten verdienen. Zonder die therapie had ik mezelf nooit leren aanvaarden. Ik heb leren aanvaarden dat ik iemand ben die geen borsten wil.'

'Stel dat je weduwe wordt. Welke man zal je dan nog willen?'

'Als ik weduwe word, wil ik geen andere man. Mike is de enige man die ik wil en ooit zal willen. En hij is niet zo borstgericht. Het gaat hem om mij, niet om mijn borsten. Operator 306. How may I help you?'

Heilige Madonna, Santa Madonna Nigra, die in het hele land zou worden vereerd indien de nonnen bereid waren U met anderen te delen, en voor wie dan ook pelgrims uit verre landen zouden knielen, zeg tegen Roos dat ze zichzelf niet mag laten verminken. Ze is in Canada, Heilige Madonna, zoals Gij ongetwijfeld weet. In Regina, de hoofdstad van Saskatchewan. Ook Gij wordt soms Regina genoemd, maar in Saskatchewan bedoelen ze de Queen. Wees listig. Fluister Uw raad in haar oor terwijl ze slaapt. Laat haar op een ochtend uit een diepe slaap ontwaken en denken: hoe kon ik zo idioot zijn! Of stuur Uw boodschap door een van de vele kabels die naar haar telefooncentrale leiden. Gij zijt Roos niet vergeten en Roos denkt nog vaak aan U. Gij wilde niet dat zij in het klooster trad. Gij hebt Mike gestuurd opdat hij haar zou wegvoeren. Het klooster is geen plek voor jonge vrouwen. Red haar een tweede keer, Santa Madonna Nigra. Red haar en red haar borsten!

Roos wilde geen enkel detail van papa's operaties horen. Zijn lichaam, zei ze, interesseerde haar niet. Maar ze liet Interflora bloemen sturen, zelfs toen ze wist dat er geen snijbloemen in zijn kamer mochten staan. Ze wist het, maar ze vergat het telkens opnieuw. Of ze zei dat de bloemen voor mij waren. Ik zette de vazen in de tuin. Papa's dokter had zo'n donderpreek afgestoken over de schadelijke producten waarmee snijbloemen bespoten worden, dat ik die boeketten zelfs niet meer mooi kón vinden. 'Ik wil de helft van de rekeningen betalen, Rie.' Maar Rudy Van Beveren had voor zichzelf, zijn vrouw en zijn dochters een ziekenhuisverzekering afgesloten. In het ziekenhuis kreeg hij een eenpersoonskamer zonder dat hij daar een cent extra voor hoefde te betalen. Hij bleef er geen dag langer dan strikt noodzakelijk. De bijbouw was nog altijd rot, in de slaapkamers ploften regendruppels in de verweerde plastic emmers en in de tuin stonden drie auto's te roesten, maar mijn vader was graag thuis. Tot op de laatste dag heeft hij niets van Roos' woede begrepen. Ik denk dat hij zelfs niet besefte dat ze woedend was. Of hij besefte het wel, maar hij hield zich van den domme. Hij kon zichzelf niet toestaan het te beseffen. Ons gezin had de onvermijdelijke stormen doorstaan en daar waren we gesterkt en verenigd uit tevoorschijn gekomen. Kanker en niets anders dan kanker had aan zijn huwelijk vroegtijdig een einde gemaakt. En Roos was naar Canada geëmigreerd omdat haar man daar een goede baan had. Als ze Mike niet had ontmoet, dan was ze honderd meter verder in het klooster gaan wonen. Hij had ons van kindsbeen af bijgebracht dat we onze eigen beslissingen moesten nemen. Hoe onafhankelijker wij ons gedroegen, hoe geslaagder hij zijn opvoeding vond.

'Ja, pappietje,' zei ik dan. Wat moest ik anders zeggen?

Telkens opnieuw vertelde hij over de directeur van onze school, die op een avond was langsgekomen om voorzichtig te polsen hoe het met hem ging. Mijn vader had hem een biertje aangeboden en toen de directeur zich ervan overtuigd had dat mijn vader niet op het punt stond zelfmoord te plegen, vertelde hij waarom hij zich zorgen had gemaakt. Roos en ik hadden het op school altijd over papa 'die de hele dag in de put zat en die zelfs 's nachts in de put zou zitten als mama hem liet begaan'. En ook over de sproet op Roos' rechterbovenarm begon hij steeds weer, de sproet die opzwol alsof hij ontstoken was en waarvoor de schoolarts haar naar een huidarts verwees, en díe zei dat het een ongevaarlijke opgezwollen sproet was, maar dat we die sproeten inderdaad goed in de gaten moesten houden. En de huidarts had een boek uit zijn kast gepakt met foto's van sproeten die geen sproeten maar melanomen waren, en hij had Roos voor zich op een stoel gezet en haar van onder tot boven aandachtig bekeken alsof ze van een andere planeet kwam. Voor sommige sproeten had hij er zijn vergrootglas bij gehaald. En toen had Roos parmantig gezegd: 'Ik denk dat dit volstaat', en ze was van de stoel gestapt en had haar kleren weer aangetrokken. Grinnikend herhaalde hij Roos' zinnetje een keer of drie. 'Ik denk dat dit volstaat.'

'Roos was nooit op haar mondje gevallen, pappietje.' Ik hield zijn hand stevig in de mijne.

'Je moeder,' zei hij soms, maar dan sprongen de tranen in zijn ogen en maakte de brok in zijn keel verder spreken onmogelijk.

'Ik weet het, pappietje. Ik weet het.' En ik gaf hem de foto waarop ze in de gehuurde witte Rolls Royce op hun trouwdag bij het gemeentehuis poseren. De Rolls was als een paasei met roze en lichtblauwe strikken versierd. Die waren voor de baby, van wie ze nog niet wisten of het een jongen of een meisje was.

Anders dan mama verloor papa zijn haar niet. En hij had geen last van zijn littekens. Mama knipte haar nagels heel kort, want ze zou zich tot bloedens toe gekrabd hebben. 'Ze hebben er iets in laten zitten,' zei ze altijd. 'Ze moeten het weer openmaken en het eruit halen.'

Ik weet niet hoeveel verschillende zalfjes ze heeft geprobeerd, maar het bleef jeuken. Soms ging het een tijdje beter. Ze verdroeg haar borstprothese, bediende opnieuw de pomp en vergat dat ze kanker had gehad. Ze kreeg weer haar en de pruiken verdwenen in de kast. Ze trok een sexy bloesje aan, liet haar korte haren verven en zei met een lach dat die chemotherapie ook veel voordelen had: ze was haar overtollige vet kwijt. Ze bestelde boeken over het leven ná kanker en ontdekte een winkel die zich specialiseerde in lingerie voor vrouwen met een borstprothese. Op verzoek van haar arts vertelde ze vrouwen die pas de diagnose te horen hadden gekregen, over haar ervaringen. Zij en papa maakten plannen om samen een paar dagen naar zee te gaan. Iedere avond gingen ze wandelen omdat de arts had gezegd dat dat goed voor mama was.

Maar dan ontstak het litteken weer en liep ze de hele dag in haar nachthemd met één ballon van een borst en aan de andere kant niets. Als Roos en ik thuis waren, bedienden wij de pomp, maar anders moest papa bij elk belletje uit de put komen. Soms ging mama in haar nachthemd voor papa staan en dan vroeg ze of hij er spijt van had dat hij haar bij meneer Auguste had weggehaald. 'Kijk, Rudy. Kijk! Nu heb ik ook een min- en een pluspunt.' Ze knoopte haar nachthemd open en liet hem het rode, ontstoken litteken zien. Als hij zijn armen om haar heen had geslagen en had gezegd dat die borst hem niets kon schelen en dat hij van haar hield zoals ze was, dan zou ze zijn opgehouden met hem te treiteren. Hij zat op zijn stoel genageld en liet de tranen over zijn wangen lopen, maar hij kreeg geen woord over zijn lippen.

In onze kamer imiteerde Roos mama's gedrag. 'Kijk, Rudy, kijk,' riep ze, terwijl ze me haar tieten liet zien. Kort voor haar achttiende verjaardag trok ze de koffer van onder haar bed en gooide er alle kleren uit die ze niet meer nodig had. Ze sneed ons spaarvarken open en haalde al haar spaarcenten van de bank. Ik wist dat ze naar Brighton vertrok en dat niets of niemand haar kon tegenhouden. Ze had er intussen vrienden die haar zouden opvangen, indien oma en opa haar naar België terugstuurden. Als ze vijf maanden had gewacht, had ze haar eindexamen kunnen afleggen. Maar Roos wilde geen dag langer wachten. Misschien kon ze opnieuw aan de slag in de karaokebar op de pier waar ze de zomer voordien had gewerkt. Als dat niet lukte was er altijd nog de winkel waar oma voor opa overhemden kocht. Of een andere winkel of een pub of een restaurant. Op de dag van haar verjaardag sloop ze om zes uur 's morgens met haar koffer het huis uit. Om tien over tien voer de ferry uit Oostende af. Voor ze vertrok gaf ze me het sleuteltje van de brievenbus die ze in het postkantoor had gehuurd. Ze zou me schrijven, maar ze wilde niet dat haar brieven in verkeerde handen vielen. Ze gedroeg zich alsof ze was in haar oren had gestopt. Alles wat ik zei, gleed van haar af als water van een eend. Al jaren wist ik dat ze me vroeg of laat in de steek zou laten, en nu het zover was voelde ik me bijna opgelucht. Maar ik kon haar niet vergeven dat ze mij met de boodschap opzadelde. Mama en papa hadden plannen gemaakt om haar verjaardag te vieren. 'Waar blijft Roos?' vroegen ze bij het ontbijt. Ik keek van mijn vader naar mijn moeder en wist niet met welke woorden ik hun hart het minst zou breken. Ze konden het niet helpen dat ze al die jaren niets hadden gezien en niets hadden begrepen. Ze waren zonder ogen en oren geboren.

Papa wilde naar Oostende rijden, maar mama hield hem tegen.

'Laat haar,' zei ze. 'Als we haar ooit terug willen zien, moeten we haar nu laten gaan.'

Het belletje rinkelde en ze stond op om een klant te gaan helpen. Weken hield ze zich kranig. Met oma praatte ze aan de telefoon alsof Roos haar plannen met haar besproken had en het haar domweg ontschoten was om oma van Roos' komst op de hoogte te brengen. Tenslotte was zij geen dag ouder geweest toen ze bij meneer Auguste ging werken. In de lente werd duidelijk dat ze opnieuw chemotherapie moest krijgen omdat ook haar andere borst was aangetast. Oma en opa kwamen een paar keer op bezoek, maar Roos bleef waar ze was. Telkens wanneer ik de brievenbus openmaakte, verraadde ook ik mama. Ik las de brief in het postkantoor en legde hem terug. Ik wilde haar brieven zelfs niet onder de balatum in onze kamer verstoppen.

'Er is niets,' schreef ze, 'dat ik voor haar kan doen.'

Dat was in juni 1992. In december kwam Roos eindelijk naar huis. Uren zat ze bij mama, maar in januari vertrok ze opnieuw. Een paar maanden later stierf mama aan een longontsteking. Ze was veertig jaar, negen maanden en dertien dagen oud. Roos was van plan geweest haar alles te vertellen, maar mama was te verzwakt en te suf van de morfine, en op de een of andere manier leek ze alles te weten wat er op aarde te weten viel.

Terwijl ik tegen Roos zeg dat papa vandaag zijn zestigste verjaardag zou hebben gevierd én de eerste dag van zijn pensioen, stopt er een zwarte DS met Nederlandse nummerplaten voor de garage. Een zwarte godin: DS, *déesse*, godin.

'Ik denk dat er weer iemand van Kruidvat langskomt.'

'Zeg dat we verkopen,' zegt Roos. Maar ik weet dat ze in staat is morgen het tegendeel te beweren.

De chauffeur van de DS staat tussen zijn auto en de garage zijn jasje dicht te knopen. Hij kijkt niet naar mij, maar naar zijn spiegelbeeld. Dan ziet hij me aan papa's bureau zitten en zwaait. Aan de overkant van de oceaan verbreekt operator 306 de gratis telefoonverbinding en kijkt naar haar borsten, die de nonnen een geschenk van God noemden, net als haar ogen en haar tanden en haar sproeten en haar felrode haar. Nooit zouden ze haar amputatieplannen goedkeuren.

'Stoor ik?' Hij glimlacht breed en steekt zijn hand naar me uit. 'Spriet,' zegt hij. 'Theo Spriet. Herinner je je mij nog?'

Ik kijk naar de grote man met het open, jongensachtige gezicht. Er zijn hier de afgelopen maanden zoveel Nederlanders geweest dat ik hem niet kan thuisbrengen.

'Werkt u bij Kruidvat?'

'Bij Kruidvat? Nee, nee. Ik ben de pompen komen halen. De euro was net ingevoerd en ik heb je een Nederlandse euro gegeven in ruil voor een Belgische. Ik had toen nog een snor.'

Hij legt zijn vinger onder zijn neus.

'Ja, ja, Theo Spriet! U wilde die oude pompen voor een pretpark.'

'Klopt! Je had ze te koop aangeboden omdat er geen druppel

benzine meer werd verkocht. En later heb ik je het adres gegeven van een bedrijf dat je bodem kon saneren.'

'En ik heb contact met ze opgenomen, maar toen bleek dat ik subsidie kon krijgen als ik met een Vlaams bedrijf werkte. Het Nederlandse bedrijf heeft me in contact gebracht met het Vlaamse dat de sanering heeft uitgevoerd. Ze hebben dertig centimeter afgegraven.'

'Dertig!?'

'Precies zoveel als een meetlat. En nu groeien er planten en bloemen in de tuin en je ruikt geen benzine of diesel meer.'

We staan naar elkaar te glimlachen. Theo Spriet was de eerste uit wiens mond ik het woord 'bodemsanering' hoorde. Hij was in de tuin languit op zijn buik gaan liggen om aan het gras en de aarde te ruiken. Met zijn vingers had hij de aarde losgewoeld. 'Ruik!' had hij tegen me gezegd en ook ik was op de grond gaan liggen. Tot mijn verbijstering had hij aan de aarde gelikt. 'Jij ook,' had hij gezegd. Lachend had ik mijn hoofd geschud. 'Kom op,' zei hij. 'Dat is de enige manier.' Koppig was ik mijn hoofd blijven schudden. 'Ik weet dat die grond vervuild is. Ik heb geen bewijzen nodig.' – 'Je bent bang,' zei hij. 'Je hoeft niet bang te zijn.' En opnieuw likte hij aan de aarde.

Na hem waren hier veel mensen geweest met wie ik met gefronst voorhoofd naar de grond had staan staren, maar geen van hen had van de aarde geproefd.

'Ik wilde je uitnodigen om naar de pompen te komen kijken.' Hij haalt een brochure uit zijn binnenzak. 'Is het niet schitterend?'

'Just Like Old Times,' lees ik. Zo heeft Theo Spriet zijn pretpark genoemd.

'Mobiele telefoons en playstations zijn streng verboden en nergens staat een computer.'

'Nergens?'

'In ons kantoor hebben we computers, maar die krijgt de bezoeker niet te zien. Binnen het park worden walkietalkies gebruikt.'

Hij pakt de brochure uit mijn handen en slaat hem open. 'Kijk!'

Daar staan ze: de drie pompen van Garage Van Beveren. Een lachende jongeman vult de tank van Theo Spriets zwarte D S.

'Ze werken?'

'Alles werkt. We hebben mechanische tikmachines en rekenmachines, koffiemolens, eerste generatie stofzuigers, eerste generatie Vespa's, eerste generatie mixers. We bieden een complete jarenvijftigervaring. Als het zo goed blijft lopen, openen we een tweede park, gewijd aan de jaren twintig. We noemen het ook geen pretpark, maar een Levend Museum. Mensen halen hun zolder voor ons leeg, maar die pompen had ik nergens anders kunnen krijgen. Ik heb het laten uitzoeken: ze zijn van 1961, maar dat hoeft niemand te weten.' Hij lacht. 'We hebben al een directeur van Shell op bezoek gehad en zelfs die had niets in de gaten. Voor ons zit er in de jaren vijftig een beetje rek.'

Roos had een koper in Canada, die duizend dollar voor de drie pompen wilde betalen, maar die ook niet wist hoe de pompen naar Regina getransporteerd konden worden, en toen had Theo Spriet vijf knisperende briefjes van honderd euro op tafel gelegd. De euro was zo jong en de briefjes zo nieuw dat het een torenhoog bedrag had geleken.

Papa had de oude pompen nooit vervangen omdat er geen geld voor nieuwe was. Shell had een paar keer voorgesteld om het benzinestation te kopen en opnieuw in te richten. Papa zou dan de uitbater worden, maar dat vertrouwde hij niet. Hij had te dikwijls gehoord over kleine garages die door de grote maatschappijen waren opgekocht, niet om ze zelf te exploiteren, maar om hun onderhandelingspositie te verstevigen. Ze gebruikten de vergunningen van kleine garages als pasmunt om vergunningen voor winstgevende verkooppunten in de wacht te slepen. Als je je garage wilde sluiten, zei hij, dan moest je haar aan Shell verkopen. Overal in de buurt werden pompen geïnstalleerd die de mensen zelf konden bedienen, met automaten waarin je briefjes van honderd of vijfhonderd frank kon stoppen, maar papa troostte zich met verhalen over vandalen die de automaten vernielden om het geld eruit te stelen, of over klanten die hun geld in de automaten schoven zonder dat er ook maar een druppel benzine stroomde. Gebeurde dat 's nachts, dan kwamen ze bij ons op het raam bonken in de hoop dat mama of papa zou opstaan.

'In de zomermaanden zijn we iedere dag open,' zegt Theo. 'Bel me van tevoren, dan wacht ik je bij de kassa op. Voor jou is het gratis. Heb je een vriend?'

Ik schud mijn hoofd.

'Waarom niet? Hoe oud ben je? Mag ik raden? Zevenentwintig? Achtentwintig?'

'Negenentwintig.'

'Van 1975. Dat dacht ik al. Een erg goed jaar.'

'Nee, nee. Ik ben in '74 geboren. December '74. Ik word dit jaar dertig. En u?'

'En jij,' buldert hij. 'Theo Spriet werd in de *summer of love* geboren! In juli vier ik mijn zevenendertigste verjaardag. Zonder vrouw, maar met kindertjes, want een vrouwtje heeft Theo niet meer.'

Hij grijpt naar zijn portefeuille en haalt er een foto uit van twee schattige, blonde kleuters in de DS.

'Sammie en Soraya. Ze wonen bij mijn ouders, maar als ik er een halve dag tussenuit kan knijpen, dan haal ik ze op.'

'En hun moeder?'

'Met de noorderzon vertrokken.' Hij glimlacht breed. 'Hoe zeg je dat ook weer: dikke schuld, eigen bult?'

'Eigen schuld, dikke bult.'

'Ja, eigen schuld, dikke bult. Ik wilde haar alles geven, maar om haar alles te kunnen geven moest ik van 's morgens vroeg tot 's avonds laat werken. Ze heeft niets meegenomen, helemaal niets. Dat vond ik klasse. En weet je: ik werk nog altijd even hard. Het was helemaal niet voor haar, maar voor mezelf. Dat zei zij ook iedere dag, maar toen geloofde ik het niet.' Lachend stopt hij de foto weg. 'Je hebt mooie ogen, wist je dat? Ben jij ooit in Doetinchem geweest?'

'Nooit van gehoord.'

'Het is nogal een grappige naam, net als mijn naam, maar *what's in a name*? Weet je wie dat gezegd heeft? Nee? William Shakespeare. *Romeo en Julia*. Die man was een genie. De ene briljante regel na de andere vloeide uit zijn pen. "What's in a name? That which we call a rose by any other word would smell as sweet." De geur van een roos heeft niets met haar naam te maken. En ook haar schoonheid niet. Zal ik jou Roos noemen?'

'Ik heet Rie.'

'Dat weet ik. Rie Van Beveren. Maak jij die spullen?' Hij wijst naar de uitgestalde keramieken schalen en kommen.

Ik knik.

'Verkopen ze goed?'

'Steeds beter.'

'Kun je ervan leven?'

'Ik geef ook workshops en ik verhuur mijn oven. Die heb ik trouwens gekocht van het geld dat u, dat jij voor de pompen hebt betaald. Jonge trouwers bestellen vaak een servies. Of hun ouders bestellen het voor hen. Ik probeer nooit twee keer hetzelfde te maken.' Nu laat ik hem mijn brochure zien. 'Ik zoek vooral inspiratie bij de Chinezen.'

'Wij organiseren ook workshops. Koken zoals in de jaren vijftig. Naaien, breien, jam maken, groenten inmaken, dansen, alles wat je maar wilt, zoals in de jaren vijftig. Iedere vierde zaterdag van de maand geven we een fifties-party en tijdens het weekend kun je in ons restaurant een authentieke fifties-maaltijd krijgen.'

Hij staat veel te dicht bij me. Ik leg mijn hand op mijn borst alsof ik iets wil afschermen.

'Wat weet ik over de jaren vijftig? Zelfs mijn moeder was toen een kind.'

'Wat weet je over China?' Hij kijkt op zijn horloge. 'Beschouw de jaren vijftig als een land waar je nooit bent geweest en ook nooit zult komen, maar waarover je veel kunt leren. Of in ieder geval genoeg om een workshop keramiek uit de jaren vijftig te geven. Ik heb je al gezegd: de jaren vijftig zijn een rekbaar begrip. Ben jij een twijfelaar?'

Ik knik.

'Dan hak ik voor jou de knoop door: ja, Theo, ik kom een workshop geven.'

'Misschien,' zeg ik. 'Ligt Doetinchem hier ver vandaan?'

'In vergelijking met China ligt Doetinchem naast de deur.'

Ik lach, maar zeg nog altijd niet ja. Opnieuw kijkt hij op zijn horloge.

'Ik moet ervandoor, mevrouw Van Beveren, maar ik zal je met mailtjes bestoken tot ik je eindelijk in Doetinchem zie.'

'Rie. Ik heet Rie.'

'Dag, Rie. Doetinchem heeft een station. Als je wilt, haal ik je op.'

En dan doet hij wat mijn vader altijd deed. Hij legt zijn hand in mijn zij, geeft me een kus links van mijn mond en een kus rechts van mijn mond en voor de derde kus verplaatst hij zijn hand naar mijn borst. Net als bij papa draai ik snel mijn hoofd weg, zodat ook de derde kus naast mijn mond belandt.

Theo Spriet start de motor van zijn DS en steekt zijn hand op. Zijn uitlaat spuwt zwarte gassen uit. Theo Spriet neemt zijn hand mee naar Doetinchem, maar hij ligt ook nog op mijn borst. Hij verschroeit de stof van mijn bloesje. Verdwaasd sta ik met mijn en zijn brochure in de hand naast papa's metalen bureau. Ik kijk naar het telefoontoestel, maar bel Roos niet. In Canada wordt het woord verkrachting gebruikt als verzamelnaam voor elke vorm van ongewenst seksueel contact. Roos en Mike hebben het charter ondertekend van PAR – People Against Rape – waarin ze beloven voor elk seksueel getint gebaar de expliciete toestemming van de andere partij te vragen. Ook binnen een vaste relatie. Ook binnen een huwelijk. 'On a par' betekent 'op gelijke voet'. En dan ratelt Roos de statistieken af over RWM, Rape Within Marriage, en NMCS, Not Mutually Consented Sex.

Roos heeft een studiedag over verslaving aan ongewenste seks (USA: Unconsented Sex Addiction) bijgewoond. Wanneer een vrouw op jeugdige leeftijd het slachtoffer van ongewenste seks is geworden, zal ze later bewust of onbewust situaties opzoeken waarin de kans groot is dat een man toeslaat. De initiële ervaring heeft haar geperverteerd en ze kan niet meer van gewenste seks genieten. Door een rare omkering wordt ongewenste seks gewenst. Mensen houden nu eenmaal van wat ze kennen, zelfs wanneer ze weten dat het niet goed voor ze is. Als ik bijvoorbeeld de trein naar Doetinchem neem en aan Theo Spriet vraag me bij het station af te halen, dan geef ik aanleiding tot ongewenste seks. De kans dat Theo Spriet in de auto zijn hand op mijn dij legt, is zeer groot. Ik acht het zelfs niet onwaarschijnlijk dat hij zijn auto op een landweg parkeert. Daar zal hij zijn handen op mijn borsten leggen en zijn lippen op mijn mond. Niet één keer zal hij mijn toestemming vragen.

Dankzij Roos weet ik dat ik aan ongewenste seks verslaafd ben. De seks die mij opwindt, staat zowel in de plus- als in de minkolom. Roos heeft me uitgelegd hoe ik ertegen moet vechten. Regel 1: wees nooit dubbelzinnig. Als een man te dicht bij je staat, zet dan een stap opzij. Regel 2: blijf niet passief. Als hij zijn hand op je borst legt, duw die hand dan meteen weg. Voeg er een expliciete boodschap aan toe: 'Ik hou hier niet van.' Of: 'U vergist zich.' Regel 3: neem zelf het initiatief. Vraag aan een man toestemming om hem aan te raken. Domineer niet, maar laat je ook niet domineren. Doorbreek de band tussen seks en willoosheid. Regel 4: neem geen wraak op onschuldige mannen. Maak geen nieuwe slachtoffers. Besef dat wraak ook jezelf aantast.

Weken en weken gaat het goed en dan is de verleiding plotseling te groot en het vlees te zwak. Of er staat een man voor mijn neus die ik eigenlijk wel aardig vind, zodat ik denk: waarom mag ik niet aan mijn kleine perversie toegeven?

Omdat, zegt Roos, ik op die manier eeuwig en altijd slachtoffer blijf. Omdat ik in het verleden blijf hangen.

Kijk naar Sabine en Laetitia, zegt Roos. Kijk hoe zij weigeren slachtoffer te zijn. En waarom weigeren ze dat? Omdat Dutroux anders gewonnen heeft. En dat gunnen ze hem niet. Nooit.

'Roos,' zeg ik.

'Wat?'

'Papa is Dutroux niet.'

'Dat weet ik,' zegt ze.

'Wat weten wij over Sabine en Laetitia? We weten wat ze zeggen en we weten hoe ze eruitzien. Dat is alles.'

'Je moet vechten, Rie. Iedere dag opnieuw. Je moet blijven vechten.'


Op de academie hadden wij een docent die door alle vrouwelijke studenten geschuwd werd als de pest, omdat hij flauwe opmerkingen maakte en veel te dicht bij hen kwam staan en kwijlend naar hun borsten staarde. Als hij gedronken had, drukte hij met zijn volle rode lippen natte kussen op meisjeswangen en -armen. Hij nodigde studenten bij hem thuis uit en vroeg hun naakt voor hem te poseren. Vervolgens werd hij handtastelijk. Het was saai en banaal en uiteindelijk was de bewijslast tegen hem zo verpletterend dat hij werd ontslagen, maar tussen hem en Rie Van Beveren bloeide een vruchtbare perverse relatie. Tegenover mijn medestudenten hield ik vol dat hij mij met rust liet. Geschokt luisterde ik naar hun verhalen. Had hij werkelijk al die dingen gedaan? Was hij zo'n onverbeterlijke viezerik? Nee, bij mij had hij nooit iets geprobeerd. Ik was vast zijn type niet. Zelfs toen hij de tekeningen exposeerde die hij van mij had gemaakt, bleef ik proberen iedereen van zijn en mijn onschuld te overtuigen. Misschien was ik die ene uitzondering op de regel. En later, toen de school een onderzoek naar zijn gedrag instelde, verklaarde ik met een stalen gezicht dat hij mij nooit had lastiggevallen. Ik was als de alcoholiste die in het hele huis geheime bergplaatsen voor haar flessen heeft, maar liever doodvalt dan toe te geven dat ze zuipt. En ik wilde hem niet verraden. Ik had hem bijna dagelijks bezocht. Zijn ongewenste tong en zijn ongewenste lippen en zijn ongewenste vingers waren me zeer dierbaar geworden.

Vroeger, voor ze Mike en PAR kende, was mijn zusje verslaafd aan alle vormen van seks, gewenst en ongewenst. Ze was een SDS: een seks-*déesse*, ofwel een SGD: een seksgodin. Ik weet niet wanneer het begon. In mijn herinnering is ze altijd zo geweest.

Ik kom thuis van een vriendin. In het tuinhuis schijnt blauw televisielicht. Roos ligt in bed naar een video te kijken, denk ik. Sinds we onze eigen televisie hebben, zit ze bijna nooit meer in de keuken. Het toestel heeft ze van de bakker gekregen, bij wie ze nu meer dan een jaar werkt. Zoals ze had verwacht, koopt mama geen kleren meer voor haar, maar de bakker en zijn vrouw verwennen haar. Als de vrouw gaat winkelen, koopt ze soms een bloesje of een trui voor Roos. Het echtpaar heeft zelf geen kinderen.

Ik duw de deur open. Papa ligt op het bed van Roos. Hij heeft zijn overall losgeknoopt.

'Ik doe je niets,' zegt hij. 'Je hoeft niet bang te zijn.'

Hij staat op, knoopt zijn overall dicht en strompelt langs mij heen naar buiten. Ik kijk onder het bed, alsof ik verwacht dat Roos zich daar heeft verstopt. Er liggen twee lege bierblikjes.

'Sinds wanneer drink jij bier?' vraagt Roos, wanneer ze de blikjes in de vuilnisemmer ziet liggen.

'Peter was hier,' lieg ik.

'Ik dacht dat het uit was.'

'Het is ook uit.'

Ze gelooft niet wat ik zeg, maar ze dringt niet aan. Ze gaat liggen. Ik hou mijn adem in, maar ze merkt niet dat er daarnet iemand anders heeft gelegen. Dan staat ze op, schuift de grendel op de deur en begint haar teennagels te vijlen.

'Staar niet zo,' zegt ze zonder op te kijken.

'Heb je het mama al verteld?' vraag ik.

Ze schudt haar hoofd.

'En Franssen?' Franssen was een leraar met wie Roos het goed kon vinden.

'Nee.'

'En Van Lindt?' Dat was de huisarts.

'Jij bent de enige die het weet, Rie. Jij en ik. En de receptioniste die een afspraak heeft geregeld.'

'Je kunt het houden, Roos. Ik zal je helpen.'

'Ik wil het niet houden, Rie. Ik ga deze zomer naar Brighton. Ze hebben een verkoopster nodig in de winkel waar oma overhemden voor opa koopt.' Ze gaat op haar zij liggen, met haar rug naar mij toe, en trekt haar knieën hoog op. 'Je hoeft niet bang te zijn,' zegt ze. 'Het is niet alsof ze het met een breinaald weghalen.'

Roos heeft alles in haar eentje geregeld. Via Tele-Onthaal heeft ze het adres van een medisch centrum gekregen dat vanuit Ockerghem met het openbaar vervoer bereikbaar is.

'Ik wil niet dat je doodgaat, Roos.'

'Ik ga niet dood. Ik blijf een maand in Brighton en daarna ga ik een maand in het klooster wonen. De kapel moet worden geschilderd. Zuster Hildegarde en ik gaan het samen doen.'

'Heb je het haar verteld?'

'Nee, Rie. Je moet het vergeten. Ik wou dat ik het je niet had verteld.'

'Misschien heeft Zuster Hildegarde het ook meegemaakt. Er kan zoveel gebeurd zijn tijdens haar vlucht uit Hongarije.'

Ik ga tegen haar aan liggen en sla mijn arm om haar middel. Dan leg ik voorzichtig mijn hand op haar buik.

De volgende morgen komt Roos niet ontbijten omdat ze nuchter moet zijn.

'Ga je zus halen,' zegt papa. 'Je moeder en ik moeten jullie iets vertellen.'

'Ze slaapt nog,' zeg ik.

'Maak haar dan wakker.'

'Zeg het tegen mij en ik zal het tegen haar zeggen. Ze had gisteren zware hoofdpijn.' Ik kijk naar mijn ouders en weet nog voor papa het zegt dat ook mama zwanger is.

'Ga je het houden?' vraag ik en mama geeft me een klap waar ik de hele dag niet goed van ben. Dan barst ze in tranen uit.

Het was dinsdag en we hadden het eerste uur Frans. Roos had me een briefje meegegeven waarin papa zogenaamd liet weten dat zijn dochter wegens lichte koorts een dagje het bed moest houden. Ze had het op briefpapier van de garage getikt en zijn handtekening zeer overtuigend nagebootst. Na school wachtte ze me bij de bushalte op zodat we als twee voorbeeldige zusjes samen thuis konden komen. Toen pas durfde ik haar mama's nieuws te vertellen. Ze had dezelfde reactie als ik: of mama van plan was het te houden. Tegen de avond kreeg ze echt lichte koorts, maar de volgende morgen was ze voldoende hersteld om naar school te gaan. In de dagen die volgden ontweek ze mama zo veel mogelijk, maar die lette weinig op Roos. Ondanks alles was het een blijde verwachting. 'Eerst was ik met alles vroeg en nu ben ik laat,' zei ze met een stralende lach. Dapper probeerde papa in haar vreugde te delen.

Roos was ervan overtuigd dat mama het leven zou schenken aan een mongooltje en dat zij en ik voor het monster zouden moeten zorgen, maar op een nacht werden we opgeschrikt door de sirene van een ambulance. We sloegen onze jas over ons nachthemd en holden naar de keuken, waar alle lichten brandden, en ook de bureau was verlicht. Mama was al weg.

'Ik moet naar het ziekenhuis,' zei papa.

'Je badjas,' zei Roos.

Hij keek naar de bebloede badjas, die mama zo dikwijls open en dicht had geknoopt omdat papa's buik te dik werd.

'Ze zal het niet houden,' zei hij.

Er was ook bloed op zijn voeten gedrupt. Papa vroeg of we de lakens van hun bed konden halen en in de wasmachine stoppen en misschien, zei hij, zouden we ook de matras moeten schoonschrobben. Toen ik de trap naar hun kamer op ging, hield Roos me tegen. 'Het heeft niets met ons te maken,' zei ze. Ze klonk killer en harder dan ooit. Later vonden we ook bloed op de zitting van een stoel.

Na school bezochten we haar in het ziekenhuis. Ze zag erg bleek en kon haar tranen niet bedwingen. Telkens opnieuw vertelde ze dat het een jongetje was. Ik was bang dat Roos zou breken. Dat ze zou zeggen dat ook zij veertien dagen eerder een kind verloren had. En dat ook háár kind misschien een jongetje was. Maar Roos beheerste zich zoals ze zich meestal beheerste. Ze ging op zoek naar een vaas voor de bloemen die we gekocht hadden en ik hielp mama het nachthemd aan te trekken dat we voor haar hadden meegebracht. Haar borsten leken nog niet te beseffen dat ze niet meer zwanger was.

Ik neem een vel briefpapier en verdeel het in tweeën. In de plus-kolom schrijf ik: 1. een plek voor Roos om naar terug te keren. Papa's neef zei altijd dat een migrant een plek moest hebben om naar terug te keren. Zelfs al komt hij maar om de tien jaar terug. Zelfs al is die plek niet meer dan het graf van een voorouder. 2. ruimte voor mijn atelier; 3. naamsbekendheid; 4. vertrouwdheid; 5. herinneringen. Onder het minteken noteer ik: 1. bouwvallig en tochtig; 2. gebrek aan comfort; 3. ondanks bodemsanering nog altijd geassocieerd met benzine en diesel; 4. alleen zielenpoten en losers blijven in hun ouderlijk huis; 5. herinneringen.

Er staan nóg drie pakken van vijfhonderd vel briefpapier ongeopend in de kast. Hoe groter de hoeveelheid die je bestelt, zei papa, hoe scherper de prijs. Hij was trotser op zijn logo en zijn briefpapier dan op de garage. Nooit gebruikte hij ander papier om de min- en pluspunten van een probleem in kaart te brengen. De malle bever in zijn blauwe overall en met zijn gele knaagtanden boezemde hem vertrouwen in. De Engelse sleutel, die hij droeg zoals een jager zijn speer en de aartsengel Michaël zijn zwaard, kon elke deur openen. Als er iets misging, dan legde mijn vader het probleem in zijn handen, of beter: poten. Daar bleef het vervolgens liggen, maar mijn vader ging er niet langer onder gebukt. Met een eenvoudige verticale streep scheidde hij goed van kwaad, zoals op de Dag des Oordeels Jezus de bokken van de schapen zal scheiden. De minpunten brandden in een koperen ketel, waar duivels met gespleten hoeven en een sik omheen dansten. De pluspunten wandelden aan de hand van engelen naar het Rijk der Hemelen. Als wij al die minpunten systematisch uit ons leven hadden geweerd, dan waren hij, mijn moeder, Roos en ik gelukkig geweest. Het had zo eenvoudig kunnen zijn. Maar we wilden niet luisteren. Telkens opnieuw gingen we het verraderlijke pad naar hel, afgrond en duisternis op. Papa's woorden waren als zaad dat viel op een rots.

Samen vormen al die vellen in tweeën verdeeld briefpapier de biografie van ons gezin. Beter dan fotoalbums laten ze zien wie we waren en wie we wilden zijn. Het oudste vel is vrij dik en het telefoonnummer van garage Van Beveren telt nog maar vijf cijfers. Er wordt paarse inkt gebruikt en een streng, sober lettertype. De bever is met fijne, paarse lijntjes getekend en niet ingekleurd. De Engelse sleutel ontbreekt. Onder het plusteken staat: 1. beter voor baby; 2. R opnieuw zwanger; 3. J kent stiel, werkt hier graag; 4. toewijding J en belofte aan F; 5. R tijd om huishouden te doen en te koken. Min: 1. salaris J hoger dan kosten babysit en/of werkster; 2. hekel R aan huishouden en koken; 3. R wil eigen inkomen (?); 4. belofte aan R.

F was papa's neef Frans. J was Jean, aan wie Frans beloofd had dat hij in dienst zou kunnen blijven, maar die voor mama – R of Rachel – plaats moest maken. Het vraagteken achter het derde minpunt betekende dat papa niet van plan was mama loon uit te betalen. Als meewerkende echtgenote mocht zij 'intensief, geregeld en effectief bijstand verlenen aan haar zelfstandige huwelijkspartner' zonder dat die haar daarvoor een vergoeding hoefde te betalen of bij de sociale zekerheid in te schrijven. Papa stelde het voor alsof hij haar niet mócht betalen. Hij wilde wel, maar hij mocht niet. Mama haalde haar schouders op en nam al het geld dat ze nodig had uit de kassa. Het sleuteltje hing aan een lange ketting om haar hals. Als ze Roos of mij om een boodschap stuurde, maakte ze de kassa open en gaf ons geld. Nooit mochten we zelf de kassa openmaken. 'Vertrouwen dat je niet geeft,' zei ze, 'kan ook niet worden beschaamd.' Voor de fooien die ze kreeg, had ze een roze spaarvarken. Meestal stopte ze er het wisselgeld in dat de klanten wegwuifden, maar sommigen gaven haar een briefje van honderd dat ze in haar beha liet glijden. Wanneer er in Ockerghem over mijn moeder geroddeld werd, imiteerden afgunstige vrouwen het wulpse gebaar waarvoor hun mannen met plezier honderd frank overhadden. 'Is dat een garage of een bordeel?' Of: 'Ze zouden daar beter rood neonlicht hangen.' Zij spuwden hun gif achter mama's rug, maar hun dochters spaarden Roos en mij niet, en hun zonen hoopten dat mama ons het een en ander had geleerd. 'Dat is makkelijk verdiend!' zei Roos. Ze oefende voor de spiegel met een strak, diep uitgesneden bloesje en een beha van het type balconette – door Trois Suisses aanbevolen voor 'de jonge vrouw met een rijke boezem'. 'Wat denk je,' vroeg ze, 'moet ik de gast in de ogen kijken of niet? Kom, jij moet het ook leren.' Ze kocht een bordeaux Wonderbra voor me en coachte me tot ik het precies deed zoals ze wilde. 'Zeg eens: "En nu nog een cadeautje voor haar zusje!"' – daarmee bedoelde ze de andere borst. 'Dat klinkt belachelijk, Roos!' – 'Probeer het!' – 'En nu nog een cadeautje voor haar zusje!' We barstten in lachen uit.

Voor mama was het anders. De klanten gaven hun fooi en reden weg. Maar de jongens die ons geld gaven, bleven voor ons staan. Ze probeerden ons te zoenen en hun honderd frank uit onze beha te vissen. Sloegen we hun handen weg, dan grepen ze die van ons en gingen met hun vrije hand hun gang. Of ze trokken met hun tanden de stof van de beha weg en likten aan onze tepels alsof het ijsjes waren. Als we hen wegschopten, duwden ze ons tegen een muur. Altijd schrok ik van hun kracht. Jongens leken niet anders dan wij, tot ze je grepen en weigerden los te laten. Het was beter om je niet te verzetten en de indruk te wekken dat je ze liet begaan. Zodra hun aandacht verslapte, griste je het geld dat naar de grond was gedwarreld en glipte je zo snel als een aal weg. Wat je nooit mocht doen, zei Roos, was met je knie een stamp in hun kloten geven. Daar werden ze zo woedend van dat ze je niet meer lieten ontsnappen. Als je dan werd verkracht, had je het eigenlijk zelf gezocht. Roos en ik hadden een roze, plastic varkentje op onze kamer. Ook wij legden een spaarpotje aan. Een varkentje voor de dorst, verdiend met een borst! Twee keer werd het ritueel geslacht en twee keer was het mijn zusje die met de buit aan de haal ging: toen het kind uit haar buik moest worden weggehaald en toen ze op haar achttiende verjaardag vroeg in de ochtend als een dief wegsloop. Maar mijn zusje had er ook veel meer in gestopt. De Wonderbra verrichtte wonderen, maar kon uiteindelijk niet met *the real stuff* concurreren. Het was een ongelijke strijd.

(Peter, die me vraagt of het waar is wat er wordt gezegd. 'Wat,' vraag ik, 'wordt er gezegd?' – 'Over jou en over je zus. Dat er zonder betaling niets te rapen valt' – 'Luister,' zeg ik, 'wat gratis is, wordt niet gewaardeerd en vertrouwen dat je niet geeft, kan niet worden beschaamd.' – 'Dus het is waar,' zegt hij. Alles aan hem ergert me: zijn puntige neus, zijn vale huid, zijn futloze, zwarte haar. Nooit eerder zijn die me opgevallen. 'Voor jou is het waar,' zeg ik. 'Ik dacht dat je van me hield,' zegt hij gekwetst. Ik haal mijn schouders op, denk: ontplof. Je kunt jongens niet eindeloos om je laten vechten. Na drie, vier keer vinden ze dat ze recht op je hebben. Dan ben je overmeesterd en zijn zij ook je meester. Ze mogen je gebruiken wanneer ze willen, zoals een fiets die ze in de winkel hebben gekocht. Om Peter te troosten vertel ik hem mama's lievelingsmopje. 'Een vrouw zegt op een dag tegen haar man dat ze een Volkswagen heeft gekocht. Het echtpaar gaat de nieuwe auto bewonderen, die de vrouw voor de deur heeft geparkeerd. Dan vraagt de man aan zijn vrouw: "En met welk geld heb je die betaald?" De vrouw, die de vraag had verwacht, heeft het antwoord klaar. "Wel," zegt ze, "iedere keer dat jij met mij de liefde bedreef, heb ik honderd frank uit de kassa gepakt. Als jij al die jaren een beetje ondernemender was geweest, dan stond daar nu een Mercedes."' Peter vindt het mopje niet grappig. Zijn ogen zijn vochtig. Nooit eerder heb ik een jongen zien huilen. Maar ik ben degene die moet huilen. Hij beweert dat hij van me houdt, maar hij begrijpt niets van wat ik wil. Niemand zal het ooit begrijpen. En als ze het begrijpen, zullen ze me willen genezen. Ze zullen zeggen: je bent ziek. Je hebt hulp nodig. Je bent niet normaal. Op een dag zal zelfs mijn zusje Roos me willen genezen. Ze heeft zich tot PAR bekeerd en verkondigt als een zendeling hun blijde boodschap: 'Het is een verslaving, Rie. Je moet ertegen vechten. Iedere dag opnieuw.')

In de brochure van Theo Spriet vind ik een e-mailadres. Info@ justlikeoldtimes.nl. Bij onderwerp vul ik in: Dit is een berichtje voor Theo Spriet, forwarden a.u.b. 'Beste Theo,' schrijf ik. 'Hartelijk dank voor het bezoekje. Ik had je nog iets willen vragen: wat is er met de bever gebeurd? Weet je wat ik bedoel? Zo'n metalen bord dat om zijn as draait en waarop een bever is afgebeeld. De bever draagt een blauwe overall en heeft gele knaagtanden. Hij houdt een Engelse sleutel in zijn rechterpoot. Op de foto in de brochure zie ik hem niet, maar misschien staat hij elders in het park. Het is niet dringend, hoor! Met vriendelijke groet, Rie Van Beveren.'

Lieve Rie,
Als je wilt, zet ik een foto van de bever op onze website. Dan kun je hem zien zo vaak als je wilt. Hij staat bij de ingang van de garage. We hebben hem laten opknappen, want hij zat onder de roestvlekken. We hebben hem witte tanden gegeven, maar het is wel jullie bever. Waarom kom je zelf niet een dagje naar Doetinchem? Dan kun je hem met je eigen ogen zien en ook aaien, al is dat moeilijk met een bever van metaal. En ook mij kun je dan zien en dag zeggen. Ik zal je met plezier een rondleiding geven.
Een fifties-groet van Theo
PS: Vorige week was hier een vrouw die de bever herkende. Ze had bij jou in de klas gezeten en is getrouwd met iemand uit Doetinchem. Helaas ben ik vergeten haar naam te vragen. Als

ik haar nog eens zie, dan zal ik dat zeker doen. Ook je zus had ze goed gekend. Blijkbaar gingen jullie op zondag dikwijls schaatsen. Ik wist niet dat er in Vlaanderen ook werd geschaatst. We hebben hier een grote vijver waarop in de winter soms wordt geschaatst. Op fifties-schaatsen, uiteraard!

PS 2: Die vriendin van je was hoogzwanger.

PS 3: Ook mij mag je aaien! (En ik ben niet van metaal!)

Beste Theo,

Het is hier erg druk. Als de garage wordt verkocht (had ik je verteld dat Kruidvat een bod heeft gedaan?), moet ik naar andere woon- en werkruimte uitkijken. En als de garage niet wordt verkocht, moet ik eindelijk werk maken van de verbouwing. Ikzelf ben het hier gewend, maar ik merk dat de deelnemers aan de workshops liever een waterdicht dak boven hun hoofd hebben. ☺ Je zou me een groot plezier doen als je een foto van de bever op je site zette. Dan kan mijn zus, die in Canada woont, hem ook zien. We missen hem soms!

Veel succes met alles en hartelijk dank.

PS: Mijn zus en ik gingen vroeger ROLschaatsen, maar je kunt hier ook IJSschaatsen, al heb ik het nooit geprobeerd. Die vriendin heet Bea Desmedt en haar vader werkt bij de staatsveiligheid. Elke jongen met wie ze iets had, werd door hem gescreend. Op den duur was Bea dat zo beu dat ze alleen nog met buitenlanders uitging. Doe haar de groetjes als je haar ziet. We hebben samen veel plezier gehad.

Dat hadden we inderdaad. De schaatsbaan was veel leuker dan het zwembad, waar jongens je aan je voet naar beneden trokken en je uitlachten als je proestend bovenkwam en naar adem hapte. Of ze lieten je schrikken op het moment dat je dook, zodat je plat op je buik viel. Als je op de rand van het bad zat, was er altijd wel een idioot die je in het water duwde. Of iemand begon Tetten Roos of Sproetnik Roos te brullen. De kans bestond dat ze je naar de douches volgden. Dat was natuurlijk spannend, maar als je werd betrapt kwam je naam op de zwarte lijst te staan en mocht je het zwembad niet meer in. De regels op de schaatsbaan waren veel minder streng. Roos, Bea en ik schaatsten rustig hand in hand, alsof we de jongens niet opmerkten die rakelings langs ons heen schoten. Na een tijdje grepen ze een vrije hand en rukten ons uit elkaar. 'Laat me los,' gilde ik. 'Je gaat te snel!' Maar dan ging het nog sneller tot we uitgeput in elkaars armen vielen om niet op de grond te vallen. 'Je mag ze nooit laten merken dat je bang bent,' zei Roos driftig. Ik was niet bang. Ik gilde, maar ik was niet bang.

Peter had ik op de schaatsbaan leren kennen. Eerst greep hij Bea's hand en zoefde met haar weg, maar op een middag had hij mij beet. Het was een vergissing, maar daarna schaatste hij altijd met mij, tot ik te dikwijls het honderdfrankspelletje met hem had gespeeld en hij besloot dat ik ziek was. Later zag ik hem op de academie, waar hij fotografie deed. 'Dag, Peter,' zei ik, maar hij deed of ik lucht was en weigerde me te groeten. Zijn vriendin was de eerste die tegen die ene docent een klacht indiende. Iedereen zei dat hij haar daartoe had gedwongen. Het was dat of hij zou die docent zelf 'op zijn smoel' slaan. Het gerucht ging dat Peter haar door elkaar gerammeld had, terwijl hij als een gek riep: 'Geeft hij je geld? Laat je je betalen? Hoeveel geeft hij? Honderd frank?' En zo had ik in zekere zin de val van die docent op mijn geweten, hoewel ik als een van de weinigen geen bezwarende verklaringen tegen hem had afgelegd. En ook Roos, mijn coach en mentor, had de hand in zijn ondergang gehad.

Als Kruidvat de garage koopt, mag ik niet vergeten zijn tekeningen van onder de balatum te halen. Het was de veiligste plek om iets te verbergen. Ik verschoof mijn bed, tilde de balatum op en duwde wat verstopt moest worden er zo ver mogelijk onder. De tekeningen van de docent deed ik eerst in een plastic mapje omdat ik vermoedde dat ik er op een dag geld voor zou kunnen krijgen. De meeste bewaarde hij zelf, maar dit waren losse oefeningen, voorbereidende schetsen, die hij met grote snelheid maakte en op de grond liet vallen zodra hij er klaar mee was. Misschien waren ze bij het oud papier terechtgekomen als ik ze niet had meegegrist. Dikwijls tekende hij me met zíjn hoofd tussen mijn benen. Hoewel hij geen spiegel gebruikte, wist hij precies hoe hij eruitzag terwijl hij daar lag. Het was alsof hij me niet kon tekenen zonder me te proeven. Rusteloos liep hij heen en weer tussen zijn tekenezel en mij. Hij likte mijn clitoris en hij likte mijn vagina en hij likte mijn aars. Er bestond niets mooier op aarde, zei hij, dan wat een vrouw tussen haar benen had. Hij kreunde alsof hij klaarkwam. Soms zorgde hij ervoor dat ook ik klaarkwam. Dan liep hij naar zijn ezel en tekende me zo. Ik vraag me af of hij besefte wie daar lag. Het ging hem om mijn borsten, mijn buik, mijn tepels, mijn schaamlippen, mijn billen, mijn kut. Met zijn ogen en vingers en tong zoog hij ze op in de hoop ze op papier te kunnen reproduceren.

Ik bel aan en hij laat me binnen. Soms geeft hij me een kus, soms is hij afwezig en lijkt hij zich onze afspraak niet te herinneren en nauwelijks meer te weten wie ik ben. Hij laat me in zijn woonkamer achter en verdwijnt naar zijn atelier. 'Ik kom zo,' zegt hij, maar soms laat hij me een uur wachten. Ik heb mijn lesje gauw geleerd en stop altijd een boek in mijn tas. Ik ben zo in mijn lectuur verdiept dat ik zijn stappen op de gang niet hoor. Ik schrik alsof hij me betrapt. 'Dat zie ik graag,' zegt hij, 'dat je leest.' Hij neemt het boek uit mijn handen en bladert erin. Daarna vraagt hij of ik iets wil drinken. We praten over school, we drinken een glas wijn, misschien kijken we zelfs samen naar het nieuws. Als ik wegga, loopt hij mee naar de deur. Daar geeft hij me een kus en grijpt naar mijn borst, alsof hij wil voelen of die er nog zit. Nu pas zegt hij dat hij me wil tekenen. En opnieuw gaat die hand naar mijn borst. 'Hier?' vraag ik, maar hij hoort en ziet me niet meer, hij ziet alleen de tekening die hij wil maken. Ik volg hem naar zijn atelier, het atelier dat in alle getuigenissen van zijn studenten rommelig en overvol zal worden genoemd. 'Hij wilde dat we gingen liggen, maar er was nergens een plek waar we konden gaan liggen.' Een meisje verklaarde dat hij haar had gevraagd welke vibrator uit zijn collectie op de schouw ze het liefst wilde testen. In werkelijkheid stond er één enkele vibrator. Hij was van papier-maché en wel een meter hoog. Zelfs voor een reuzin was hij te groot.

'Kleed je uit,' zegt hij. Als hij vindt dat ik niet opschiet, helpt hij me. Die kleren zitten in de weg. Ook de beha, waarin ik zo dikwijls briefjes van honderd frank laat verdwijnen, moet uit. In mijn blootje sta ik te rillen. 'Heb je het koud?' vraagt hij. Ik knik. Terwijl hij de verwarming hoger zet, glip ik naar het toilet. Met mijn hand klets ik water tegen mijn kutje. Ik wil niet dat het naar pipi ruikt, want ik weet wat er straks komt, en ook mijn holletje was ik met mijn hand. Intussen heeft hij alle rommel van de bank gehaald en op de grond gelegd. Ik ga liggen.

Als Roos in december 1992 op bezoek komt, gaat ze mee. Na bijna een jaar in Brighton kost het haar moeite om Nederlands te spreken. Telkens opnieuw gebruikt ze een Engels woord of een Engelse uitdrukking zonder dat ze het lijkt te beseffen. Ze werkt niet langer als verkoopster in de zaak waar oma voor opa overhemden koopt, maar als serveerster in de karaokebar op de pier. Op stille avonden laat de baas haar zingen om klanten te lokken. Dan draagt ze hoge witte laarzen, een kort leren rokje en een halterbeha en -topje waarin klanten geen briefjes van honderd frank, maar van vijf pond schuiven. Ze verdient zo goed dat ze haar eigen flatje heeft gehuurd. Op onze kamer zingt ze 'Like a Virgin' voor me. Af en toe buigt ze voorover en schudt met haar bovenlijf. Haar slingerende borsten zijn veel te zwaar voor haar tengere lichaam. Ik denk aan mama, van wie de borsten geamputeerd zijn en die in de keuken op de bank televisie ligt te kijken. Ze is niet alleen. Papa is bij haar. Roos kan het niet helpen dat ze mama's borsten heeft geërfd. Roos kan het niet helpen dat ze niet ziek is. De eerste avond dat ze in de bar optrad, eiste haar baas de helft van haar fooien, maar het draaide erop uit dat ze hem een extra briefje van vijf pond ontfutselde. 'My blue friends,' zegt ze met een lach. Ze trekt haar bloesje uit en vraagt wat ik van haar beha vind.

'Komt die van *The Three Swiss*?' vraag ik en we schieten allebei in de lach. Een meisje uit onze klas had het altijd over 'De Drie Zwitsers'. Ze heette Nele en droeg haar haar in twee lange, blonde vlechten. Iedere zomer sleurden haar ouders haar mee naar de IJzerbedevaart en bij elke verkiezing zag hun huis eruit als het hoofdkwartier van het Vlaams Blok. Als de leraar geschiedenis het over de collaboratie had, legde ze haar hoofd ostentatief op de bank omdat ze zogenaamd hoofdpijn had. Als de lerares Nederlands het waagde een Engels woord te gebruiken, maakte ze haar op het Nederlandse equivalent attent. In Ockerghem werd beweerd dat de familie naar Paraguay was verhuisd om zich bij een nazistische gemeenschap aan te sluiten. Wij hoefden maar aan Nele te denken om te vinden dat we het met onze ouders ontzettend getroffen hadden.

En ik, wil ze weten, heb ik al spannende mensen ontmoet? Heb ik er nog geen spijt van dat ik keramiek ben gaan studeren? Zijn keramisten niet ontiegelijk saai?

Ik schuif het bed opzij, til de balatum op en laat haar de schetsen zien.

'Betaalt hij?' vraagt ze. Ik schud mijn hoofd. 'Je moet je laten betalen,' zegt ze. 'Wat ze gratis krijgen, waarderen ze niet.' En of ze het tekenwonder zou kunnen ontmoeten.

In de bus onderweg naar zijn huis ergert ze zich aan de blikken van onze medepassagiers. Ze zucht dat ze beter in Brighton had kunnen blijven. 'Is er iets?' roept ze boos. Gegeneerd kijkt iedereen de andere kant op. Ze pakt haar lippenstift en een spiegeltje en verft haar lippen bij. Daarna trekt ze met zwarte kohl een lijntje onder haar ogen. De bus schokt en haar hand schiet uit. 'Kloteland,' mompelt ze.

De docent laat ons binnen, maar hij verdwijnt naar zijn atelier om een tekening af te maken. Roos heeft geen zin 'om op meneer de seksmaniak te wachten'. Als we na een kwartier weer op straat staan, beweert ze dat ze hem alleen maar wilde zíen. 'Ik wil ze leren herkennen. Er moeten uiterlijke kenmerken zijn die hen verraden. Moet je op de ogen letten, op de handen of op de mond? Of misschien op de tenen?' Als ik naar haar bevindingen vraag, antwoordt ze eerst niet. Dan zegt ze: 'Het is een complex geval. Misschien heb je gelijk. Misschien doet hij het werkelijk louter en alleen voor zijn kunst. Een artistiek gemotiveerd gluiperdje.' Ze lacht veel te hard.

De volgende dag neemt ze opnieuw de bus naar zijn huis. Achteraf wil ze niet veel kwijt. 'Ik heb hem een beetje inspiratie gegeven.' Roos is de vrouw van de wereld, de karaokequeen die door mannen wordt aanbeden. Ze trekt zedige kleren aan, veegt de lippenstift van haar lippen en belt bij het klooster aan. Alsof ze nooit weg is geweest, krabt ze op haar knieën het kaarsvet van de stenen en dweilt de vloer. Daarna leest ze de stapel gedichten die Zuster Hildegarde tijdens haar afwezigheid heeft geschreven. Ze is ontroerd.

Mijn papa heeft ook mijn zus in twee helften verdeeld. En nu kan niemand haar weer heel maken. Ook hij niet. Als hij naast haar komt zitten en haar vraagt over Brighton te vertellen, werpt ze hem een vernietigende blik toe. IJzig herhaalt ze dat ze voor mama naar België is gekomen, niet voor hem. De ene helft van mijn zusje is een dienstmaagd van God, de andere een dominatrix. Als een man het waagt het initiatief te nemen, dan spuugt ze hem in zijn gezicht. Zij deelt de lakens uit. Zij zegt: kleed je uit. Kus de punt van mijn laars. Ga je wassen. Kniel. Zwijg. Betaal.

'Ze zijn zo blij,' zegt ze, 'als je hun zegt wat ze moeten doen. Ze zijn zo kneedbaar als was.'

Ik gluur in de tekenmap van de docent en zie mijn zus in hoge laarzen, zwarte netkousen, een zwarte tanga, een beha die uit een paar gekruiste bandjes bestaat en een zwart Zorro-masker. Op een andere tekening houdt ze de docent aan een leiband, terwijl ze een hoge hak op zijn rug plaatst. Net als bij een echte hond hangt zijn tong uit zijn mond.

'Ik weet niet wie ik het meest haatte,' zegt ze nu, 'mezelf of hen. Ik kende maar twee dingen: het klooster of SM. Plus of min. Hemel of hel. Heilige of hoer. De SM was weerwraak en vernedering. Anderen pijn doen én mezelf kwellen.' Alleen bij Mike hangt ze nu nog de hoer uit. Haar firefighter heeft zijn perverse kantjes. 'Het is geen toeval,' zegt ze met een lach, 'dat hij voor mij gevallen is.' Maar altijd worden er afspraken gemaakt. Zonder toestemming kan er zelfs geen knoopje worden losgemaakt.

Als een bijl vandaag het leven van Roos in tweeën klieft, ligt er aan elke kant precies vijftien jaar. De pit halverwege haar leven is de beslissing om de volwassenen hun zin te geven en op zondagochtend bij de bakker te gaan werken. Het was de derde donderdag van de maand en de vertegenwoordiger van Texaco zou later op de dag langskomen. Mama had haar nieuwe trui van Trois Suisses voor hem aangetrokken en een broek die haar zus voor zichzelf had gekocht, maar die ze aan mijn moeder had gegeven omdat ze er haar gat te dik in vond. Mama had haar haar opgestoken en neuriede tevreden. Ze was verliefd, maar besefte dat nog niet. In de vierenhalf jaar die ze nog te leven had, zou ze zwanger worden, een miskraam krijgen en een dubbele borstamputatie ondergaan. En ook Roos zou zwanger worden, maar zij zou abortus plegen. Mama noch papa zou er ooit iets van weten. Achteraf beschouwd wisten wij veel meer van hen dan zij van ons.

Na school gingen Roos en ik bij de bakker langs. Onder onze blauwe anorak droegen we dezelfde blauwe rok van Trois Suisses en een T-shirt van de garage. Roos noemde het onze Van Beveren-look. Ook onze boekentassen, die oma voor ons had gekocht, waren identiek.

'Dag, meisjes,' zei de bakkersvrouw.

'Dag, mevrouw,' zeiden wij. Roos glimlachte breed en vervolgde: 'Mijn moeder zei dat u me wilde spreken.'

'Hoe oud ben jij nu, Roos?'

'Zeventien,' loog Roos.

'De tijd vliegt,' zei de vrouw.

'Daarom moeten we hem goed gebruiken,' zei Roos.

'Ik herinner me dat je hier kwam aan de hand van je vader. Als ik je een koekje gaf, dan zei je: geef mij maar een croissant.'

'En u gaf me een croissant.'

Roos glimlachte.

'Je at de helft op en de andere helft bewaarde je voor je zusje.'

Ik beantwoordde haar glimlach. De bakkersvrouw had een nichtje dat uitblonk in turnen. Minutenlang kon ze met gestrekte armen tussen de ringen hangen. Op schoolfeesten gaf ze altijd een demonstratie. De bakker en zijn vrouw, die zelf geen kinderen hadden, zaten op de eerste rij en applaudisseerden alsof zij dit turnwonder op de wereld hadden gezet.

'Kleine meisjes worden groot,' zei Roos.

De vrouw riep de bakker erbij, die op zijn beurt Roos keurde. Ook de bakker herinnerde zich de croissant. Ook hij nam de zusjes Van Beveren vertederd op. Misschien wekte niet alleen het nichtje van zijn vrouw, maar elk Ockerghems kind zijn vaderlijke gevoelens op.

'Je zult een van ónze T-shirts moeten aantrekken,' zei hij.

'Dat is geen probleem,' zei Roos.

We kregen elk een croissant en er werd afgesproken dat Roos aanstaande zondag om zeven uur zou beginnen.

'Dan is de bakker al vier uur op,' zei de vrouw met een glimlach.

'En u,' vroeg Roos, 'wanneer staat u op?'

'Op zondag? Om zes uur.'

'Bij ons ligt iedereen dan nog lekker lui in bed. Zondag is slaap-dag bij ons. Wás slaapdag, zal ik voortaan moeten zeggen.'

Roos nam een hap van haar croissant.

'Ik weet dat Rachel het op zondag graag langzaamaan doet. Te-gen mij zegt ze altijd: als ik moet kiezen tussen de pomp en brood, dan kies ik zonder aarzelen voor de pomp.'

De bakker hield een T-shirt voor Roos omhoog. Er stond 'Van korstjes krijg je borstjes' op.

'Ik denk niet dat Roos nog korstjes nodig heeft,' zei de bakkers-vrouw.

'Heb je liever deze?' vroeg de bakker. 'Van rond krijg je kont!'

De vrouw klakte met haar tong.

'Geef haar er eentje met "Van brood word je groot".'

'Misschien kan ik ze beter alle drie nemen,' zei Roos.

'Doe dat. Je zweet je hier kapot!'

De woorden die de bakker, zijn vrouw en Roos spraken, bleven als ballonnen in de winkel hangen. Elke ballon zat propvol met ongezegde woorden. Nu rolde er een bulderende lach uit het zwarte gat van hun mond. De ballonnen spatten uit elkaar en de woorden dwarrelden op het brood, het gebak en de hoofden van het bakkersechtpaar. Ver weg vroeg iemand of ik me niet goed voelde. En waarom zag ik zo bleek? Wilde ik gaan zitten of liggen? Een klant duwde de winkeldeur open en ik glipte naar buiten. In mijn hand hield ik de croissant, waarvan ik nog altijd geen hap had genomen. Van mama mochten we geen snoep van vreemden aannemen, maar een croissant was geen snoep en de bakker en zijn vrouw waren geen vreemden.

Roos en de bakker waren verdwenen en de bakkersvrouw stond nu bij de snijmachine. De klant die het brood had besteld, hield haar portemonnee klaar om te betalen. Moest ik Roos gaan zoeken? Moest ik de winkel binnengaan en roepen: 'Waar is mijn zus?'

Roos wist wat ze deed. En ze kon haar mannetje staan. Roos had mijn hulp niet nodig.

Nog drie mensen kwamen een brood kopen voor Roos eindelijk de winkel verliet. Ze had voor ons allebei een eclair.

'Kom,' zei ze.

In het bushokje at Roos haar eclair op. Ze kreunde zachtjes.

'De bakker zegt dat je na een tijdje geen gebak meer kunt zien. Denk je dat dat waar is?'

'Weet je zeker dat je daar wilt werken, Roos?'

'Hij bijt niet,' zei ze. Ze likte een klodder pudding op die uit de eclair dreigde te ontsnappen. 'Hij heeft een miljoen betaald voor een nieuwe oven. Een miljoen! Lust je je eclair niet?'

'Jawel, maar ik heb al een croissant gegeten.'

'Ik ook. Als je hem niet opeet, moet je hem weggooien. Ik wil geen tweede eten. Als ik een tweede eet, ontplof ik. Op zondag is het zo druk dat je geen tijd hebt om iets te eten. Gelukkig maar, anders zou ik een ton worden.' Met haar tong veegde ze haar mondhoeken schoon. 'Heb ik gemorst?' Ze inspecteerde haar Van Beveren T-shirt. 'De nonnen krijgen iedere zaterdag om drie uur een eclair bij de koffie, maar ze hebben een andere bakker. Eentje die goedgekeurd is door het bisdom. Was je bang dat je flauw zou vallen? Was dat het?'

'Wil je echt dat ik hem weggooi?'

'Gooi hem weg, ja. Of nee, laten we hem aan mama geven. Wacht.' Ze viste een servet uit haar boekentas, streek het glad en wikkelde de eclair er voorzichtig in. 'Mama is net als ik,' zei ze. 'Mama houdt van zoet.'

Met in de ene hand de eclair en in de andere haar boekentas liep ze voor me uit naar de garage. Haar rechterkous begon af te zakken. Dat was het vervelende van kousen: altijd zakten ze af, maar als je je handen niet vrij had, kon je ze niet optrekken. Ik dacht aan de ballonnen die me uit de winkel hadden verdreven. Eentje was vlak naast mijn oor opengespat.

De dieselslang hing in de tank van een vrachtwagen en mama stond met de chauffeur te praten. 'Ping, ping,' zei de pomp, terwijl liter na liter uit de tank diep in de grond werd gezogen. 'Ping, ping, ping.' Mama veegde een lok uit haar ogen en knikte. Ze had haar armen onder haar borsten gekruist en liet haar anorak openhangen. De rode trui had zijn eerste dag met glans doorstaan, en ook de broek die ze van haar zus had geërfd, zag er nog fraai uit.

'Dag, mam!' zei Roos.

'Dag, mam!' echode ik.

De pomp zweeg en mama greep de slang om er nog enkele liters bij te persen. De pings ontsnapten nu veel langzamer.

'Dag, meisjes,' riep ze tegen ons. 'Ik kom zo!'

'Ping,' zei de pomp. En nog een keer. Toen zweeg hij. Er kon geen druppel meer bij.

In de garage wachtte de vertegenwoordiger van Texaco tot mama tijd voor hem had. Hij had zijn koopwaar uitgestald. Roos schroefde de dop van een blik olie en rook eraan.

'Is dit lekker bij een slaatje?'

Hij glimlachte.

'Ik heb iets voor je meegebracht.' Ze vouwde het servet open en hield de eclair voor zijn neus. 'Of mag je in diensttijd niets eten?'

Ze ging op de rand van de metalen tafel zitten en haalde met haar vinger wat pudding uit de eclair.

'Wil je proeven? Hoe heet jij ook weer? Klaus? Klaas?'

'Klaus.'

'Wij hebben hier allemaal namen die met een R beginnen. Een Klaus kan er niet bij.' Ze stopte de pudding in haar mond, likte haar lippen schoon en liet de eclair op de tafel liggen. 'Zeg tegen mijn moeder dat die voor haar is.' Bij de deur naar de keuken draaide ze zich om. 'Ze houdt van zoet.'

Rond halfacht die avond vroeg mama aan papa of hij nog plannen had voor die dag. Ze droeg nog altijd haar nieuwe trui.

'Jij wel misschien?' vroeg papa. Hij had net de laatste hap van zijn hamburger ingeslikt.

'Ik ga uit,' zei mama.

'Uit?'

Ze knikte. 'Iemand heeft me gevraagd om iets met hem te gaan drinken en ik heb "ja" gezegd.'

'Jij hebt "ja" gezegd?'

Opnieuw knikte ze. 'Ik ben klaar met mijn werk. Ik ben vanmorgen om zeven uur begonnen en ik heb tot een halfuur geleden gewerkt. Nu heb ik zin om iets te gaan drinken. De meisjes hoeven niet meer in bed gestopt te worden en jij kunt je bezighouden.'

'Wat ben je van plan, Rachel?'

'Ik? Ik ben van plan om in de auto van Klaus te stappen en een avond gezellig met hem te kletsen.'

'Met Klaus?'

'Ja, met Klaus.'

'Heeft die man een vrouw?'

'Dat weet ik niet. Ik veronderstel van wel. Hebben de meeste mensen niet een man of een vrouw?'

'Misschien wil ik vanavond ook uitgaan.'

'Dan moet je dat doen. Over een halfuurtje is hij er. Ik ga me opfrissen.'

Ze stond op en liep naar de badkamer. Roos en ik staarden haar met open mond na. Papa stond ook op en riep tegen de badkamerdeur het zinnetje dat bij elke ruzie viel: 'Heb ik je daarvoor bij meneer Auguste weggehaald?'

De deur ging open. 'Klaus haalt mij niet weg,' zei ze. 'Hij haalt mij op.'

'Maar ík heb je weggehaald.'

'Omdat jij dat wilde. Ik heb het je nooit gevraagd.'

'O nee?'

'Nee!'

De deur viel met een zware slag dicht.

Toen het belletje rinkelde, slopen Roos en ik door de achterdeur naar buiten. Het hek was al dicht, maar door de tralies zagen we mama in een lichtblauwe auto stappen.

'Die is pas naar de carwash geweest,' zei Roos.

Later hingen alle woorden die mama en papa hadden gezegd in onze kamer. Ze zaten in propvolle ballonnen die we aan een touwtje om onze pols achter ons aan sleepten. Eén voor één zouden ze openspatten en ons bedelven onder een stortvloed, waarvan we geen woord konden verstaan.

'Kom,' zei Roos, 'we gaan papa welterusten wensen.'

Papa was voor de televisie in slaap gevallen. Hij had zijn lege bierblikjes keurig op een rij gezet. 'De zeven dwergjes,' zei Roos. Ze zette de televisie uit.

'Wat doen we met de bel?' vroeg ik.

'Laat die maar aanstaan.'

Papa had zijn overall opengeknoopt. Zijn litteken vormde een heksenkring op zijn buik.

Maar mama wilde ook niet dat wíj het huis uitgingen zonder haar of papa's toestemming te vragen. Een huis was iets wat de bewoners elk ogenblik konden betreden, maar niet elk ogenblik konden verlaten. De klanten konden vrij in- en uitlopen, maar voor papa, mama, Roos en mij lag dat anders. En nu had mama daar verandering in gebracht. Ze had gezegd: ik ga, en ze was gegaan. En daarna had ze gezegd dat ze best bij meneer Auguste had willen blijven. Misschien had ze het er naar haar zin gehad.

In het bed naast het mijne kon ook Roos de slaap niet vatten, maar als ik haar vroeg of ze wakker was, antwoordde ze niet. Het was tien over één en nog altijd had ik het belletje niet horen rinkelen. Misschien had papa het intussen afgezet. Als we onze oren spitsten, konden we het horen. Maar dan mocht er niet toevallig een hond blaffen of een auto toeteren of een vliegtuig overvliegen. En de wind moest uit het westen waaien, maar dat was bijna altijd het geval.

Over meneer Auguste wisten wij alleen dat papa mama daar had weggehaald. Er hoorden een auto en een koffer bij: de auto waarmee papa voor het huis van meneer Auguste was gestopt en de koffer waarin mama haar spullen had gepakt en waarmee ze in papa's auto was gestapt. En ook Roos hoorde erbij, want die zat al in mama's buik. Maar misschien was er geen auto of koffer aan te pas gekomen. De auto en de koffer hadden Roos en ik eraan toegevoegd, want eigenlijk wisten we er niets over. 'Wij konden haar niet tegenhouden,' zeiden oma en opa Brighton. 'Niemand heeft haar ooit tegen kunnen houden. Rachel heeft altijd haar zin gedaan.'

Omdat de wind bijna altijd uit het westen waaide, wezen de kruinen van de bomen naar het oosten. En ook de schoorstenen neigden halsreikend naar China en Perzië en Mesopotamië. De wind blies alles en iedereen naar de plek waar volgens de geschiedenisleraar de wieg van onze beschaving had gestaan. Zelf had de wind zijn wieg in Ierland. In Ierland werd de wind geboren. Maar bijna meteen werd hij uit zijn wieg verdreven om voor nieuwe wind plaats te maken. Genadeloos gooiden zijn ouders hem eruit. Ze gaven hem wolken mee om op te rusten en regen om zijn dorst te lessen. In het begin was er zoveel water dat hij voor zichzelf fonteinen bouwde, maar hoe verder hij reisde, hoe minder water hij uit de wolken kon tappen. De wolken rafelden en de wind stierf.

Meestal had de wind zes uur nodig om van Brighton tot bij ons te waaien.

'Het stormt daar,' zei mama soms met een zucht wanneer ze de telefoon neerlegde. En dan wisten we dat de wind zes uur later ook boven ons hoofd feest zou vieren. Soms raasde hij onstuimig als een jonge hond boven het Kanaal en stortte uitgeput in elkaar voor hij onze kust had bereikt. Wanneer wij in Brighton de eerste druppels voelden, zei mama: 'Die vallen vanavond op papa.' Maar mama nam ons niet altijd mee. Brighton was echt vakantie voor haar en vakantie betekende dat ze niet voor twee snotneuzen hoefde te zorgen.

Kruidvat stuurt een aangetekend schrijven. Ik teken voor ontvangst en scheur de envelop open. De winkelketen neemt een optie, maar wacht voor de definitieve beslissing de resultaten van een paar studies af. Mogen ze erop rekenen dat ik meteen contact met ze opneem wanneer een andere koper zich aanmeldt? En mogen ze me bij voorbaat danken voor het verlenen van mijn medewerking? De mensen van het studiebureau willen graag een paar bodemmonsters nemen om het effect van de sanering te beoordelen. Verder zal in de buurt een enquête worden gehouden om de geschiktheid van de locatie te peilen. De vragen van deze enquête zullen me van tevoren worden bezorgd en kunnen in samenspraak worden aangepast. De ervaring heeft geleerd dat zo'n enquête cruciaal is voor een voorspoedige start in een nieuwe buurt. Getekend met hoogachting en dank voor het begrip.

De vrouw die haar handtekening onder de brief heeft gezet, is *Head of the Marketing and Research Team.* Twee leden van haar team zijn al eerder op bezoek geweest en hebben hier hun kaartje achtergelaten. De eerste was optimistisch, maar de tweede had zijn twijfels. Hoe dikker ons dossier bij Kruidvat wordt, hoe meer minpunten zich erin opstapelen. Kruidvat moet het hebben van voetgangers, heb ik intussen geleerd, en ook de nabijheid van andere winkels is een voorwaarde voor succes. Maar omgekeerd zuigt een Kruidvat-winkel nieuwe investeringen aan. Klanten kopen gemiddeld zes komma drie producten, wat zeer weinig is in vergelijking met de traditionele supermarkten, waar klanten hun karretjes volstouwen, en dus is Kruidvat van *constant flow* en *impulsive purchasing* afhankelijk. Vooral jonge mensen laten zich verleiden tot niet-geplande aankopen. Daarom wordt aan de *display* van de producten veel aandacht besteed.

Mama en papa moesten dat allemaal zelf doen. Er was niemand aan wie ze raad konden vragen of die voor hen enquêtes hield. Geen van beiden had daar een opleiding voor genoten. Papa had drie gouden regels: hard werken, hard werken en hard werken. Mama zwoer bij een kwinkslag. Er waren volgens haar drie dingen die een automaat nooit zou kunnen: luisteren, lachen en de voorruit van een auto schoonmaken zodat die helder was als kristal.

Steeds als mama met Klaus op stap was, zat papa tot diep in de nacht te berekenen hoeveel liter de gemiddelde klant tankte en hoeveel klanten hij per dag nodig had om het hoofd boven water te houden. Hij wilde de inkomsten van de garage opvoeren om mama eindelijk een salaris te kunnen geven. Hij vond dat hij moest durven overwegen geen auto's meer te repareren en alleen de pompen te houden. De reparaties waren niet winstgevend, maar ze zorgden voor een kern van trouwe klanten. Hij sloot de mogelijkheid niet uit dat hij hun belang overschatte. Sinds de aanleg van de ring kregen we veel doorgaand, eenmalig verkeer. Daar lag de toekomst. Misschien moest hij zelfs een stap verder gaan en eindelijk geautomatiseerde pompen installeren. Het geld zou hij moeten lenen, maar hij zou een hogere omzet halen. Dan zou mama niet meer aan de pompen gekluisterd zijn. Ze zou langer dan een weekend naar Brighton kunnen. Misschien zouden ze er zelfs samen een paar dagen kunnen doorbrengen. Wat dachten wij? Zou mama daar niet blij om zijn?

'Ja, pappie. Natuurlijk, pappie.'

Tevreden keerde hij naar zijn bureau en zijn berekeningen terug. Roos en ik maakten ons huiswerk, keken televisie of bladerden in de catalogussen van Ikea, Trois Suisses, Viking en Gamma. Rond tien uur ging ik slapen, maar Roos wilde wachten tot mama thuiskwam. 'Ik breng hem nog een biertje,' zei ze met een blik op de deur naar de bureau. We hadden toen nog geen televisie op onze kamer, want de bakker had zijn oude toestel nog niet aan Roos gegeven. Ik probeerde wakker te blijven tot ik het belletje hoorde en Roos kwam slapen, maar zelfs wanneer er regen in de roze plastic emmers druppelde, viel ik bijna meteen in slaap.

Papa had het *Marketing and Research Team* van Shell kunnen uitnodigen. Zij zouden de garage hebben doorgelicht en misschien zelfs een enquête hebben gehouden. Maar papa wantrouwde de mensen van Shell. En dus stond hij er alleen voor. Hij kon op mama rekenen, maar uiteindelijk was het zijn garage en niet de hare. Je kon van een meewerkende echtgenote niet hetzelfde engagement verwachten als van een eigenaar. Hij kon twee kanten op: óf hij maakte haar mede-eigenaar óf hij sloot de afdeling reparaties. In het tweede geval was mama vrij en kon ze elders werk zoeken. Toen hij haar leerde kennen, droomde ze van een eigen kledingzaak. Meneer Auguste had haar beloofd dat ze voor haar werk zou worden beloond. Van die beloning had ze nooit iets gezien, maar ze wist hoe ze haar droomwinkel zou inrichten, welke collecties ze zou inkopen en op welke categorie klanten ze zou mikken. Papa had haar verteld dat hij de hoofddealer van Porsche voor Vlaanderen was. Hij reed toen in een zilverkleurige tweedehands Porsche, waarvan mijn moeder niet beter wist of het was het meest recente model. Op een avond besloot hij haar de garage te laten zien om haar reactie te testen. Zijn neef was nog niet geëmigreerd en ze zouden doen alsof het nog altijd zijn garage was. Mama was heel nieuwsgierig en toen papa's neef haar alles had uitgelegd, zei ze lachend dat er blijkbaar niet zoveel verschil bestond tussen een kledingzaak en een garage. Verkopen, dat was het punt.

'Zou jij hier dan graag werken?' had papa gevraagd.

'O ja,' had ze gezegd.

'Mensen veranderen,' zei Roos.

Papa knikte. In die dagen was hij als een man die na een bomexplosie nog niet beseft dat hij zwaargewond is. Het bloed gutst uit zijn lijf, maar hij voelt geen pijn. Hij maakt zich zorgen om de lichtgewonden zonder te beseffen dat hij als eerste hulp nodig heeft.

Maar mama had nooit beweerd dat ze de pompen of de garage beu was. Hoe laat ze ook uitging, ze stond om halfzeven op. Ze hield van haar werk en ze hield van de klanten en ze hield van ons. Af en toe had ze een verzetje nodig. Vroeger sprak ze dan af met een zus of met een vriendin. Nu trakteerde ze zichzelf op een avondje met Klaus.

Geachte mevrouw,

Hartelijk dank voor uw aangetekend schrijven, dat ik in goede orde ontvangen heb. Het doet me plezier dat u als hoofd van het *Marketing and Research Team* de zaak op de voet volgt. Tegelijkertijd wil ik u waarschuwen voor een mogelijk misverstand. Destijds heeft Kruidvat met mij contact opgenomen i.v.m. een eventuele verkoop. M. a.w. Kruidvat is van meet af aan de vragende partij geweest. Uw brief wekt de indruk dat mijn zus en ik, die samen de eigenaars van Garage Van Beveren zijn, naar een koper op zoek zijn. Niets is minder waar. Geen van beiden hadden wij plannen in die zin en tot op heden hebben wij de knoop niet doorgehakt. Mijn zus, die naar Canada is geëmigreerd, verwacht haar eerste kindje. Misschien zal ze op een dag haar zoontje of dochtertje de plek willen laten zien waar ze is opgegroeid. Ikzelf heb hier al jaren mijn atelier, waar ik ook workshops geef. Aan de eventuele verkoop zijn voor mijn zus en mij vele plus- en minpunten verbonden.

Ik heb aan alle vertegenwoordigers van uw team en ook van de andere Kruidvat-teams de situatie uitgelegd, maar misschien is de boodschap niet tot u doorgedrongen. Daarom zet ik haar expliciet op papier. Net als u zal ik deze brief aangetekend verzenden. Uiteraard krijg ik graag inzage in de vragen die bij de enquête gesteld zullen worden. Garage Van Beveren heeft in de buurt altijd een uitstekende reputatie genoten. Mijn vader stond dag en nacht klaar om chauffeurs te helpen. Ik kan me niet voorstellen dat de enquête een ander beeld aan het licht zal brengen.

Maar gelieve dus blijvend rekening te houden met de mogelijkheid dat mijn zus en ik uiteindelijk zullen besluiten niet tot verkoop over te gaan.

Met hoogachting,
Rie Van Beveren


Lieve Roos,
Ik stuur je als bijlage de brief die ik aangetekend naar Kruidvat heb gestuurd. Als we niet uitkijken, slopen ze de garage zonder onze toestemming. Ik ben in alle eerlijkheid wel

nieuwsgierig naar de resultaten van de enquête. Denk je dat ze overal zullen aanbellen?

Dikke kus van je zus (straks tante)

Lieve papa,

Roos is zwanger. Voor de tweede keer, maar van de eerste keer hebben jij en mama nooit iets geweten. Ze was toen ook veel te jong natuurlijk. Maar nu wil ze het kindje zeker houden en ook de vader is er erg blij mee. Jammer dat je het niet zult meemaken. Roos wil drie kinderen en daarna, daarna, daarna wil ze geen kinderen meer. Drie is mooi. Als je die alle drie moet geven wat ze nodig hebben, dan, nou ja, dan moet je hard werken. Misschien nog harder dan jij en mama. Dat is ook logisch, want jullie hadden er maar twee.

Heb jij ooit van Kruidvat gehoord? Dat is een Nederlandse keten en ze verkopen shampoo en zeep en allerlei toiletartikelen. Ze hebben tien miljoen geboden, papa, voor de garage. Of beter gezegd: voor de grond, want de garage en de bijbouw en de kamer van Roos en mij zullen ze platgooien. Zoals altijd zijn Roos en ik besluiteloos, en we hebben jou niet meer om de knoop door te hakken, maar ook de mensen van Kruidvat lijken niet goed te weten wat ze willen.

Voorlopig wachten Roos en ik af.

Dag, papa. Ik denk... Dag, papa. Ik geloof... ik wilde je ook nog vertellen...

Op weekdagen veranderde er weinig. 's Avonds at mama zoals altijd samen met papa en daarna keken ze televisie. Als ze met Klaus had afgesproken, ging ze zich rond acht uur opfrissen. Dikwijls droeg ze iets nieuws, waarvan ze steevast beweerde dat het al jaren in haar kast hing. Rond halfnegen rinkelde de bel en gaf ze papa een kus, alsof hij haar vader was en niet haar man. Ook wij, haar dochters, kregen een kus. 'Dag, meisjes. Op tijd naar bed, hoor!' Papa trok zich in de bureau terug, waar hij vellen briefpapier met zijn berekeningen vulde. Om tien uur ging ik slapen en bracht Roos hem een laatste biertje. 'Ik kom zo,' riep ze tegen mij, maar ik hoorde haar nooit de kamer binnenkomen. 's Morgens was mama zo fris als een hoentje, ook wanneer ze de kleren en de make-up nog droeg waarmee ze de avond voordien was uitgegaan, alsof ze haar bed niet had gezien. Misschien had ze het ook niet gezien. Ze dronk de ene kop zwarte koffie na de andere en babbelde opgewekt. Meestal slaagde ze erin tot de middag de schijn op te houden. Dan moest papa uit zijn put komen om de pomp van haar over te nemen, want ze zou staande in slaap zijn gevallen. Tegen de tijd dat wij uit school kwamen, was ze opgestaan en had ze een bad genomen en andere kleren aangetrokken. Ze droeg een schort en kookte zelfs voor ons, wat ze in jaren niet had gedaan. En toen begon ze na de middag te slapen, ook wanneer ze niet met Klaus was uitgegaan. 'Ik weet niet wat ik heb,' zei ze. 'Ik zou kunnen slapen en slapen en slapen.' Papa beweerde dat ze een slechte gewoonte had aangenomen. Hoe meer ze eraan toegaf, hoe moeilijker ze ervan afkwam. Ze moest ertegen vechten. Niet toegeven, dat was het belangrijkst.

Bij het ontbijt verklaarde ze dat ze zich weer de oude voelde. En ze had honger alsof ze tien dagen niets had gegeten. Was er nog kaas? Ze nam een hap van haar boterham en staarde zonder te kauwen naar haar oudste dochter. 'Hoe is het mogelijk?' zei ze met een volle mond. 'Hoe is wat mogelijk?' vroeg Roos. 'Zoveel sproeten,' zei mama. 'Moet je vader ze niet onderzoeken? Moet je niet dringend in je ondergoed voor hem op een stoel gaan staan? Rudy, wanneer inspecteer jij je dochter weer eens?' Ze stond op, spuwde de hap brood in haar hand uit en gooide hem in de vuilnisbak. 'Ja,' zei ze. 'Nu weet ik het weer. Sproetnik Roos, zo noemen ze je.' Ze lachte en ze wankelde alsof ze dronken was. Maar ze was niet dronken. Ze was alleen ontzettend moe.

Lieve Rie,
Heb je onlangs onze site nog bezocht? Heb je gezien dat ik goed voor je bevertje zorg?

Beste Theo,
Bedankt!

Graag gedaan, Rie. En vergeet niet: je kunt naar je bevertje komen kijken wanneer je maar wilt. Iedereen reageert hier enthousiast op de plannen om een workshop fifties-keramiek te organiseren. Laat gauw weten of je geïnteresseerd bent, anders moeten we een andere docente zoeken.
PS: Als ik Bever heette in plaats van Spriet, dan maakte ik van de bever onze mascotte! Zou dat mogen van jou?

Natuurlijk, Theo. Geef me nog een beetje bedenktijd.

Eind mei moeten de brochures naar de drukker. Weet je wat? Ik kondig de workshop aan en schrijf bij docente jouw naam met tussen haakjes: onder voorbehoud. Kun je me vrijdag a.s. een kort aankondigingstekstje bezorgen? Zullen we beginnen met een workshop voor beginners en dan eventueel volgend jaar ook een workshop voor gevorderden opzetten?

Theo, ik heb eens gekeken op het net. Als ik met de trein naar Doetinchem reis, ben ik minstens drie uur onderweg! Ik wist niet dat Doetinchem zo ver was, anders had ik meteen nee gezegd.

Lieve Rie,
Wat zou je denken van een intensieve cursus van een week? Wij organiseren die met veel succes voor dans en mode. Je

kunt bij mij logeren, maar er is hier ook een prima hotel, waar we een mooie kamer voor je kunnen reserveren. Denk er rustig over na en laat je bever dan iets weten.

Beste Theo,
Kun je me een idee geven van het honorarium?

Lieve Rie,
Voor een workshop van een week (vijf werkdagen plus een weekend) betalen de cursisten zeshonderd euro. Daarvan gaat een derde naar jou. Wij zorgen voor het materiaal, de administratieve ondersteuning, lunch, koffie en thee. Als zich tien cursisten inschrijven, verdien jij tweeduizend euro.

Theo,
Maar ik betaal mijn hotelkamer, een deel van mijn maaltijden én de reiskosten?

Zoals ik al zei: als je wilt, kun je bij mij logeren.

Beste Theo,
Ik wil helemaal niet... ik weet niet of... waarom doe jij altijd zo...
delete
Beste Theo,
Heb jij ooit van PAR gehoord? People Against Rape? Volgens PAR is verkrachting elke vorm van seks zonder toest
delete
Beste Theo,
Ik stuur je over een paar dagen mijn antwoord.
Met vriendelijke groet,
Rie Van Beveren

Op zondag liep de wekker om halfzeven af. Roos waste zich, stak haar haar op en trok een van de T-shirts aan die ze van de bakker gekregen had. In de winkel knoopte ze een wit schortje voor en speldde een wit kapje in haar haar. Rond negen uur ging ik onze bestelling ophalen. Mensen stonden tot buiten aan te schuiven, maar ik hoefde niet te wachten. Zodra Roos me zag, gaf ze me een zak met broodjes en croissants. Met een geforceerde glimlach wendde ze zich tot de volgende klant en vroeg: 'Wat zal het zijn, alstublieft?', alsof ze toen al aan het oefenen was voor 'Operator 306, how may I help you?'

Thuis dekte ik de tafel, smeerde een broodje en at het voor de televisie op. Meestal keek ik naar de *Antiques Show* omdat ik wist dat mijn oma in Brighton ook keek. Mensen konden voorwerpen die ze al jaren in een kast of op zolder hadden staan door een expert laten keuren. Soms bleek een kostbaar gewaand beeldje volstrekt waardeloos, terwijl voor een vaas die bijna was weggegooid, veel geld werd betaald. De expert en de presentatrice onderwierpen elk voorwerp aan een grondig onderzoek en legden omstandig uit op welke kenmerken moest worden gelet. Nooit bezondigden ze zich aan neerbuigendheid of slordigheid. Zelfs het lelijkste plastic ding kreeg hun liefdevolle aandacht. Ze interviewden de gelukkige of ongelukkige eigenaars, die vertelden hoe het voorwerp in hun bezit was gekomen en waarom ze het al dan niet wensten te verkopen. De *Antiques Show* was ook al naar Brighton afgezakt. Mijn oma had de porseleinen borden uit de kast gehaald die ze van België naar Brighton had verhuisd en waarop Napoleon in zijn strakke witte broek is afgebeeld. Popelend had ze ze in krantenpapier gepakt. Toen ze aan de beurt was, had ze uitgelegd dat ze op zondag de soep in die borden opdiende, maar misschien waren ze daar te waardevol voor. 'Dat hangt af van de soep,' had de expert geantwoord. En hij stelde oma gerust: ze mocht de borden blijven gebruiken. Er waren er nog duizenden van in omloop.

Voor mijn oma werden de borden haar kostbaarste bezit: ze was ermee op de televisie geweest.

Op een zondag in maart 1990 keurde de expert een melkkannetje in de vorm van een koe. Er waren veertien maanden voorbijgegaan sinds Roos de bakker en zijn vrouw beloofd had bij hen te komen werken en mama voor het eerst met Klaus was uitgegaan. Het belletje rinkelde.

'Now this is actually extremely rare,' zei de expert. De eigenares van de koe glimlachte tevreden. Ze had verteld dat ze dringend geld nodig had. Nu noemde de expert haar koe een zeldzaam exemplaar.

Omdat ik dacht dat mama en papa nog sliepen, stond ik op en ging kijken wie er was. Op zondag kregen we tussen tien en twaalf dikwijls mensen die voor de lunch bij familie werden verwacht en ontdekten dat hun tank leeg was. Ik wilde met gebaren duidelijk maken dat we gesloten waren, maar herkende de auto van Klaus. Mama stapte uit en deed teken dat ik in de keuken moest blijven. Toen keek ze omhoog naar hun slaapkamerraam.

De *Antiques Show* was nog lang niet klaar met de koe, die eigenlijk een melkkan was. Iemand van het Victoria and Albert Museum, die wel vaker aan het programma meewerkte, liet een soortgelijke koe uit hun collectie zien. Op het rechteroorlelletje van beide koeien stond een J, wat het vermoeden versterkte dat beide koeien in hetzelfde atelier waren gemaakt. Zoals altijd mocht je niet te snel conclusies trekken. De J kon verwijzen naar de kunstenaar, de eigenaar of het atelier. De huidige eigenares bleek Joan te heten, wat iedereen in de gegeven omstandigheden grappig vond.

Papa kwam in zijn badjas de trap af. Ik hoorde het getik van mama's hakken in de bureau. Het belletje rinkelde voor de tweede keer: Klaus reed weg.

'Zet de televisie uit,' zei papa.

'Nog een minuutje.' Elk ogenblik kon de expert het bedrag noemen dat door kenners en verzamelaars voor de koe zou worden betaald. Als Joan er tweeduizend pond voor kreeg, kon ze een auto kopen.

Mama kwam de keuken binnen. Even liet ze haar blik op het televisiescherm rusten. Toen zei ze dat ik naar mijn kamer moest gaan.

'Ga je weg?' vroeg ik.

Ze schudde haar hoofd.

'Vijfentwintighonderd pond,' zei de expert.

Joan slaakte een kreet van vreugde en sloeg haar handen voor haar gezicht. Ze had een auto nodig om naar haar werk te rijden. Er was haar een baan aangeboden, maar zonder auto kon ze die niet aannemen. Er belde al iemand die de melkkankoe wilde kopen. Joan kon haar geluk niet op.

Papa zette de televisie uit.

'Zal ik koffie zetten?'

'Is er geen koffie?'

'Nee.'

'Ik zet wel koffie. Ga naar je kamer, Rie.'

Ik wou dat ik had kunnen blijven om te horen wat ze tegen elkaar te zeggen hadden. Na een halfuur ging ik terug en zei dat ik beloofd had Roos op te halen. Dat was een leugen, maar ik kon niet eeuwig in mijn kamer blijven. Mama hield de zakdoek in haar handen waarmee ze haar tranen had afgeveegd en ook papa's ogen waren opgezwollen. Opnieuw vroeg ik aan mama of ze van plan was weg te gaan en opnieuw schudde ze haar hoofd.

'Mama's gaan niet weg,' zei ze. 'Kom. Kom bij je mama.' Ze trok me op haar schoot. 'Is Roos naar haar werk?'

Ik knikte. Het was erg lang geleden dat ik tegen haar borsten had gelegen. Ik kon ruiken dat ze had gezweet.

'En jij hebt de broodjes en de croissants gehaald?'

'Ja.'

'Missen de nonnen Roos niet?'

Ik haalde mijn schouders op. 'Wij missen jou,' zei ik.

Ze kuste en wiegde me. 'Jij bent nog zo'n kind,' zei ze. 'Hoe is het mogelijk dat jij nog zo'n kind bent, terwijl je zus...'

Papa ging zich wassen en ik vroeg haar waar Klaus haar mee naartoe nam.

'Je moet niet zoveel vragen stellen.' Het was de eerste keer dat ik haar iets over haar verzetjes vroeg. 'Hebben jullie goed voor papa gezorgd, terwijl ik weg was?'

Ik knikte.

'Papa en ik hebben afgesproken dat ik niet meer uitga met Klaus.'

'Omdat je zo laat thuis was?'

'Misschien. En nu ga ik een beetje slapen. Ik ben doodmoe. Misschien is dat de reden wel.'

Na de middag reed ze met papa weg en Roos ging naar het klooster, want de schaatsbaan was gesloten. De zon scheen en ik stopte de roze spreien in de wasmachine en maakte ons badkamertje schoon en daarna ging ik naar de kamer van mama en papa en trok mama's kleerkast open en liet mijn handen over haar jurken en rokken, truitjes en bloesjes, slipjes en beha's glijden. Sinds ze Klaus kende had ze niets meer uit de Trois Suisses-catalogus besteld, maar ze had wel iedere week iets nieuws gekocht.

Ook Roos gaf al het geld dat ze bij de bakker verdiende aan kleren uit. Als klanten hun wisselgeld wegwuifden, nam ze het uit de kassa en stopte het in haar tas. Van de bakker en zijn vrouw kreeg ze iedere week een extraatje, want dat verdiende ze. Ze hadden zich in Roos niet vergist.

Nog geen week na mama's breuk met Klaus ontdekte Roos dat ze zwanger was. Ik vroeg of het van de bakker was, want ik herinnerde me de propvolle ballonnen met ongezegde woorden die me uit de winkel hadden verdreven.

Ze schoot in de lach.

'Nee, het is niet van de bakker en ook niet van de slager of van de melkboer.'

Het maakte niet uit van wie het was, maar het moest weg. Niemand zou ooit weten wie de vader was. Ook de vader niet.

'Ik vermoord je,' zei ze. 'Ik vermoord je als je het aan iemand vertelt.'

'Doet het pijn?'

'Natuurlijk doet het geen pijn.'

'Ik bedoel, wanneer ze het weghalen. Doet dat pijn?'

'Een beetje.'

'Je kunt het houden, Roos.'

'Nee, Rie, ik kan het niet houden. Ga slapen. Jij begrijpt niets. Helemaal niets.'

Ze wilde het niet toegeven, maar ik wist dat ze bang was. Haar afspraak was pas over twee weken. Ze had nog altijd niet gezegd dat ik mee mocht naar het medisch centrum, maar ze had ook nog niet gezegd dat ik niet mee mocht.

'Mama is altijd moe de laatste tijd,' zei ik.

'Ik ook,' zei ze. 'Ik ben ook moe.'

'Mama is anders moe. Ze slaapt een hele middag en dan nog is ze moe.'

Ze lag met haar rug naar me toe en ik ging tegen haar aan liggen.

'Ik wil niet dat je doodgaat, Roos.'

'Ik ga niet dood,' zei ze.

Iedere dag ging ze naar het klooster om voor het beeld van de Zwarte Madonna een kaars te branden. Bizar genoeg was ook mama op dat moment zwanger, maar ze wist het niet en ook Roos en ik wisten het niet. Alle aandacht ging naar papa's pogingen om mama te helpen Klaus te vergeten. Hij nam haar mee naar de bioscoop, bestelde pizza's, haalde een film uit de videotheek of trakteerde op een etentje in De Zwarte Madonna. Het zag ernaar uit dat Klaus even geruisloos uit ons leven was geglipt als dat hij er een plekje in had veroverd. De indringer was verdreven en de gelederen sloten zich. Maar op de avond voor Roos' afspraak, toen papa in onze kamer biertjes kwam drinken, moet mama geweten hebben dat ze zwanger was en misschien wist ook papa het al. Aan tafel zaten ze met hetzelfde geheim in hun hoofd. Het geheim van Roos zat ook in mijn hoofd. Het was, zoals zo vaak, een gedeeld geheim.

Ik zou haar geholpen hebben als ze besloten had het kind te houden. Samen zouden we bij de geboorte bijna drieëndertig zijn geweest. Maar ze bleef herhalen dat ze het niet kon houden. Ze wilde er zelfs niet over praten. Er waren dingen die ik niet begreep.

Kruidvat belt om te vragen of ik een e-mailadres heb. Ze willen me de vragenlijst voor de enquête voorleggen. 'Kom maar op,' zegt de man aan de andere kant van de lijn. 'Elke vraag die je niet zint, mag je schrappen of wijzigen.'

'En mag ik er vragen aan toevoegen?'

'Natuurlijk. Maar ik kan niet garanderen dat we ze opnemen.'

Ik bel Roos, maar operator 306 heeft een vrije dag. Ik zet mijn computer aan en lees een paar flauwe berichtjes van Theo Spriet, die ik allemaal delete. Roos schrijft dat ze veel slaapt en dat Mike een aanvraag heeft ingediend om naar een andere dienst te worden overgeplaatst. Blijkbaar zitten op zijn dienst vooral vrijgezellen en mannen die hun gezin willen ontvluchten, en hij hoort in geen van beide categorieën thuis. 'Vind je niet,' schrijft ze, 'dat hij daar verdacht lang is blijven hangen? En nog iets. Hij lijkt ervan uit te gaan dat ik voor de baby zal thuisblijven. Iedereen hier lijkt ervan uit te gaan dat ik dat zal doen. Vooral mijn schoonouders gaan daarvan uit. Wat vind jij dat ik moet doen?'

Lieve Roos,

Daar gaan we weer: pluspunten in de ene kolom en minpunten in de andere. Ik weet echt niet wat je moet doen. Voor een baby is het vast prettig om zijn moeder altijd in de buurt te hebben, maar zul jij het prettig vinden om de baby altijd in de buurt te hebben?

Nee, die zin klinkt te hard. Ik begin opnieuw.

Lieve Roos,

Misschien moet je voorlopig niets beslissen. Als de baby er is...

Er wordt getoeterd. Ik kijk van mijn scherm op en zie Theo Spriet uit zijn DS stappen.

'Ik was in de buurt,' zegt hij met een lach. 'Ik ben het hele eind van Doetinchem naar hier gereden om je te kunnen zeggen: ik was in de buurt. Je bent niet blij me te zien. Zeg: dag Theo, wat leuk dat je er bent! Wil je me niet binnenlaten?'

'Kom binnen.'

'Je zou me antwoord geven. Ik heb gewacht en gewacht tot ik niet langer kon wachten. De brochure moest naar de drukker. Kijk! "De bekende Belgische keramiste Rie Van Beveren leidt een *immersion* workshop voor beginners; voorlopige periode: eerste week van september; zeshonderd euro (inclusief materiaal, lunch, koffie en thee)." Wat denk je?'

'Ik...'

'Je zei dat je geen beslissingen kon nemen. Ik dacht: ik help haar even. Je kunt altijd terugkrabbelen. Dan zeggen we dat zich te weinig cursisten hebben aangemeld. Ik weet waar de schoen wringt: je vertrouwt me niet. Je denkt dat ik je belazer. Je krijgt van mij een contract én een voorschot. Wat vind je daarvan?'

'Ik...'

'Je hebt nog altijd dezelfde ogen. Vrouwen laten tegenwoordig zoveel veranderen. Ik dacht: als ze maar niet een paar nieuwe ogen heeft aangeschaft.'

'Luister, ik denk echt niet dat...'

De computer zegt ping.

'Post!'

'Dat is of mijn zus of Kruidvat.'

'O ja, die wilden je huis kopen. Hoeveel bieden ze?'

'Een kwart miljoen euro.'

'Een kwart miljoen euro! Je moet drie keer zoveel vragen!'

'Mijn zus en ik weten nog niet zeker of we wel willen verkopen, en zij weten ook niet of ze wel willen kopen. Mijn ouders zijn allebei aan kanker gestorven.'

'Wat heeft dat ermee te maken?'

'Het is geen gezonde plek. Denken ze. Klanten worden erdoor afgeschrikt. Kruidvat heeft een gezond imago.'

'Jij blaakt van gezondheid! Wat zijn ze van plan? Willen ze je gebit onderzoeken zoals bij een paard?'

'Ze gaan een enquête houden in de buurt, maar ik mag eerst de vragen zien.'

'Dat is heel netjes van ze. Beste buurtbewoners, denkt u dat Rie Van Beveren de pest heeft?'

Ik klik de bijlage open. 'De eerste vraag luidt: waar koopt u uw shampoo en zeep? Hebt u een voorkeur voor een bepaald merk? Kent u de Kruidvat-keten? Hebt u er al eens gewinkeld? Zou u de komst van een Kruidvat-winkel in uw gemeente toejuichen? Ging u vroeger tanken bij garage Van Beveren? Welke herinneringen hebt u aan de garage? Op die vraag kunnen ze antwoorden met goed, slecht of neutraal.'

'Herinnert u zich de bever van garage Van Beveren? Aan welk beroemd pretpark werd hij verkocht? Ik begrijp nooit waar ze het geld voor al die onderzoeken en enquêtes vandaan halen. Hebben ze bij Kruidvat geen gezond verstand? Mensen zijn kort van memorie. Als hier een winkel van Kruidvat komt, dan herinnert zich over twee jaar geen hond meer dat hier ooit een garage was. Zijn je ouders echt allebei aan kanker gestorven?'

Ik knik. 'En dus denkt mijn zus dat wij ook aan kanker zullen sterven.' Ik glimlach. 'Het is geen mooie dood.'

Hij pakt een foto. 'Zijn ze dat?'

Ik knik.

'Mooie vrouw,' zegt hij.

'Ja, ze was erg mooi. Een beetje wild ook. Net als mijn zus vroeger.'

'En jij,' zegt hij, 'ben jij wild?'

Ik duw hem weg. 'Er komt straks een leerling van me. Ze wil me haar werk laten zien.'

'Bel dat je verhinderd bent.'

'Ik heb haar nummer niet.'

'Dan komt ze maar voor een dichte deur. Ik ben voor jou dat hele eind uit Doetinchem gekomen.'

'Dat heb ik jou niet gevraagd.'

'Maar je hebt me wel gevraagd om een foto van je bever op mijn site te zetten. Heb je dat niet gevraagd?'

'Ja, dat heb ik gevraagd.'

'En heb ik het gedaan?'

'Ja, je hebt het gedaan.'

'Kom, laten we ergens gaan eten. Ik wil met je praten.'

'Waarover?'

'Over waarom ik naar Ockerghem ben gekomen. Over je ogen en over je wilde moeder en zus. Ik denk dat jij veel wilder bent. Jij bent een stille wilde. Dat denk ik. Je hoeft niet te huilen. Ik doe je niets. Kijk! Ik raak je niet aan. Je kunt een week in mijn huis komen logeren en dan nog zal ik je niet aanraken. Ik raak niemand aan die niet aangeraakt wil worden. Maar als ik dol op iemand ben, dan laat ik dat wel merken. Als zelfs dat verboden is, kan niemand ooit nog iets met iemand beginnen. Of wil je dat ik een bemiddelaar in dienst neem? Een ambassadeur die mijn zaak komt bepleiten? Zal ik eerst een enquête houden? Wil je dat ik je een vragenlijst stuur? Je weet het zelf niet, hè? Zeg: Theo, ik weet het niet. Ik weet niet of ik de garage aan Kruidvat moet verkopen en ik weet niet of ik wil dat jij me aanraakt.'

'Ik wil dat je weggaat.'

'Dat wil je niet.'

'Jawel. Ik kom die workshop niet geven en ik kom niet bij jou logeren en ik kom niet naar de bever kijken. Je mag de foto van de site halen. Ik weet niet waarom ik het vroeg. Of ik weet het wel. Het is moeilijk om knopen door te hakken. Als we de garage verkopen en ik weet dat de bever nog in Doetinchem staat, dan kan ik altijd, dan is niet alles weg, dan weet ik dat er ergens op aarde een plek is waar...'

'Je kunt op me rekenen,' zegt hij. 'Ik zweer het bij mijn kinderen. En je mag er altijd naar komen kijken, ook als je die workshop niet geeft. Ook als je me nu wegstuurt. Huil niet. Waarom huil je?'

'Ik huil niet.'

'Gaat het een beetje?'

Ik knik. Hij staat vlak voor me.

'Kijk me aan.'

Ik kijk hem aan. 'Je hebt echt ontzettend mooie ogen. Wist je dat?'

Ik schud mijn hoofd. Niemand heeft het me ooit gezegd. Het zijn zelfs geen goeie ogen. Zonder lenzen ben ik zo blind als een mol.

'Als je je bedenkt,' zegt hij, 'dan weet je waar je me kunt vinden. Huil niet, Rie. Ik ben verloren als ik een vrouw zie huilen.'

Hij slaat zijn armen om me heen en wiegt me zoals jaren geleden mijn moeder me wiegde op die zondagochtend in maart toen ze voor de laatste keer uit de auto van Klaus was gestapt. 'Ik kan ook stil zijn,' zegt hij. 'Je gelooft het vast niet, maar ik kan heel lang zwijgen. Ik ben het gelukkigst als ik samen met iemand kan zwijgen.'

'Waarom praat je dan zoveel?'

'Het komt door het pretpark. Denk ik. Ik moet enthousiasme uitstralen voor de hele ploeg. Van 's morgens vroeg tot 's avonds laat loop ik iedereen op te peppen. Ook de bezoekers. Ik wil dat ze het naar hun zin hebben. En ze hébben het naar hun zin. Meer dan dertig procent van onze bezoekers komt een tweede keer. Dat is ontzettend veel. Moet ik dan neerslachtig zijn? Zou je dat liever hebben? Je hebt zo'n droevige blik. Een mooie, droevige blik. Is het vanwege je ouders die aan kanker gestorven zijn? Of vanwege je zus die zo ver weg woont?'

'Het gaat goed met mij. Mijn zus krijgt een kind. Ik word tante. In juni begint er een nieuwe workshop met mensen die nooit eerder een cursus hebben gevolgd. En Dutrouxs proces verloopt zonder incidenten. Over een paar weken zijn we eindelijk van die affaire verlost. Volg jij dat een beetje?'

'Natuurlijk volg ik het. Heel de wereld volgt het. Wil je dat ik wegga of gaan we ergens iets eten of... Mag ik je kussen? Vind je het goed dat ik je kus? Jezus, Rie, ik heb in geen jaren zo gebedeld bij een vrouw. Zeg iets. Zeg wat je wilt. Je weet niet wat je wilt. Is dat het?'

Zijn hand zoekt mijn borst.

'Waar slaap je?' fluistert hij. 'Slaap je in het bed van je wilde moeder of van je wilde zus?'

Ik haal zijn hand van mijn borst en weet dat hij gelijk heeft. Ik weet niet wat ik wil. Of ik weet het wel, maar ik weet niet of ik het mág willen, of het niet een van de dingen is waartegen ik volgens Roos moet vechten, iedere dag opnieuw. Zonder een woord te zeggen leid ik hem naar de kamer waar nog altijd de roze spreien op de bedden liggen en roze plastic emmers de regen opvangen en obscene tekeningen in een plastic mapje onder de balatum verstopt liggen.

'Welk bed was van jou?'

Ik wijs naar mijn bed.

'Slaap je nog altijd hier?'

Ik knik.

'Alleen?'

Ik knik. De kamer is te vol. Er is geen plaats voor Theo en mij.

'Het is een meisjeskamer,' zeg ik en doe een stap achteruit.

'Komen er geen mannen?'

Ik schud mijn hoofd.

'Mijn vader kwam hier soms, maar hij is dood. Hij is aan kanker gestorven. Eerst kreeg mijn moeder kanker en na haar dood kreeg ook hij kanker. Ik heb ze allebei verzorgd. Ik ben een goede dochter voor ze geweest.'

Opnieuw doe ik een stap achteruit. Theo staat nu alleen in de meisjeskamer van de zusjes Van Beveren.

'Hoe bedoel je?' hoor ik hem zeggen. Hij grijpt mijn hand, maar ik trek me los. 'Rie,' zegt hij. Woorden zijn ballonnen en ballonnen spatten uit elkaar als je erin prikt. In Canada is de bever een obsceen dier, dat kan de bever niet helpen, de bever is onschuldig aan zijn obsceniteit. Ik begin het grasveld over te steken, maar ook hier is het vreselijk vol. 'Rie,' roept Theo, die het ook niet kan helpen, niets of niemand kan het helpen, ik moet mezelf helpen, dat zegt Roos altijd, maar nu weet Roos niet meer zeker of haar Mike de ideale man is, misschien bestaat die wel niet. Natuurlijk bestaat die niet. En dus is ook Mike niet de ideale man. Niemand is de ideale man. Theo denkt dat ik flauwval. Ik val in het gras, dat niet zo groen en krachtig zou groeien als de bodem niet was gesaneerd. Lang leve onze gesaneerde bodem. Ik hoor en zie alles, daardoor weet ik dat ik niet ben flauwgevallen. Theo grijpt mijn gezicht en klopt zachtjes op mijn wangen. Dan tilt hij me op en draagt me naar de keuken. Ik wil zeggen dat hij weg moet gaan. Als hij nu blijft, zal ik hem veel meer vertellen dan hij wil horen. Hij zal niet naar Doetinchem kunnen rijden alsof hij niets heeft gehoord. Misschien vertel ik hem zelfs wat ik nooit aan mezelf heb durven vertellen: dat niet de bakker en ook niet de slager of de melkboer de vader van Roos' eerste kindje was. Het was de garagist Rudy Van Beveren, die dag en nacht met zijn Engelse sleutel voor zijn klanten klaarstond. Mij liet hij met rust. Niet helemaal, maar min of meer. Al die jaren dat hij en ik hier met z'n tweeën woonden, liet hij mij met rust. Niet helemaal, maar min of meer. En dus ben ik min of meer beschadigd. En dus ben ik min of meer geperverteerd. Maar dus ben ik ook min of meer 'normaal'.

Het is gevaarlijk om iemand op te tillen. En het is ook gevaarlijk om door iemand opgetild te worden. Roos was van plan in het klooster te treden. De nonnen hadden eindelijk hun toestemming gegeven. Maar toen struikelde Mike over haar tas. Hij krabbelde overeind en tilde haar op. Hij is haar blijven optillen.

Theo zet me op de bank en geeft me een glas water.

'Heb jij bier in huis?' vraagt hij.

Ik wijs naar de koelkast.

'En een flesopener?'

Met een brede glimlach wijs ik naar een lade.

'Geef me een seintje wanneer je je mond weer open kunt doen, want dan gaan we iets eten, oké?'

Ik knik en grijp zijn hand.

'Jij kunt een mens laten schrikken,' zegt hij en hij neemt een slok van zijn biertje. 'Je mag me alles vertellen, Rie, maar je mag ook zwijgen. Ik hoef het niet te weten.'

Ik knik.

*Rie*

'Komt er straks een leerling van je?'

Ik schud mijn hoofd.

'Dat dacht ik al.'

Dan houdt hij zijn mond.

Geachte,

Mijn zus en ik hebben de vragenlijst zorgvuldig doorgenomen en besproken en geen van beiden hebben we bezwaren
tegen deze enquête. Uiteraard zijn we nieuwsgierig naar de
antwoorden op de vragen die op de garage betrekking hebben
en we zouden het waarderen indien ze naar ons konden worden doorgestuurd. Is het al bekend hoe de enquête zal worden
afgenomen?

Wat de bodemmonsters betreft: heeft het Kruidvat-team al
beslist wanneer deze genomen worden? Mijn zus en ik blijven
graag op de hoogte van de verdere ontwikkelingen.

Met vriendelijke groet,

Rie Van Beveren

'Doetinchem?' zegt Roos. 'Bestaat er een plek op aarde die Doetinchem heet?'

'Ja, en hij heet Spriet. Theo Spriet.'

Operator 306 barst in vrolijk lachen uit.

'Ik hoop dat je geen dochter krijgt met sproeten. Sproet Spriet.
Of Spriet Sproet. Rie Spriet klinkt ook gek.'

'Nu ga je wel ontzettend snel. Ik weet zelfs niet wanneer ik hem
terugzie. Maar hij heeft al tien mailtjes gestuurd. Ben jij nog boos
op Mike?'

'Op Mike?'

'Je was toch boos omdat hij niet eerder overplaatsing had aangevraagd. Misschien niet boos, maar ontgoocheld.'

'Welnee. Mike had tijd nodig om van die baan afscheid te nemen. Hij had daar zijn eigen leventje in die toren. Dat was een stukje waar ik niets mee te maken had. Maar ik heb gezegd dat ik blijf werken. Ik word niet het moedertje bij de haard. Alle ellende tussen mama en papa zou voorkomen zijn als zij haar eigen inkomen had gehad.'

'Hoe reageerde hij?'

'Ik denk dat hij opgelucht was. Hij had het idee dat hij zich stoer en verantwoordelijk moest gedragen omdat hij een kind krijgt. Hij is Superman niet. Hoe zit het met de enquête?'

'De bakker belde gisteren. Hij was echt verontwaardigd. "Waar bemoeien ze zich mee?" zei hij.'

'Hoe is het met hem?'

'Goed. Hij staat nog altijd voor dag en dauw op. En hij kondigt ieder jaar aan dat hij ermee ophoudt en vervolgens gaat hij door.'

'Ik wou dat ze hier zulke bakkers hadden. Ik zou het topje van mijn pink geven voor een lekkere eclair. Stel je voor: zwanger zijn zonder eclairs! Wanneer kom je me bezoeken? Beloof dat je me komt bezoeken als de baby er is. En breng een doos eclairs mee. Ik wil me volproppen met echte Belgische eclairs tot ik zo walgelijk dik ben dat Mike me niet meer wil. Je mag Spriet meebrengen.'

'Roos, ik weet niet...'

'Ik weet het wel. Dit is pas een begin. Stap één. Maar zonder eerste stap kan er geen tweede of derde zijn, toch?'

'Roos, ik wilde met je praten over...'

'Just hold on a second, please. I'll be with you in a moment. Wilde je nog iets zeggen?'

'Ik ben zo blij dat ik tante word. Dat wilde ik nog zeggen.'

'Ik wil op een dag ook tante worden. Vergeet dat niet!'


Lange tijd hield mama vol dat papa ook de vader van haar derde en laatste kind was, het kind dat een jongetje zou zijn geweest en dat ze waarschijnlijk had verloren omdat de kanker toen al in haar lijf

*Rie*

zat. Het was een absurde, overbodige en vooral pijnlijke bewering. Op het moment van haar miskraam was ze pas een maand met papa verzoend, terwijl ze minstens drie maanden zwanger was. Omdat ze regelmatig bloed verloor, had ze niets vermoed. Hoe halsstarriger ze de leugen volhield, hoe meer ze iedereen aan de waarheid herinnerde. Zelfs ik, die de reputatie had naïef en goedgelovig te zijn, geloofde haar niet. Later, toen ze besefte dat het bijna met haar afgelopen was, leek het haar niet meer te kunnen schelen. Ze zei dat in een mensenleven altijd een zeker evenwicht wordt nagestreefd, niet zozeer door de mens die het leeft, als wel door het leven zelf. Zij had drie mannen ontmoet die haar veel hadden gegeven: meneer Auguste, papa en Klaus. En daarna had ze drie offers moeten brengen: haar zoontje, haar ene borst en vervolgens haar andere borst. Niets dat op aarde gebeurde bleef zonder gevolgen, voor alles moest een prijs worden betaald. Papa had jaren geleden een vrouw in de steek gelaten omdat ze kleine borsten had, en nu had hij een vrouw met twee geamputeerde borsten.

'Evenwicht,' zei ze, 'alles draait om evenwicht.'

Ik sprak haar niet tegen. Ze voelde zich oud en wijs en putte daaruit troost. Op de een of andere manier had alles zijn zin en betekenis gehad.

Telkens opnieuw begon ze over die vrouw met haar kleine borsten en zij die grote borsten had gehad, maar nu waren die borsten weg. Ik zag een weegschaal waarop appelen lagen, maar het waren geen appelen, het waren borsten. Ook Klaus had van haar borsten gehouden, maar hij had nooit geweten dat ze moesten worden geamputeerd. Na die zondagochtend in maart had ze hem niet meer gezien. Texaco had een andere vertegenwoordiger gestuurd. Maar hij had van mama gehouden en mama van hem. Misschien had hij zelfs gehoopt dat ze hem op een avond met haar koffer in de hand opwachtte.

Over het evenwicht in het leven van Klaus had mama niets te melden. Het was haar om papa te doen, en om die vrouw die hij in de steek had gelaten, hoewel ze een kind van hem verwachtte, en om haarzelf, die bij meneer Auguste was weggegaan omdat ze dacht dat papa haar gelukkig zou maken. Al die tijd bouwde ze een schuld op en ook papa bouwde een schuld op. Hij had die vrouw in de steek gelaten zonder te weten of ze het kind zou houden of niet, en zo groeide hun schuld, maar ze beseften het niet, ze leefden en leefden en leefden, tot er op hun deur werd geklopt en het tijd was om de schuld af te lossen.

Uren zat ik bij haar met haar hand in de mijne. Haar huid was als gelig perkament over haar jukbeenderen gespannen. Alles aan haar was breekbaar, knokig en bros. Haar armen zaten onder de blauwe plekken. Ze voelde zich doorzeefd en prutste rusteloos aan de sonde waarmee ze werd gevoed. De verpleegsters deden hun beklag omdat ze de naalden van het infuus uit haar arm trok. Ze dreigden haar vast te binden als ze niet 'braaf' was. Ik smeekte hun haar meer morfine te geven. Langer lijden had geen zin.

Als ik bij haar zat, was ze meestal braaf. En ze maakte plannen voor de toekomst. Hoe gehavend haar lichaam ook was, ze leek er rotsvast van overtuigd dat het nog lang niet was opgebruikt. Vlak voor ze in het coma gleed waaruit ze niet meer zou ontwaken, had ze een van die misleidende, heldere momenten. Ze zat rechtop en had zelfs haar lippen gestift. 'Mijn Rietje,' zei ze, 'mijn Rietje pleziertje.' Nooit eerder had ze me zo genoemd. En alsof ze een gevangenisstraf had uitgezeten en over een uurtje met haar koffer in de hand naar buiten zou lopen, verklaarde ze dat alles nu afbetaald was, door papa én door haar. Papa moest op zoek naar die vrouw om eindelijk te weten of ze het kind had gehouden of niet, en dan kon ook dat hoofdstuk worden afgerond. Er wachtten hun nog veel mooie jaren. 'Plus en min zijn eindelijk in evenwicht. We kunnen met een schone lei beginnen. Ik wil mijn kleinkinderen zien.

Ik wil jou en Roos met een dikke buik zien rondlopen en weten dat daarbinnen een kleinkind van mij groeit. Dat is het enige wat ik nog wil.'

En ik zei: 'Dat is goed, mammietje. Daar zullen Roos en ik voor zorgen. Rust nu. Je moet nu rusten. Je vermoeit je te veel.'

Op zondagochtend kijk ik nog altijd naar de *Antiques Show*. Ook mijn oma kijkt, en na afloop schept ze voor mijn opa en voor zichzelf soep in de waardeloze porseleinen borden van Napoleon. Roos, die nooit langer dan een minuut naar het programma heeft gekeken, begrijpt niet wat ik erin zie. Zij heeft rood haar en ik niet; zij heeft sproeten en ik niet; zij heeft grote borsten en ik niet; zij is uit Ockerghem weggegaan en ik niet. Maar we zaten in dezelfde klas en we droegen dezelfde kleren van Trois Suisses en we hadden allebei een roze nylon sprei op ons bed en we sliepen in een kamer waar de regen in dikke druppels in plastic roze emmers viel en een roze douchegordijn de badkamer van de kamer afscheidde en de grendel op de deur werd geschoven nadat papa was komen kijken of we sliepen. Ik sliep dan al, maar mijn zusje Roos was nog wakker. Van ons tweeën was zij de wakkerste. Zij was – zij is – mijn wakkere zus. Vroeger dacht ik dat ik tegenover haar een schuld had opgebouwd, die op een dag zou moeten worden afgelost. Indien er ooit een schuld is geweest, dan is die allang betaald. Roos heeft mij niet beschermd. Zij heeft ons spaarvarken leeggemaakt, ze heeft haar spullen gepakt en is ervandoor gegaan. Ze heeft me alleen bij mama en papa achtergelaten. Mama had al kanker. Eén borst was al geamputeerd en toch is ze gegaan.

Misschien staat er op een dag een man of een vrouw voor me die zegt: jij en ik hebben dezelfde vader. Ik weet niet wat ik hem of haar dan zal vertellen: Roos' verhaal of het mijne. Maar ik zal niet zeggen: je liegt. Ik zal zijn of haar handen in de mijne nemen en zijn of haar ogen peilen. Ik zal zeggen: ik heb je gemist. Maar eerst wil ik naar Doetinchem om de bever op te halen. Ik zal er het Ka-naal mee oversteken en hem aan de mensen van de *Antiques Show* laten zien. Ik weet dat hij geen waarde heeft, maar dat wil ik horen uit de mond van een expert. Daarna zal ik vergeten hem naar zijn nieuwe eigenaar terug te brengen. En wanneer hij en ik moe van de lange reis eindelijk in Ockerghem arriveren, zal ik tegen hem zeggen: welkom thuis.

# 2

*Aline, maart 2004*

Ik heet Aline. Voluit Aline Paula Gerarda Tacq. Paula is voor de vrouw bij wie mijn moeder iedere avond na school haar huiswerk ging maken, en Tacq is voor mijn moeder. Nu krijgen kinderen bijna geen huiswerk meer mee en kunnen alle moeders hun eigen naam aan hun kind geven, maar vroeger waren huiswerk en de naam van de vader cruciale pijlers van de maatschappij. Wie, zoals ik, de naam van haar moeder droeg, was altijd en overal een uitzondering, en kinderen van wie het huiswerk onder de vlekken zat of vol fouten stond, werden systematisch vernederd. 'Ja maar...' begonnen ze hun verdediging en dan antwoordde de meester of de juf: 'Niets te jamaren.' Tegen de tijd dat de school klaar met ons was, hadden zich twee groepen gevormd: degenen die huiswerk konden maken en de anderen.

Zonder tante Paula was mijn moeder in de vuilnisbak voor 'huiswerkonbekwamen' gestopt en vervolgens zou ik er geboren zijn. Over die vuilnisbak weet ik één ding: de binnenwanden zijn met bruine zeep ingesmeerd en de rand is met prikkeldraad en glasscherven afgezet. Mijn moeder bleef ook iedere avond bij tante Paula eten, want bij haar thuis zaten alleen mieren in de pan. Paula was geen echte tante, maar iedereen noemde haar zo. Ze had zelf geen kinderen, maar de halve straat kwam bij haar eten en huiswerk maken. Mijn hele jeugd heb ik mijn moeder hetzelfde ochtend-, middag- en avondgebed horen opzeggen: 'Ik weet niet wat er van mij was geworden als ik tante Paula niet had gehad. Alles heb ik aan die vrouw te danken. Alles.'

Mijn moeder was zevenendertig toen ze de bovenste trede van de ziekenhuisladder bereikte, en ik was toen zestien. Ze was de jongste zakelijk ziekenhuisdirecteur die het land ooit had gekend. Haar foto stond in alle kranten. Zij en ik hebben dat toen samen in het duurste restaurant van Brugge gevierd. Het had net een ster gekregen en de prijzen waren fors gestegen. 'Ik heb ook een ster gekregen,' zei mijn moeder triomfantelijk. Af en toe keek ze naar de fonkelende diamant waarmee ze zich die middag had verwend. Ze was alles en iedereen te snel af geweest. Hoger kon ze niet klimmen en naar beneden donderen was vrijwel onmogelijk. Alleen haar salaris zou nog stijgen.

Haar promotie had één nadeel: we moesten naar Oostende verhuizen en het huis op de dijk in Nieuwpoort verlaten, waar we gratis op de hoogste verdieping woonden omdat mijn slimme moeder met de huuropbrengst van de andere verdiepingen de hypotheek betaalde. Onder ons was een pension waar we doorheen moesten op weg naar ons appartement of op weg naar buiten. Overal dempte tapis-plain mijn voetstappen; overal konden deuren onverwachts openzwaaien. Nergens mocht ik blijven staan luisteren of naar binnen gluren. Bij vloed leek het huis op het water te dobberen. Meeuwen patrouilleerden op de vensterbanken. Dikwijls glipte ik de salon op de benedenverdieping binnen om tv te kijken of in tijdschriften te bladeren. Ooit zouden het pension en het appartement van mij zijn. Ik was de dochter van de eigenares, die er zich niet vertoonde.

Van de ene dag op de andere moesten we er weg. Mijn moeder zette kartonnen dozen in mijn kamer neer; gehoorzaam pakte ik mijn spullen in. Vijf jaar geduld was alles wat ze van me vroeg. Op mijn eenentwintigste verjaardag, als de lening was afgelost, schonk ze me het huis op de dijk. Nooit zouden ik of mijn kinderen de vuilnisbak hoeven te vrezen. Het huis was een spaarpot, een verzekering én een gouden belegging.

Ik gaf het mijn naam: Aline. Aline trouwde met Gerard en het huis kreeg een nieuwe naam: Algera. Half van hem en half van mij; samen van ons.

Alles heb ik aan mijn moeder te danken, maar als kind was ze me vreemder dan de vrouwen die ik in de salon van het pension zag zitten lezen of kletsen, of de moeders van de kinderen bij wie ik ging spelen, of de leerkrachten bij wie ik in de klas zat. Ze was me zelfs vreemder dan de verkoopsters in winkels en grootwarenhuizen.

'Verdriet is het voorrecht van jonge mensen.' Dat zei ze als ik huilde om de dingen waar kinderen om huilen. Zij huilde nooit. Ze was een rots. Een depressieve rots, maar een rots. Haar gezicht was een scheidingswand tussen buitenkant en binnenkant. Er stond weinig op geschreven. Ik spreek over haar in de verleden tijd omdat ik het heb over de jaren toen zij en ik onder één dak woonden en er niemand anders was om naar haar te kijken en te luisteren. Mijn moeder was een televisietoestel waarvan ik mijn ogen niet kon afhouden, zelfs wanneer alleen het testbeeld werd uitgezonden. Er was geen papa en er waren geen broertjes of zusjes en er was geen tante Paula, want die zat te dementeren in een gesticht. Er was mama en er was Aline, die dankbaar moest zijn dat ze niet in een vuilnisbak was geboren. Iedere dag lag er gezond en lekker eten op haar bord. Iedere dag keek mama haar huiswerk na. Ik was dankbaar. Ik ben nog altijd dankbaar. En nee, mama, ik zal niet voor de honderdduizendste keer vragen wie mijn papa is. Ik weet dat je dat niet kunt zeggen. En ik weet dat ik me daar niet voor hoef te schamen, net zoals ik me nu niet hoef te schamen omdat mijn man bij mij is weggegaan. Het overkomt heel veel vrouwen. En het overkomt ook heel veel mannen, maar dan omgekeerd. Maar ik schaam me. Het liefst zou ik het pension sluiten en met de kinderen naar een stad rijden waar niemand me kent en ik me voor weduwe kan uitgeven, iets wat jij altijd trots geweigerd hebt. Hoe dikwijls kan een hart worden gebroken?

Gerard zegt: 'De kinderen mogen niet het slachtoffer van onze beslissing worden.' Onze beslissing. Ik heb niets beslist, Gerard.

Het beslissen heb jij geheel voor jouw rekening genomen, precies zoals mijn moeder geheel unilateraal heeft beslist dat ik mijn vader niet hoef te kennen. Ik neem de beslissingen van anderen in ontvangst. Ik vang de ballen op die zij naar me gooien.

Nu zegt Gerard dat ik degene was die wilde trouwen. Dat is grappig, want ik zou zweren dat hij op een huwelijk heeft aangedrongen. De naam Algera was zijn idee. Er hoorde een huwelijkscontract bij: gemeenschap van goederen. En mijn moeder die met op elkaar geklemde lippen alle commentaar weigerde. Het huis was van mij. Als ik de helft ervan aan een man wilde schenken, was dat míjn zaak.

Je kunt iemand met leugens gek maken. Iedereen liegt. Iedereen maakt iedereen gek. Ik heb ook gelogen en zal ongetwijfeld nog wel eens liegen. Maar toen ik zei: 'Ja, ik wil', sprak ik de waarheid. Aline Paula Gerarda Tacq wilde met Gerard Van Malderen trouwen. Ze wilde hem liefhebben en waarderen, alle dagen van haar leven, tot de dood hen scheidde. Waarom zou mijn moeder me Gerarda hebben genoemd als het niet was om op een dag aan een Gerard mijn jawoord te geven? 'Die Gerarda heeft niets met je vader te maken, Aline. Ik vind het gewoon een mooie naam.' Laat me raden, mama. Je bent op een Gerard verliefd geworden toen je met hem op 'Aline' danste, en toen hebben jullie de kleine Aline verwekt, zonder te vermoeden dat ze op een dag met een Gerard zou trouwen, een Gerard de tweede, die even trouweloos als de eerste zou blijken te zijn. Mijn moeder bloosde niet toen ik haar aan Gerard voorstelde. Aan niets viel te merken dat de naam van haar aanstaande schoonzoon haar eventueel in verwarring bracht. Mijn moeder bloost nooit. Lachen, huilen, blozen, mijn moeder doet er niet aan mee. En ook mode is aan haar niet besteed. Winter en zomer trekt ze 's morgens haar uniform aan: een donkerblauw mantelpakje met een gouden broche op de linkerrevers, een witte blouse, vleeskleurige nylonkousen en zwarte leren schoenen. Iedere zaterdag om negen uur laat ze zich in hetzelfde kapsalon op dezelfde manier kappen. Maar als 'Aline' op de radio wordt gespeeld, draait ze de volumeknop open en een enkele keer neuriet ze zelfs mee. Gerard moet haar maar vertellen wat zich hier de afgelopen weken heeft afgespeeld. Laat hij haar hart maar voor de zoveelste keer breken.

'Veel mensen weten niet wie hun papa is, Aline. En veel mensen dénken het te weten, maar ze vergissen zich. Ze hebben stront in hun ogen.' Dat is waar, mama, maar als ik het voor het zeggen had zou ik niet alleen het huiswerk afschaffen, maar ook alle documenten en formulieren waarop kinderen de naam en het beroep van hun vader moeten invullen. Eén keer heb ik 'Koning Boudewijn' ingevuld en toen moest ik bij de directrice komen. Fabiola had haar miskramen al gehad en iedereen wist dat er nooit een prinsje of prinsesje in het paleis geboren zou worden. Met de moed der wanhoop werd er soms een mop over verteld, maar eigenlijk treurde het hele land om het lege koninklijke wiegje, de holle koninklijke kinderkamer en het koninklijke speelgoed waarmee nooit zou worden gespeeld. 'Ze wil het te hard,' zei mijn moeder. In die tijd werden er voortdurend vrouwen zwanger bij wie een kind uiterst ongelegen kwam, terwijl vrouwen die voor een kind op hun blote knieën naar Lourdes zouden kruipen, er niet in slaagden moeder te worden. Mijn moeder, zo begreep ik, had 'het' niet gewild, maar ze had 'het' ook niet geaborteerd.

Kinderen die bij de directrice werden geroepen kregen in de regel straf, maar totaal onverwachts kondigde de directrice aan dat ze voor mij een afspraak met juffrouw Jakobien had geregeld. Kende ik juffrouw Jakobien? Ik knikte. Iedereen kende juffrouw Jakobien. Ze kwam uit Nederland en werkte voor het PMS, wat Psycho-Medisch-Sociaal Centrum betekende. Ooit was ze te paard op school verschenen vanwege een weddenschap met een dwarse leerling: als zij op haar paard naar school kwam, zou hij nooit meer spijbelen. Jakobien had uit Nederland ideeën meegebracht waar wij zelfs nog niet over hadden gedroomd. Maar ik kon niet weg voor ik de directrice de belangrijke vraag had gesteld. Zou ze het papier aan mijn moeder laten zien? Mijn wangen gloeiden en mijn mond was kurkdroog. 'Maak je geen zorgen, Aline.' Ze glimlachte. 'Als je zo oud bent als ik, zijn al je problemen opgelost.' Het is zevenentwintig jaar geleden, maar ik hoor het haar nog zeggen. 'Als je zo oud bent als ik, zijn al je problemen opgelost.' Vanaf die dag leefde ik in de vaste overtuiging dat elk uur me dichter bij een zorgeloos bestaan zou brengen. Je moest gewoon lang genoeg leven en alles kwam goed. Ook mijn moeder klom en klom in haar carrière en werd iedere dag een tikkeltje minder depressief. Nooit heb ik met de mogelijkheid van een neerwaartse spiraal rekening gehouden. Gerard en ik zouden alleen maar gelukkiger worden, en ons pension succesvoller. Het heet Algera. Aline en Gerard, Al-gera. 'Het familiepension voor wie van rust en gezelligheid houdt.' Want daar hielden Gerard en ik van. Dat vonden wij het allerbelangrijkste op aarde: rust en gezelligheid.

Uiteindelijk ben ik misschien wel vijftig keer met juffrouw Jakobien gaan praten. Ik liep haar kantoortje in en uit zoals ik bij een oma of een tante zou hebben gedaan, als ik die had gehad. In het begin van het gesprek had ik altijd moeite om haar te verstaan, maar na een tijdje wende ik aan haar Noord-Nederlandse accent en begon ik zelfs te praten zoals zij. Ze was de eerste opgewekte volwassene die ik ontmoette. Alle volwassenen die ik kende waren zwaarmoedig en ernstig. Ze negeerden kinderen of hielden hen streng in de gaten voor het geval ze iets deden wat niet mocht. 'Jij bent een heel bijzonder meisje, Aline,' zei Jakobien. Met drie lettergrepen. A-li-ne. Jakobien is toen een beetje mijn tante Paula geworden, al had ik niet echt een tante Paula nodig, want mijn moeder was al als een tante Paula voor mij. In zekere zin had ik twee tante Paula's.

Toen ik naar een andere school ging heeft Jakobien me haar adres en telefoonnummer gegeven. 'Jij mag altijd een praatje komen maken en dan drinken we samen gezellig een kopje thee.' Haar paard had ze toen niet meer, anders had ik haar gevraagd of ze me erop wilde leren rijden. Op de fiets was het nog geen vijf minuten van ons huis naar het hare, maar dat had ik al die tijd niet geweten. Ik veronderstel dat ze de dingen een beetje gescheiden wilde houden. Dat zou ik in alle eerlijkheid ook af en toe willen. Het is nu te laat, maar als ik opnieuw kon beginnen, dan zou ik bijvoorbeeld Gerard en Ana Lucía gescheiden houden. Ik zou een muur en een gracht en ook nog een moeras tussen hen aanleggen en ik denk zelfs dat Gerard me er dankbaar voor zou zijn. Ana Lucía is onze kok, of beter: was onze kok; en Gerard is mijn man, of beter: was mijn man. Gerard en ik waren voor elkaar voorbestemd, zei hij me ooit. Waarom zou ik anders Gerarda heten?

Ze had niets, Ana Lucía, toen ze hier werk kwam vragen. Niets. Wat versleten ondergoed, twee groezelige t-shirts, een paar afgetrapte sandalen, een beduimeld Spaans-Nederlands zakwoordenboek en de trouwfoto van haar ouders. Verder had ze haar handen en een hoofd propvol met recepten. Niemand op de hele wereld kookt zo lekker als Ana Lucía. Dat wist ik na de eerste hap die ik van haar proefmaaltijd nam. Want natuurlijk heb ík haar in dienst genomen. Ik heb haar een kans geboden om te bewijzen wat ze kon; ik heb schorten voor haar gekocht, en pannen om haar goddelijke paella in klaar te maken; ik heb een kamertje voor haar ingericht en ik heb de hele papierwinkel voor haar geregeld. Ik beken dat ik haar tante Paula wilde zijn. Ik beeldde me in dat ze later zou zeggen: 'Ik weet niet wat er zonder Aline van mij was geworden. Alles heb ik aan haar te danken. Alles.' Aan Ana Lucía was nog niet veel gegeven, maar dat leek haar niet te deren. Ze straalde van 's morgens tot 's avonds. Hoe druk het ook was, ze snauwde nooit iemand af. Iedereen heeft een tante Paula nodig en vervolgens moet iedereen minstens voor één persoon zelf een tante Paula zijn. Misschien dacht ik: laat ik met een kleintje beginnen. Eén meter vijfenvijftig, lang dik zwart haar, donkere ogen, volle lippen, hagelwitte tanden en een naam als een gedicht: Ana Lucía Suárez Blanco.

Het eerste wat ze deed was de keuken schilderen in dat hemelsblauw dat je hier zelden ziet, en toen de verf droog was schilderde ze boven het fornuis een knalgele zon en boven de spoelbak een bleke maan. El cielo, la luna y el sol. De hemel, de maan en de zon. Ik dacht: die kleine Ana Lucía brengt het heelal in ons pension. Ik dacht: wie geeft zal duizendvoudig ontvangen. Gerard keek tevreden naar de muurschildering en sloeg zijn arm om mijn middel. Ik legde mijn hoofd op zijn schouder en keek samen met hem. We zeiden tegen elkaar dat Ana Lucía het pension had verrijkt. En toen hebben we foto's gemaakt van de nieuwe kok in haar nieuwe keuken met haar nieuwe bazen. Tot eergisteren hingen ze op het prikbord in de salon. 19 september 2003, staat er op de achterkant. Dat is precies zes maanden geleden. Lo siento, zei ze. Dat wil zeggen: het spijt me. Lo siento mucho. Voor die vrouw heb ik Spaanse les gevolgd. Ik dacht: dat is goed voor haar en dat is goed voor mij, en ook de kinderen moeten maar Spaans van haar leren. Talen slaan een brug naar de toekomst. Tengo sed, tengo hambre. Ik heb dorst, ik heb honger; tengo hambre de ti: ik honger naar jou.

Vandaag haalt Gerard de kinderen na school op en om acht uur brengt hij ze terug. Hij heeft nog geen bedden voor ze en al helemaal geen slaapkamer, maar zodra dat geregeld is zullen de kinderen de helft van de tijd bij hem en Ana Lucía slapen en de andere helft bij mij. Ik verlies niet alleen mijn man en mijn kok, maar ook mijn gezin. Dat is blijkbaar de gebruikelijke gang van zaken wanneer je man het oog op iemand anders laat vallen, en in het belang van de kinderen mag je niet dwarsliggen. Integendeel. Je moet aan je kinderen uitleggen dat deze evolutie volstrekt natuurlijk is en je moet je inzetten opdat alles zo geolied mogelijk verloopt. Je mag niet roepen, je mag niet huilen, je mag niet vloeken, je moet glimlachen en rustig blijven, want de kinderen mogen niet het slachtoffer worden. Proficiat, Gerard. Zoals altijd slaag je erin alle verantwoordelijkheid op mijn bord te leggen. Hoewel jij dit gezin met behulp van Ana Lucía sloopt, ligt het welzijn van de kinderen in mijn handen. Velen voor mij hebben die bittere pil moeten slikken en er bestaan vast pillen die nog bitterder smaken. Toen God de wereld schiep heeft hij een medicijnkast vol bittere pillen achtergelaten en de eerste die een flinke dosis kreeg was zijn eigen zoon. 'Dat is gezond,' zei Hij. 'Als je die allemaal hebt doorgeslikt, mag je naast Mij komen zitten.' – 'Ik wil niet,' zei Jezus. 'Ik blijf rustig op aarde.' – 'Geen sprake van,' sprak de Hemelse Vader. 'Ik heb jou naast Mij nodig. Slikken.'

'Hij komt wel terug,' zegt Sally, die hier de kamers schoonmaakt, maar ik weet dat hij niet terugkomt. Ik ken Gerard. Ik ken hem beter dan hij zichzelf kent.

'Mensen trouwen niet meer voor het leven.' Dat zei een vrouw tegen mij in de wasserette. Ik dacht aan de woorden van een bevriende binnenhuisarchitecte. 'Mensen kopen niet meer een volledig servies. Ze willen kunnen afwisselen en combineren. We leven in speelse tijden, Aline. Mensen willen op elk ogenblik alle richtingen uit kunnen gaan. Iedereen maakt zijn eigen wereld. En vervolgens sla je hem stuk en bouw je een andere die je beter bevalt.' – 'Maar soep kun je niet eten uit een plat bord,' zei ik tegen haar. 'En wijn kun je niet drinken met een vork.' De binnenhuisarchitecte lachte. 'Het vergt enige inventiviteit, maar het kan, Aline. Alles kan. De mogelijkheden zijn onuitputtelijk.'

Hoe lang zou Gerard Ana Lucía met Aline hebben gecombineerd?'Volgens mij,' zegt Sally, 'is het al heel lang bezig.' Waarmee ze suggereert dat Gerard Ana Lucía al kende voor de goedgelovige Aline het ontwortelde meisje onder haar vleugels nam. Sally gelooft dat er netwerken van buitenlandse vrouwen bestaan die elkaar helpen om de mannen van Belgische vrouwen af te pakken. Een handel in blanke slaven, die tot in het gemeentehuis zijn handlangers heeft. Er zijn dagen dat ik liever Sally's rug dan haar gezicht zie, maar het is al erg genoeg dat Algera zonder kok zit, en nee, Sally, ik verander de naam van het pension niet, ik heb je al tien keer uitgelegd waarom dat niet nodig is. 'Pension Algera kan voorlopig geen maaltijden aanbieden. De directie verontschuldigt zich voor het eventuele ongemak.' Het eventuele ongemak. Ik ben een vulkaan die elk ogenblik kan uitbarsten en de wereld onder kokende lava begraven. Ik heb al tien berichtjes op Jakobiens antwoordapparaat ingesproken, maar ze belt niet terug. 'Jij bent een heel bijzonder meisje, A-li-ne. Je man is er met een ander vandoor, maar dat betekent niet dat jij hem niet waard bent.' Dat zei ze over mijn vader. Ik mocht het niet persoonlijk opvatten. Kinderen van wie een ouder alle contact verbreekt, hebben af te rekenen met een gebrek aan eigenwaarde. Bewust of onbewust denken ze dat ze die ouder niet verdienen; dat als zij leuker of intelligenter waren hij wel gebleven was.

Jakobiens stem druppelde als laudanum mijn oor binnen. Nog altijd word ik kalm als zij het leven voor mij verklaart. 'Het is maar hoe je het bekijkt, A-li-ne.' Ons Jakobientje is naar haar genoemd. Kleine Jakobien en grote Jakobien. Jakobientje en Jasper, dochter en zoon van Aline en Gerard Van Malderen-Tacq. De mensen trouwen niet meer voor het leven. De mensen willen afwisselen en combineren. Variación y combinación. En kinderen? Hoe zit dat met de kinderen? Zeg ik morgen bij het ontbijt: 'Liefjes, mama heeft een lifestyleconsultant geraadpleegd en die heeft haar geadviseerd om andere kinderen te nemen, kinderen die beter passen bij het behang.' En bij het servies, natuurlijk. Het servies dat uiterst geschikt is om tegen de muur kapot te gooien.

Er waren dagen waarop mijn moeder geen woord zei. Dan trok ze om zeven uur 's morgens de deur van mijn kamer open in de hoop dat het licht of de tocht me zou wekken, maar er kwam geen geluid uit haar keel. Soms ging ze weer in bed liggen. 'Mama? Wil je ontbijten, mama?' Geen antwoord. Ze moet die buien hebben voelen aankomen, want altijd lag er in de keuken op een bord een boterham voor me klaar. Geen mieren in de pan voor de kleine Aline Tacq! Nee, nee. De kleine Aline hoefde alleen de koelkast open te trekken en een glaasje melk in te schenken. 'Mama, ik ga nu naar school. Mama?' En als ik het dan waagde haar kamer binnen te gaan, keek ze me zo woedend aan dat ik meteen weer weg was. Ik weet niet hoe ze het regelde met haar werk. Misschien zette ze met haar laatste krachten eerst mijn ontbijt klaar en verwittigde ze dan een collega. Tegen de tijd dat ik uit school kwam, ging het meestal beter. Ze sprak nog altijd niet, maar ze was opgestaan en ze had inkopen gedaan en gekookt. Ze at zelf niets, maar ze schepte mijn bord vol en bleef bij me zitten tot het leeg was. En ze keek mijn schoolagenda na en controleerde of ik al mijn huiswerk had gemaakt. Nu was ik de televisie waarvan zij haar ogen niet kon afhouden. Soms duurde dat drie dagen, ooit zelfs een week. Ik zag nooit een dokter, maar misschien kwam die terwijl ik op school was. Iemand moet haar aan ziekenbriefjes hebben geholpen, tenzij een collega in het ziekenhuis die voor haar schreef. 'Je kunt je niet voorstellen hoeveel moeite het haar moet hebben gekost om voor jou te blijven zorgen. Jouw mama, Aline, lijdt aan depressies. Depressieve mensen hebben geen grammetje energie.'

Jakobien moest mij alles uitleggen over de-pres-si-vi-teit. En telkens opnieuw vergat ik het en moest ze het opnieuw uitleggen. Ik sloot me ervoor af, zei ze, ik wilde het niet weten. 'Is mijn papa daarom bij mijn mama weggegaan?' – 'Misschien is dat de oorzaak. Je mama heeft verzorging nodig, Aline.' Maar mijn moeder wilde zich niet laten verzorgen. Ze was bang, denk ik, dat ze haar het geheim over mijn vader zouden ontfutselen; dat ze haar hoofd zouden openleggen en het eruit halen. Alleen de tabletten met extra vitaminen die ik op aanraden van Jakobien voor haar kocht, wilde ze slikken. En dan plotseling verdween die lege blik en ontbeten we opnieuw samen en vertelde ze over haar werk. Ze trok een van haar blauwe mantelpakjes aan en ging naar het ziekenhuis alsof er niets was gebeurd.

Ik heb nog nooit van mijn leven een blauw mantelpakje gedragen en ik heb niet één broche. Als iemand het in zijn hoofd zou halen mij een broche cadeau te doen, dan zou ik die diep in een lade wegstoppen. Ik verander minstens drie keer per jaar mijn kapsel en draag soms fellere kleuren dan een clown. Ik praat veel en lach makkelijk en luid. Mensen nodigen me uit omdat ik als geen ander een avond animeer. Met Aline erbij is het nooit saai! Ik raak mensen – mannen en vrouwen – aan als ik met ze praat. Ik grijp hun hand, wrijf even over hun rug, leg mijn hand op hun schouder. In dit vak moet je vriendelijk zijn. Zeker aan de kust, waar meer pensions dan lantaarnpalen staan. Elke klant is welkom. Elke klant verdient een vriendelijk woord en een glimlach. Er zijn zoveel eenzame mensen. Je geeft ze een vinger en ze grijpen een arm. Natuurlijk drink ik soms een glas met een gast. En soms dansen we in de salon. Maar als ze dan achteraf bellen dat het bad lekt of dat er geen zeep ligt of dat ze een extra deken nodig hebben, dan stuur ik Gerard of Sally. Of ik zeg dat hij die deken zelf moet komen halen. 'Toe, Alineke, mag ik eens proeven van uw pralineke?' – 'Nee.' Kort en bondig nee. En de ene man die er wel van mag proeven, lust het niet meer. Hij heeft het uitgespuwd.

'Jij vindt wel iemand anders, Aline.'

Ik wil niemand anders, Gerard. Ik zal iets heel lelijks zeggen, iets waarvan ik nu al weet dat Jakobien het zal afkeuren: ik hoop dat je met Ana Lucía heel ongelukkig wordt. Je zegt dat ik het pension mag hebben. Je neemt niets mee. Het lekke dak, de oude matrassen, de piepende deuren, het rotte raam op de overloop, ik mag het allemaal hebben. Jij neemt alleen de kok mee. En jezelf. Beiden, beweer je, zijn vervangbaar. Gerard Van Malderen treedt uit de schaduw van zijn dominante vrouw. Ik zwijg, Gerard. Ik hou mijn mond. Als kind heb ik gezien hoe dat moet. Voortaan komt er geen overbodig woord meer over mijn lippen. Ik word Aline de Zwijger. Aline de Stille. Maar niet Aline de Depressieve. Dat doe ik Jakobientje en Jasper niet aan.

Zo meteen haal jij ze van school. Om acht uur breng je ze terug. Je hebt ze in het verleden ontelbare keren van school gehaald en vervolgens ben je met ze gaan zwemmen of ben je met ze bij je ouders langsgegaan en een enkele keer zijn jullie zelfs na acht uur thuisgekomen. Dat is het enige verschil: jij komt hier niet meer thuis. Je hebt thuis opgeblazen. Het is kwart over drie. Over vijfendertig minuten wordt er van Jakobientje en Jasper echtscheidingskinderen gemaakt. Kinderen die nu eens door mama worden opgehaald om naar het huis van mama te gaan, en dan door papa om naar het huis van papa te gaan. Waarom heb je mij een gezin gegeven om het vervolgens van me af te pakken? Alineke met haar pralineke, maar zonder papa of broer of zus. Alineke met haar depressieve moeder in een appartement boven een pension. Alineke, die kleurtjes bleef dragen en lachte en zong, ondanks de strenge mantelpakjes van haar mama, ondanks het gepijnigde gezicht, ondanks de bitsige mond waar geen geluid uitkwam. Aline, met wie het goed is gekomen omdat ze altijd de wijze woorden en de rustige stem van Jakobien uit Nederland had. En ook met haar mama is het goed gekomen. Ze heeft geen zelfmoord gepleegd, ze is altijd blijven werken en ze gaat minder dan vroeger onder het leed van de wereld gebukt. Ik haat je, Gerard. Ik kan je niet zeggen hoe erg ik je haat. Ik minacht je en haat je en zou je het liefst vermoorden. Ik wil niet leven op een planeet waarop ook jij bestaat.

Ze hebben me nodig. Een man en een vrouw zonder koffers. Twee keer raden wat die hier komen doen.

'Goedemiddag.'

Ik glimlach breed. Het is sterker dan ikzelf. De vrouw bloost. Misschien is het de eerste keer dat ze haar echtgenoot bedriegt.

'Mijn man en ik,' stottert ze.

Ook hij begint nu te blozen. Schuchtere mensen kunnen cursussen volgen om hun zelfvertrouwen op te krikken. Tot drie keer toe heeft Gerard zo'n cursus gevolgd. Zonder die cursussen had hij nooit het lef gehad om onze kok te bespringen.

Met een uitgestreken gezicht wacht ik tot de moed is gevonden om het heikele verzoek af te maken. Dan komt de man zijn geliefde te hulp: 'Mijn vrouw en ik,' zegt hij, maar ook hij blijft steken. De blos op hun wangen is nu Valentijn-rood. Plotseling vat zij moed. Ze kijkt me recht in de ogen en vuurt de vraag af: 'Hebt u een kamer voor ons?'

Harteloos schud ik mijn hoofd. 'Dit is een familiepension.' Ik kan mijn oren niet geloven. De vrouw knippert met wanhopige amandelogen, die elk ogenblik hun traanvocht kunnen lozen. Ze ziet er ouder uit dan hij.

'Het spijt me. Indien u vijf minuten eerder was gekomen...'

Ik ben doodmoe als ik de zwijmelaars uit Algera heb verjaagd. Verloren staan ze op de stoep. De man trekt zijn geliefde tegen zich aan; zij laat haar hoofd op zijn borst rusten. Het is niet te laat om hen uit hun desolate droefgeestigheid te redden. Maar waarom zou ik hen helpen? Wie heeft het voor mij opgenomen toen Gerard naar Ana Lucía's kamer sloop?

In de salon begint iemand op de piano te spelen die Gerard van zijn oma heeft geërfd. Er is al slechter op getingeld. Ik zou stilletjes bij de deur kunnen gaan kijken, maar ik weet dat hij of zij gegarandeerd ophoudt zodra ik word opgemerkt. Af en toe willen mensen voor zichzelf spelen, zoals ze voor zichzelf willen zingen of huilen of zelfs praten. Dat kan en mag allemaal in Gerards en Alines knusse familiepension. Ik benijd mensen die een instrument kunnen spelen of die goed kunnen sporten of dansen of drummen of zingen. Mensen die hun lichaam kunnen laten doen wat ze willen. Die het hoog kunnen laten springen en sierlijk laten duiken. Die het niet met zich meeslepen als zoveel kilo ballast. Vijfenzestig kilo om precies te zijn. Dat zijn er vijf te veel, maar die vallen niet echt op. Een slanke vriendin van me zegt dat ik mijn vet goed draag. Zoals met alles in het leven moet je daar een beetje geluk mee hebben. Maar als hier op een dag een graatmagere man binnenstapt die zegt: 'Aline, ik ben je vader', en vervolgens gaat hij aan de piano de pannen van het dak zitten spelen, dan weet ik dat hij liegt.

Mijn vader zou zich niet hoeven voor te stellen. Ik zou hem zien staan en weten: hij is het. Misschien bewaart mijn moeder de Grote Onthulling voor op haar sterfbed en zal ik mijn nieuwsgierige oor tot bij haar verzwakte mond moeten brengen. Of misschien geeft ze me de sleutel van een kluis met de brief die mijn vader altijd voor mij had bedoeld. Of met een brief van haar. 'Lieve Aline, ik heb jou nooit willen zeggen wie je vader was omdat...' Als daar dan staat dat ze door mijn vader is verkracht, dan wil ik die brief eigenlijk liever niet lezen. Dan zeg ik: 'Het is goed, moeder, dat jij dat geheim je leven lang met je hebt meegezeuld. Het heeft aan jou gevreten en het heeft je afgemat. Neem het nu maar mee in je graf.'

Hoor! Hij speelt 'Yesterday'. *Love was such an easy game to play.* Nu moet ik heel voorzichtig zijn, anders ga ik huilen. 'Het zou niet eerlijk zijn om bij jou te blijven,' zegt Gerard. 'Je hebt recht op iemand die van je houdt.' Met andere woorden: Gerard houdt niet van Aline en heeft misschien nooit van Aline gehouden, zelfs niet toen hij de naam Algera bedacht en voorstelde om te trouwen. Aline is een beetje dom geweest, want Aline heeft dat nooit beseft. Aline heeft gebabbeld en gelachen en geflirt met mensen in de veilige overtuiging dat Gerard van haar hield. Ze heeft haar hele hebben en houden met hem gedeeld. Had grote Jakobien haar niet beloofd dat ze op een dag een man zou ontmoeten die heel veel van haar hield? Had grote Jakobien niet gezegd dat ze dat verdiende? Stille Gerard met het magere, getrainde lijf; stille Gerard, die iedere dag om kwart voor zes opstaat om te gaan lopen, die om kwart voor zeven onder de douche gaat en om zeven uur het ontbijt begint te serveren. Maar dat is dus verleden tijd. Aline moet nu zelf iedere dag om halfzeven haar nest uit; Aline weet nog niet hoe ze tegelijkertijd voor haar kinderen en voor de pensiongasten kan zorgen en ook Gerard heeft nog niet over een oplossing voor dat probleem nagedacht. Voorlopig ontbijten mijn Jakobientje en Jasper beneden in het restaurant. Jasper vindt dat spannend; Jakobientje krijgt geen hap door haar keel.

Je mag nooit denken dat iets vanzelfsprekend is. Wanneer je wakker wordt en er ligt een man naast je van wie je houdt, en die man neemt je in zijn armen en geeft je een slaperige kus, dan mag je niet denken: 'Zo is het leven.' Nee, je moet dankbaar zijn. Je moet denken: het is ongelooflijk dat daar iemand naast me ligt die naast me wíl liggen. *Oh, I believe in yesterday.*

De telefoon rinkelt.

'Algera.'

'Met Devroey. Paul Devroey. Ik heb een kamer gereserveerd, maar ik ben vergeten te vragen of ik dezelfde kan krijgen als vorige week.'

'Herinnert u zich het nummer?'

Het register ligt open voor mijn neus. Gisteren heb ik het helemaal doorgebladerd. Tot diep in het najaar duikt Gerards handschrift erin op. Ook deze reservering heeft hij genoteerd.

'12b.'

'Dat is een kamer aan de achterkant, meneer Devroey. Weet u zeker dat u 12b bedoelt? Het raam kijkt uit op een blinde muur. Toevallig is kamer 12 aan de voorkant vanmorgen vrijgekomen en nog niet verhuurd.'

'Ik weet het zeker. Absoluut zeker.'

Meneer Devroey spreekt rustig maar beslist.

'Wenst u bij ons te dineren, meneer Devroey?'

'Nee, dank u.'

'Gelukkig, want onze kok is helaas niet meer onder ons.'

Dat klinkt alsof Ana Lucía het tijdelijke met het eeuwige heeft verwisseld.

'Tot vanavond, meneer Devroey. De kamer wordt voor u in gereedheid gebracht, meneer Devroey.'

Meneer Devroey legt neer en Aline Tacq legt neer. Of ze drukken op de toets waarmee de verbinding wordt verbroken. Er zou niets bijzonders aan het telefoontje zijn als meneer Devroey om kamer 12 had gevraagd. Algera bestaat bij de gratie van kamer 12. Kijk in het register: heel de maand juli en augustus is 12 gereserveerd, en in juni is er alleen nog een midweek vrij. Waarom huurt iemand een kamer aan zee om naar een blinde muur te staren? Jaren is 12b het rommelkamertje geweest voor oude matrassen, strandstoelen, staande lampen, fietsen... en nu dus voor Paul Devroey. Als hij een goedkope kamer wil, heeft hij op de dijk niets te zoeken. Sorry meneer, sorry mevrouw, dit zijn de prijzen van de dijk!

Ik loop naar het kantoor waar vroeger op dit uur Gerard aan de boekhouding zat te prutsen, zie de lege plek en realiseer me dat voortaan iemand anders voor de boekhouding zal moeten zorgen.

Ik bel de gsm van mijn ex-echtgenoot, maar nog voor ik een woord kan uitbrengen, roept hij dat hij bij de schoolpoort staat en dat ik beloofd had hem met rust te laten. Ik wil hem zeggen dat híj beloofd had mij altijd trouw te blijven, maar ik slik het in. De nieuwe Aline is een zwijger. De nieuwe Aline verhuurt geen kamers aan overspelige geliefden.

'Is het al zo laat?'

'Ik ben te vroeg.'

Gerard is dan wel een roeper geworden, maar Gerard komt nog altijd te vroeg.

'Herinner jij je een zekere Paul Devroey. Hij was hier vorige week vrijdag en de vrijdag voordien. Telkens in 12b. Jij hebt hem ingeschreven.'

'Devroey?'

'Hij vraagt expliciet 12b.'

'Misschien houdt hij niet van de zee.'

'Wat komt hij hier dan zoeken?'

'Dat weet ik niet. Misschien heeft hij problemen met zijn gezondheid.'

'Is hij ziek?'

'Hij is niet ziek. Niet dat ik weet. Jezus, Aline, de man huurt een kamer, de man betaalt. Waarom moet ik me daar vragen bij stellen?'

'Roep niet.'

'Ik roep niet.'

'Jij roept wel. Ik wil weten wie ik in huis haal. Ik ben nu een vrouw alleen. Met twee jonge kinderen. Ik kan mijn man niet meer op de viespeuken afsturen.'

Ik zwijg. In de salon staat een computer die de gasten mogen gebruiken om hun mail te checken en op het net te surfen. Afspraak is dat niemand hem langer dan een halfuur monopoliseert. 'Gratis?' zeggen de mensen met een blijde glimlach, en uit pure dankbaarheid stoppen ze een gulle fooi in de spaarpot bij de kassa. Maar onlangs heeft de politie ons gewaarschuwd dat wij verantwoordelijk zijn als iemand onze computer gebruikt om kinderporno te downloaden of met minderjarigen 'onzedig' te chatten. 'Dit is een familiepension,' zei ik verbouwereerd. Daar moesten die agenten hartelijk om lachen.

Ook Gerard zwijgt. Misschien is hij bang dat hij opnieuw gaat roepen. Of misschien denkt hij aan Tom Snelling, die vorige zomer is gearresteerd omdat hij achter de strandhokjes zijn penis aan een jongetje van tien had laten zien. We hadden de avond voordien lang met hem over zijn passie voor poëzie gepraat. En waarom legden we niet een kleine poëziebibliotheek in de salon aan? stelde Tom Snelling voor. We hadden al strips en thrillers, maar zouden onze gasten niet graag af en toe een dag met een poëziebundel op het strand verwijlen? Misschien zouden ze inspiratie opdoen om zelf een gedicht te schrijven. Dat was Tom Snelling, die de volgende dag in handboeien uit Algera werd weggeleid.

Ik vraag Gerard of hij er nog is. Hij gromt iets onverstaanbaars.

'Wat gaan jullie straks doen?'

'Jasper heeft een nieuwe jas nodig.'

'Jullie gaan een jas kopen?'

'Ja.'

Gerard heeft in het verleden met geld van onze gemeenschappelijke rekening dikwijls kleren voor de kinderen gekocht. Niets verbiedt hem dat ook vandaag te doen. De rekening bestaat nog altijd en beide echtgenoten kunnen er vrijelijk over beschikken. Ik kan haar leegplunderen voor hij dat doet. Aline en Gerard hebben de afgelopen weken veel ruzie gemaakt, maar over de praktische finesses van hun huwelijkssloop is niet gepraat.

'Jakobientje heeft ook een jas nodig.'

'Dan krijgt zij ook een jas.'

'Is Ana Lucía bij jou?'

Ik fluister de vraag, maar hij heeft hem verstaan.

'Ze is bij de gynaecoloog.'

Hij praat al even zacht als ik. Ik zie een hoge bakstenen toren in elkaar storten. Die toren ben ik. Ana Lucía is bij de gynaecoloog.

'Waarom?'

Hij zegt niets, dus moet ik het zeggen. Ik doe mijn mond open en de woorden komen eruit. Ik spreek met het gezag van een helderziende: 'Ze is zwanger.' Het klinkt bijna triomfantelijk, alsof ik eindelijk een raadsel heb opgelost. Ana Lucía is zwanger. Daarom gaat Gerard bij mij weg en zit Algera zonder kok. Gerard wordt voor een derde keer papa. Jakobien en Jasper krijgen een halfbroertje of halfzusje. Maar eerst krijgen ze een nieuwe jas.

'Weet je het zeker?'

Maar Gerard verstaat me verkeerd.

'Het is een jongetje. Ana Lucía heeft gebeld terwijl de gynaecoloog de echografie maakte. Ze kon het hartje zien kloppen en...'

Hier onderbreek ik hem. Ik wens geen woord te horen over het wezen dat in Ana Lucía's buik groeit en dat daar niet zou groeien als ze hier niet op een dag werk was komen vragen.

'Weet je zeker dat het jouw kind is?'

'Wat bedoel je?'

Er ligt een ongewone dreiging in zijn stem.

'Hoe weet je dat het jouw kind is? Jij hebt de afgelopen maanden ook met mij gevrijd. Zelfs nadat je aan je biecht was begonnen. Het was vechten, vrijen, vechten, vrijen. Wie zegt dat zij niet iemand anders had?'

'Als je nog een keer durft te beweren dat Ana Lucía niet de moeder van míjn kind is, dan...'

'Dan wat, Gerard? Ik ben ook de moeder van je kinderen. Er zijn nu twee moeders van je kinderen. Dat is jouw keuze, niet de mijne.'

*Aline*

En ik leg de telefoon neer. Ik ben niet langer een vulkaan en ook geen ingestorte bakstenen toren. Ik ben een vuurtoren. Zo'n mooie witte vuurtoren op een eiland een kilometer in zee, waaromheen meeuwen cirkelen. En dan gaat het deurtje open en stappen Jasper en Jakobientje in identieke gestreepte truien naar buiten om naar de voorbijvarende schepen te wuiven. Er komen hier soms kinderen die het verschil tussen een meeuw en een duif niet kennen. Ze zien een meeuw en ze zeggen: kijk, een duif. Landmensen worden van het monotone roekoeën van duiven rustig; zeemensen willen meeuwen horen krijsen. Wat er ook gebeurt, ik zal altijd de zee hebben. Ik zal altijd de meeuwen horen, en de golven die met bulderend geweld op het strand breken of zacht kabbelend met een koprolletje landen. Gerard kan nog twintig kinderen bij twintig verschillende vrouwen verwekken, maar de zee kan hij mij niet afpakken. De zee is van mij.

'Sally, ik ben even weg.'

En Sally zegt niet dat ze niet in dienst is genomen om voor de receptie te zorgen. Sally doet al drie dagen met een glimlach alles wat ik haar vraag, want wij vrouwen moeten solidair zijn. Sally heeft de wereld in twee kampen verdeeld: de mannen en de vrouwen. Waar die indeling Ana Lucía laat, is niet duidelijk.

'Hoeveel kamers zijn er nog vrij, Aline?'

'Twee.' Niemand kan Gerard verwijten dat hij een zinkend schip verlaat. Er was hier niets of niemand aan het zinken. Wij stevenden met bolle zeilen rustig en bedaard op ons doel af, al vroegen we ons niet af wat dat doel nou precies was.

Ik trek mijn jas aan en ga met mijn armen op de reling naar de zee staan kijken. Het is eb. De zee is even ver weg als het schooljaar op de eerste dag van de zomervakantie, en het strand is zo breed als het alleen aan de Noordzee kan zijn. Ze is grijs vandaag, precies zoals de wolken die er laag boven hangen en er pluizig uitzien als de

Sole Mio-deken waaronder mijn depressieve moedertje nog altijd slaapt. De meeuwen schuilen op de golfbreker met hun kop in de wind en loeren naar de zee in de hoop dat er gauw een boot voorbijvaart die zijn afval loost. Daarnet aan de telefoon hing het woord 'scheiding' in de lucht. Misschien weet Gerard zelf nog niet dat hij me binnenkort zal bellen om nog eens 'rustig te praten'. We zullen in de Popeye afspreken en hij zal minstens een kwartier vroeger komen opdagen dan ik. 'Wie is er bij de kinderen?' zal hij vragen en ik zal zeggen: 'Dat is toch mijn probleem, niet het jouwe.' Hij zal de sneer negeren en van me willen horen dat de kinderen zich wonderwel aanpassen. Ik zal zeggen: 'Nee, Gerard, ze passen zich niet aan. Ze treuren dag en nacht.' Hij zal strak naar zijn pint kijken en het bier in zijn glas doen tollen. Uiteindelijk zal ik de loodzware stilte verbreken en over de troep vertellen die een bezopen stel in hun kamer heeft achtergelaten, of over de zoveelste paniekerige zoekactie naar een verdwaalde peuter, of over het gedicht dat iemand in het gastenboek heeft geschreven. Hij zal opmerken dat het dus goed gaat met Algera en ik zal zeggen dat we in vergelijking met andere pensions zeker niet mogen klagen. We plukken de vruchten van ons harde werk. 'Vertel nog een beetje over Jakobientje,' zal hij vragen en met een vertederde glimlach zal hij naar mijn getater luisteren. Misschien zal hij aanbieden om de boekhouding voor zijn rekening te blijven nemen of beloven om in te springen als ik er een weekje met of zonder de kinderen tussenuit wil. En net als ik begin te hopen dat de knoop misschien nog niet definitief is doorgehakt, zal het hoge woord eruit komen. Het neewoord. Ik zal het in mijn broek doen van schrik.

'Sally,' zeg ik als ik het pension binnenkom. 'We moeten een advertentie plaatsen voor een kok.'

Kijk, Jakobien, ik ontken de situatie niet langer. Ik kijk haar recht in de ogen, al is de kans groot dat ik versteen.

'Meneer heeft gebeld.'

Sinds Gerard weg is, noemt Sally hem consequent 'meneer'.

'Wat wilde hij?'

'Hij zei dat het hem te binnen was geschoten. Paul Devroey is weduwnaar. Hij heeft het op zijn identiteitskaart gezien.'

Terwijl ze dit zegt beginnen de tranen over haar wangen te stromen. Sally is weduwe. Vier jaar geleden is haar man aan longkanker gestorven. Wat zeg ik? Vijf jaar geleden. Het was op de dag dat ik wist dat ik van Jasper in verwachting was en Jasper is vier. Laden en lossen, dacht ik terwijl ik met mijn hand op mijn zwangere buik naar de kist staarde. Sinds de bom hier is gebarsten, loopt Sally haar neus te snuiten en haar tranen weg te vegen. En ze propt zich opnieuw vol met chocolade, hoewel de dokter haar dat streng verboden heeft.

'Welke letter,' zegt ze, 'welke letter...' Ze voert een wanhopig gevecht met haar neus en keel. Dan slikt ze het verdriet door en maakt de weg vrij voor de vraag die haar kwelt. 'Welke letter zetten ze op de identiteitskaart van gescheiden mensen?'

'Dat weet ik niet, Sally.'

Sally spreekt over de W op haar identiteitskaart als over een Jodenster. 'Vrouwen blijven alleen achter,' zei ze vanmorgen tegen mij. 'Dat is ons lot.' Ik dacht aan het gepijnigde gezicht van mijn moeder en siste dat ze moest zwijgen, maar Sally was nog niet klaar. 'Ana Lucía is jong. Over tien jaar is zij aan de beurt.' Hoe meer Sally huilt, hoe droger mijn ogen. Sally heeft elk woord van onze ruzies gehoord. Ze heeft me Gerard horen vervloeken, smeken, uitspuwen en verwensen. Ze heeft me op mijn knieën om een laatste kans zien bedelen. En toen hij eindelijk Ana Lucía's naam over zijn lippen kreeg, heeft ze me tegen zijn minnares in een furie horen schieten. Dat was dinsdag 16 maart om twintig over twee. Twee uur later hadden Gerard en Ana Lucía Algera verlaten. We zijn nu drie dagen verder en Ana Lucía heeft het hart van haar zoontje zien kloppen.

Met Valentijn heeft Gerard me nog in het nieuwe restaurant bij de vismijn uitgenodigd en voorgesteld om in het najaar samen een cruise op de Nijl te maken. Ik zei hem dat ik liever met de kinderen vakantie wilde nemen, maar hij had er behoefte aan om alleen met mij op reis te gaan. 'Ik mis je,' zei hij. 'Iedereen eist jou van 's morgens tot 's avonds op. Je hebt voor alles en iedereen tijd, behalve voor mij.' – 'Dat is niet waar,' zei ik. 'Dat is wel waar,' zei hij. De dagen daarop was er geen vuiltje aan de lucht, maar op woensdagavond moest hij me iets vertellen. Eerst had hij het over een persoonlijke crisis. Hij twijfelde aan alles; hij wilde opnieuw gaan studeren. Zijn leven moest meer inhoud krijgen, anders zag hij zich dezelfde weg als zijn verbitterde vader op gaan. Hij herinnerde zich dat hij zich als twintigjarige had voorgenomen ooit enkele maanden in een Tibetaans klooster door te brengen. Twee dagen later kwam hij met een nieuw verhaal. Nu wilde hij zich voorbereiden om in Londen de marathon te lopen en had hij meer tijd nodig om te trainen. Misschien zouden we extra hulp moeten nemen. Het was belachelijk hoe hard we allebei werkten. Nog eens twee dagen later kondigde hij aan dat hij een studio wilde huren. Hij voelde zich beklemd, hij had tijd en ruimte nodig om alles op een rijtje te zetten; hij wilde weg van het pension en de eeuwige gasten. Hij was het zat om met z'n vieren in dat appartementje boven het pension te hokken. Over twee jaar werd hij veertig. Het was nu of nooit. Ik zei: 'Gerard, waarvoor is het nu of nooit?' – 'Voor mij,' zei hij. Want ik sleurde hem mee in een banaal damesbladbestaan. 'Wie is hier banaal?' riep ik. Uiteindelijk kwam de aap uit de mouw. Er was een derde in het spel, iemand die hem begreep en bij wie hij zichzelf kon zijn. Hij was gedichten beginnen te schrijven, maar die mocht ik niet lezen. Ze waren te persoonlijk en ze waren ook niet af. Al die tijd woonde en werkte Ana Lucía bij ons alsof het hoogoplopende conflict tussen haar bazen niets met haar te maken had. Ze ging naar de markt, ze deed

*Aline*

inkopen en ze kookte haar verrukkelijke maaltijden. Lo siento. Lo siento mucho.

Twee jaar geleden stond aan het eind van de dijk een beeld van een vrouw die uit al haar openingen rood water lekte. Ze keek naar de zee terwijl dag en nacht het rode water uit haar tepels, haar mond, haar neusgaten, haar oren en haar plasgaatje stroomde. Sommige mensen tekenden tegen het beeld protest aan, maar de burgemeester zei dat ze dan eerst in Brussel Manneke Pis moesten verbieden. Het zou natuurlijk minder schandelijk zijn geweest als het water niet rood was gekleurd. Nu leek het of ze uit al haar openingen menstrueerde. Alleen haar ogen bleven droog. Daarmee speurde ze de horizon af alsof ze een redder verwachtte die al die gaten zou dichtstoppen. Iedere avond ging ik naar die vrouw kijken. 'Ga je nog eens dag zeggen tegen je vriendin?' plaagde Gerard me soms, maar ze was niet een vriendin. Ze was ikzelf.

Sally wil me niet alleen laten, hoewel ze eigenlijk bij haar zoon moet zijn. Hij moet nog vijftien worden maar de politie is al drie keer voor hem langs geweest. De politie zegt dat haar Werner dealt, maar Sally houdt vol dat de politie liegt. De eerste keer dat ik Werner zag was hij zeven, een jaar jonger dan ik toen ik koning Boudewijn mijn vader noemde en zo oud als Jakobientje nu. Zijn vader was al ziek, maar de artsen hadden de hoop nog niet opgegeven. Hoe zieker hij werd, hoe vaker Sally Werner meenam als ze kwam werken. Gerard vermoedde dat hij op school gepest werd en daarom liever bij ons zat. We probeerden met hem te praten, maar er kwam niets uit. En hij was mollig, natuurlijk. Net als zijn moeder propte hij zich vol met chocolade. Sally zegt dat ik hem niet zou herkennen. Hij traint iedere dag op de terreinen van de militaire school en is groter dan zij. 'Als onze Werner drugs neemt,' zegt Sally, 'dan moeten ze de hele wereld verplichten om die drugs te nemen. Dat zijn dan straffe drugs, die drugs die onze Werner neemt.' Na de dood van zijn vader is Werner naar de schoolpsycholoog gestuurd, maar hij zag dat als een straf. Er was iets mis met hem, zijn vader was gestorven en nu werd hij uit de klas gehaald om met een psycholoog te praten. Een andere psycholoog heeft dat later zo uitgelegd. 'Psychologen doen soms meer kwaad dan goed,' zei hij met een lach. En nu zullen Jakobientje en Jasper ook bij de schoolpsycholoog moeten komen. Ze zullen tekeningen moeten maken, waarin ze hun hartje blootleggen. Misschien zullen ze later tegen hún kinderen zeggen: 'Ik weet niet wat er van mij was geworden als ik die psycholoog niet had gehad.' Maar misschien zullen ze het net als Werner als een straf ervaren.

Jakobientje vanmorgen bij het ontbijt: 'Waarom woont papa niet meer hier, mama?'

'Omdat hij bij Ana Lucía wil wonen, liefje.'

'Maar Ana Lucía woont toch hier?'

'Ana Lucía is ook verhuisd, liefje. Papa en Ana Lucía gaan samen in een huisje wonen en daar komt straks ook een bedje voor jou en eentje voor Jasper, en dan kunnen jullie daar ook slapen.'

'Waarom?' Ze beet op haar lip en keek heel boos. Jakobientje weet dat mama's en papa's uit elkaar kunnen gaan. De helft van de kinderen in haar klas heeft twee adressen: een adres bij mama en een adres bij papa. De formulieren zijn daar allang op afgestemd. Maar háár mama en papa woonden samen in het appartement boven het pension. Dat was altijd zo geweest, al zeiden haar mama en papa minstens één keer per dag hoe onpraktisch dat wel was met al die trappen, en misschien moest er eindelijk een lift komen en vroeg of laat zou er moeten worden verhuisd, maar voorlopig was het ook wel handig, met babysitten en zo. Als het echt moest, konden ze de kindjes als ze eenmaal sliepen alleen in het appartement laten, want er was altijd iemand beneden. Soms was die iemand Ana Lucía geweest.

'Papa en Ana Lucía zijn verliefd op elkaar.'

'Zoals Milo en ik?'

'Ja.'

'Maar Milo en ik wonen niet samen.'

'Nee, schatje, dat is waar.'

Jakobientje heeft zich voorgenomen het niet te begrijpen. Als ze het niet begrijpt, is het misschien niet waar. Gisteren zat ze voor de televisie op haar duim te zuigen. Dat had ze al meer dan een jaar niet gedaan. En halverwege de nacht is Jasper opgestaan en met zijn knuffel onder de arm bij zijn zus in bed gekropen. Toen ik ze wekte, lag hij met zijn hoofd op haar buik. Het liefst was ik bij ze gaan liggen en nooit meer opgestaan. Het liefst had ik vergeten dat Aline Paula Gerarda Tacq ooit Gerard Van Malderen heeft ontmoet om samen met hem de trotse eigenaars en uitbaters van familiepension Algera te worden. Ik moest me dwingen om de trap naar de ontbijtzaal af te gaan en de gasten vriendelijk te vragen of alles naar wens was. Toen ik beneden kwam zaten Adèle en Alana, de frêle tweeling van een zakenman uit Charleroi, aan de ronde tafel bij het raam tergend langzaam op hun stukje toast te kauwen. Hun broer had zich gewoontegetrouw onder zijn koptelefoon verschanst. De ouders lieten de borden van hun kroost geen seconde uit het oog. Het zijn nette mensen die vastbesloten zijn hun kinderen het goede voorbeeld te geven. Ooit zullen de kinderen zich het gedrag van hun ouders herinneren en het spontaan imiteren, zeker wanneer ze op hun beurt zelf kinderen hebben. Alles was naar wens, verzekerden ze me. Nee, wilde ik brullen, niets is naar wens! Sally gaf een teken dat alle bruine broodjes op waren. Vroeger zou ik naar de bakker zijn gehold, maar nu haalde ik mijn schouders op. Het flitste door mijn hoofd dat ze zich beter om het ontbijt van haar eigen zoon kon bekommeren.

Net als de avond voordien zat Billy Gordon in de salon mailtjes naar zijn vrouw te sturen. Vlak voor hun vertrek had ze hem meegedeeld dat ze over hun relatie wenste na te denken. Het is een internationale plaag, dacht ik toen de radeloze Billy het mij vertelde, maar ik hield mijn mond. Zijn vrouw had hem in de taxi geduwd en hem met een theatrale witte zakdoek nagewuifd. Pas in het vliegtuig begon hij zichzelf te vervloeken omdat hij haar niet had meegesleurd. Hij had voor dit uitstapje drie maanden overuren geklopt, want het was hun eerste huwelijksverjaardag en die mocht niet ongemerkt voorbijgaan. 'Any news?' – 'Ze zegt dat ze me mist,' antwoordde hij grimmig. Hij had de hele nacht bij de computer gewaakt en zijn ogen waren bloeddoorlopen. Ik keek naar het bordje waarop Algera in het Nederlands, het Frans, het Engels en het Duits zijn gasten verzoekt de computer niet langer dan dertig minuten te gebruiken en besloot meneer Gordon tien discrete euro's aan te rekenen met de vermelding: computer. 'Shit!' zei Billy Gordon, die voor de zoveelste keer een q in plaats van een a had getikt.

Ik hoop maar één ding: dat Gerard nog even met het nieuws van het halfbroertje wacht. Moet ik straks Jasper en Jakobientje helpen een cadeautje voor de baby uit te kiezen? En zal dat ventje hier later met mijn kinderen komen spelen? 'Een kind is een kind is een kind.' Dat zegt grote Jakobien. 'Een kind kiest er niet voor om als bastaard op de wereld te komen.' Maar waar haal ik in godsnaam ooit de moed vandaan om dit kind welkom te heten?

Om halfzeven belt Billy Gordon vanuit zijn kamer dat zijn vrouw onderweg is. Van haar laatste spaargeld heeft ze een absurd duur ticket gekocht, maar ze mist hem verschrikkelijk en kan niet snel genoeg bij hem zijn. Ik denk meteen aan een minnaar die niet is komen opdagen of die minder spannend is dan verwacht, maar ik wil Billy Gordons geluk niet bederven. Billy Gordon vraagt of ik een taxi voor hem wil bellen; Billy Gordon wil zo snel mogelijk naar Oostende, want daar landt over vijftig minuten zijn wispelturige vrouw. Billy Gordon klinkt alsof hij het vliegtuig persoonlijk voor zijn vrouw gecharterd heeft. En zou ik voor hen een tafel in het beste restaurant van de stad kunnen reserveren? Het gemeste kalf moet worden geslacht. Natuurlijk, meneer Gordon, met alle plezier. En uiteraard mag hij op mijn discretie rekenen. Geen onvertogen woord tegen mevrouw Gordon dat haar aan haar grillen zou kunnen herinneren.

Billy Gordon stond met de strop om zijn hals op het schavot toen de gezant van de koning aan de beul de genadebrief overhandigde. Billy Gordon is het levende bewijs dat een mens nooit de moed mag laten zakken. Maar Billy heeft nog een vraag: was het Oostende of Westende waar die meisjes zijn gekidnapt? 'Those girls.' Hij hoeft hun namen niet te zeggen. Deze dagen weet iedereen wie met 'die meisjes' wordt bedoeld.

'Oostende. Maar het was niet in de buurt van de luchthaven.'

Door Gerards bom heb ik van het proces tegen Dutroux nog maar nauwelijks iets gevolgd, maar hier aan de kust weten we allemaal dat An en Eefje in het casino van Blankenberge een show van die Rasti Rostelli hebben bijgewoond en na afloop de tram naar Oostende hebben genomen omdat ze de laatste tram naar Westende hadden gemist. Net buiten Oostende zijn ze naar Middelkerke gaan liften. Ik heb dat vroeger ook gedaan, zelfs als ik de laatste tram niet had gemist. Iedereen deed het, meisjes zowel als jongens. Liften was plezant en goedkoop en spannend. En als ze een hand op je dij legden, dan mepte je die weg. Sally kent iemand die de trambestuurder kent die An en Eefje in Oostende heeft afgezet. Ik moet daar dikwijls aan denken als ik de kusttram zie. Maar wat had die man moeten doen? Als hij hen naar Westende had gebracht, was hij geschorst. Veel mensen hebben toen gezegd dat ze de tram de hele nacht zouden moeten laten rijden, of dat er een gratis pendeldienst voor jonge mensen zou moeten komen, en er zijn toen ook allerlei beloftes gedaan waar natuurlijk niets van terechtis gekomen. De kust is de kust niet meer sinds dat is gebeurd. Dat zit er bij iedereen diep in, maar we praten er niet over om de toeristen niet af te schrikken. De toeristen zijn onze boterham.

Ze zeggen dat Eefje twee keer bijna uit dat huis in Marcinelle is ontsnapt, maar dat ze telkens opnieuw is gepakt. En die Dutroux heeft vooral medelijden met zichzelf, want het was zo moeilijk om die ontvoeringen en verkrachtingen geregeld te krijgen. En dus heeft hij de meisjes maar levend begraven, dat bespaarde hem de moeite ze te vermoorden. Wel, meneer Dutroux, wij gaan jou nu ook levend begraven. Eerst gaan we je honderd keer verkrachten en daarna mag je zelf de put graven waarin je levend wordt weggestopt. Toen Gerard mij begon uit te leggen dat hij niet voor de situatie gekozen had en dat het voor hem ook niet makkelijk was en dat hij het zich anders had voorgesteld en dat zijn leven nooit meer zou zijn zoals het geweest was, heb ik hem gezegd dat hij me aan Dutroux deed denken. Die heeft ook alleen medelijden met zichzelf. Gerard was ziedend. Als hij had gedurfd, had hij mij een mep gegeven. Hij is degene die de meppen verdient, maar dat zal hij nooit toegeven. Altijd zal de schuld bij mij worden gelegd.

Vijf minuten later staat er een man voor me van wie ik meteen denk: dat is Paul Devroey, de man die zich achter een blinde muur wil verstoppen. Hij is een beetje een stugge versie van de vissers die je hier op de schilderijen in visrestaurants ziet: interessante kop, getaand en doorgroefd gezicht, ringbaardje, een dichte bos peper-en-zouthaar en intense blauwe ogen. Er hoort alleen nog een gele zuidwester bij. En ja, vorige week liep hij hier ook rond en heb ik hem zelfs de krant geleend zodat hij er zich in de salon achter kon verschansen. Nu komt hij samen met het meisje binnen dat de pizza's brengt die Sally voor ons heeft besteld. Sally vindt dat ik moet eten, maar ze heeft al even weinig zin als ik om Ana Lucía's fornuis en pannen aan te raken. Toen ik haar vroeg wie er voor Werner kookt, antwoordde ze niet. Er is iets met Werner aan de hand, maar Sally is voorlopig niet van plan er een woord over los te laten.

Het pizzameisje springt van haar ene been op het andere alsof er een kikker in haar broek zit en vraagt of ze het toilet mag gebruiken. Normaal zou ik met een vriendelijke glimlach zeggen: 'Natuurlijk, lieve schat, het is aan het eind van de gang rechts', maar voor de tweede keer vandaag schrik ik van mijn eigen botheid. 'Nee, het spijt me, maar dat kan niet.'

'Waarom niet?' Ze kijkt me met grote verontwaardigde ogen aan. Het belachelijke uniform dat ze van de pizzaketen moet dragen, spant om haar borsten. Wat kan ik zeggen? Omdat mijn man ervandoor is met een leuk, jong ding als jij? Omdat ik blijkbaar wrokkig en bitter aan het worden ben? Omdat er een Aline in mij is wakker gemaakt van wie ik het bestaan niet vermoedde? Omdat ik in een recordtempo aan het verzuren ben en wie kan me ongelijk geven? Maar dan bemoeit de man van wie ik vermoed dat hij Paul Devroey is, zich ermee. Als ze even wacht, zegt hij met een stem die dieper en warmer klinkt dan daarnet aan de telefoon, kan ze zo meteen het toilet in zijn kamer gebruiken. Hij legt de nadruk op 'zijn'.

'Devroey,' zegt hij tegen mij. 'Ik heb u gebeld in verband met kamer 12b. Mag ik de sleutel hebben voor mevrouw?' Met overdreven hoffelijkheid wijst hij naar het meisje met de volle borsten en de volle blaas. Als hij op dankbaarheid had gerekend, komt hij bedrogen uit. Ze springt niet langer van haar ene been op het andere, maar staart walgend naar hem, alsof hij van plan is haar met die sleutel in zijn kamer op te sluiten. Zonder een woord loopt ze geschokt naar buiten.

'Het komt door An en Eefje, meneer Devroey. Ik durf ook niet meer langs een witte bestelwagen te lopen en wie wil mij nu ontvoeren?'

Meneer Devroey beantwoordt mijn wrange glimlach niet. Net als Gerard vindt meneer Devroey de impliciete vergelijking met meneer Dutroux onaangenaam en ongepast.

Ik verander van onderwerp en vraag meneer Devroey of hij een goede reis heeft gehad. Was het niet te druk onderweg? Maar meneer Devroey, die liever een half dan een heel woord gebruikt, kijkt me met zijn ruige zeebonkengezicht streng aan en vraagt geërgerd waarom ik het pizzameisje het toilet niet liet gebruiken. Even sta ik op het punt mijn hart uit te storten over het drama dat zich in Algera voltrekt terwijl in Aarlen het proces van de eeuw wordt gevoerd, maar Gerard en ik hebben afgesproken om niets van onze problemen te laten merken. Algera is een knus en gezellig familiepension, waar gasten hun dagelijkse zorgen kunnen vergeten. Als er al eens een hart wordt gelucht, dan is dat het hart van een gast. Van Billy Gordon, bijvoorbeeld, die nu hoopvol in de taxi stapt en zo meteen langs de plek rijdt waar 'those girls' zijn ontvoerd, maar daar zal hij geen gedachte meer aan wijden. Billy Gordon denkt aan de vreugdevolle hereniging met zijn vrouw. Moge het de eerste avond van een lange zonnige periode worden! Mogen er nog vele euforische huwelijksverjaardagen volgen!

De dozen met de pizza's, waarvoor ik zestien euro heb betaald, liggen tussen meneer Devroey en mezelf. Er vormen zich al vetvlekken op het karton. Het zijn vast heel ongezonde pizza's.

'Ik breng deze even naar de keuken, meneer Devroey. Hebt u een secondetje?'

Tijd winnen is altijd de beste strategie, maar van Sally hoef ik geen inspiratie te verwachten. Verslagen zit ze in de keuken naar Ana Lucía's stralende zon te staren als een paard dat het slachthuis ruikt en weet dat het de zon nooit meer zal zien op- of ondergaan.

'Wat is er, Sally?'

Maar nog altijd wil ze niets kwijt.

'De pizza's, Sally. Je moet eten. En daarna moet je naar huis.

Werner heeft je nodig. Wat is er gebeurd, Sally? Heeft het iets met Gerard of Ana Lucía te maken?'

'Ik ben bang, Aline.'

Haar stem klinkt roestig.

'Bang?'

'Werner heeft gebeld om te zeggen dat hij met vrienden naar Frankrijk vertrekt. Ik vroeg hoe en met welk geld, en hij zei dat ik niet zoveel vragen moest stellen. Toen ik vroeg wanneer hij thuis-kwam, zei hij dat ik dat wel zou merken. Ik zei dat hij pas veertien is en dat hij zonder mijn toestemming niet naar het buitenland mag, maar daar moest hij hard om lachen. "Ik ben geen kind, ma." Waarom zou ik naar huis gaan, Aline. Er is daar niemand.'

'Oh, Sally!'

Iets anders weet ik niet te bedenken. Misschien moet ik mijn moeder bellen en haar vragen om de boel hier draaiende te komen houden. Trek je strengste mantelpakje aan, mama, en speld je in-drukwekkendste broche op. Algera heeft je nodig. Sally, Werner, je dochter, je kleinkinderen, zelfs Billy Gordon en Paul Devroey hebben je nodig.


'U hebt gelijk, meneer Devroey, ik had dat meisje het toilet moe-ten laten gebruiken. We zijn hier allemaal een beetje overstuur door het onverwachte vertrek van de kok. U wenst nog altijd ka-mer 12b? Als u wilt, krijgt u kamer 12 voor dezelfde prijs. Zal ik u 12 laten zien voor u iets beslist?'

Hij schudt zijn hoofd al even koppig als Sally. Dan zegt hij bij-na schuchter: 'Ik heb graag dat de dingen hetzelfde blijven.' Nu hij glimlacht staat er een lieve opa-visser voor me met wel vijftien vis-sende kleinkinderen.

'Vraagt u in elk hotel dezelfde kamer?'

'En in elk restaurant bestel ik dezelfde schotel. Ik koop al jaren mijn kleren in dezelfde winkel, ik woon al jaren in hetzelfde huis en ik rij altijd met hetzelfde merk auto. Er verandert zoveel dat we niet kunnen tegenhouden.' Dan betrekt zijn gezicht omdat hij zich het pizzameisje met de volle blaas herinnert. 'Ik probeer ook altijd jonge mensen te helpen. Ze zijn zo kwetsbaar.' De lach is helemaal van zijn gezicht verdwenen. Het kan niet anders of ook hij denkt aan die arme meisjes – 'those girls' - die nog zouden leven als iemand hen veilig naar Westende had gebracht.

'Nieuwpoort heeft geen tekort aan wc's, meneer Devroey. Ik denk niet dat ze tussen de strandhokjes heeft moeten hurken. Maar u hebt gelijk: we zouden allemaal beter voor elkaar moeten zorgen. Hoeveel nachten blijft u?'

'Eén of twee. Misschien drie.' Niet-begrijpend kijk ik naar zijn bagage. Hij heeft een reistas en een forse Samsonite-koffer bij zich, terwijl hij niet het type lijkt dat drie keer per dag andere kleren aantrekt.

'Onze vaste gasten laten hier soms bagage achter. Als u van plan bent regelmatig te komen, kunt u spullen in de ene helft van de kast kwijt. Die sluiten we dan af, zodat niemand anders erbij kan.'

'Ik zal erover nadenken.'

De weduwnaar zit weer veilig in zijn schulp. De rolluiken zijn neergelaten en de deuren vergrendeld. Gerard zou zich aan mijn nieuwsgierigheid ergeren, maar Gerard is er niet om mij terecht te wijzen.

Met licht gekromde rug zeult meneer Devroey zijn bagage de trap op, alsof hij zijn zorgen in een rugzak met zich meedraagt. Meneer Devroey is drieënveertig, heb ik op zijn identiteitskaart gezien, maar hij ziet eruit als zestig. Als Gerard straks zegt: 'Het spijt me, Aline, ik weet niet wat me de afgelopen weken bezielde. Vergeet alles wat ik heb gezegd', dan zal ik hem zelfs niet vragen wat er met de kok en haar kind is gebeurd. Ik zal in zijn armen vallen en zeggen dat ik volstrekt uitgeput ben en twee etmalen wil slapen en daarna nooit meer een woord over Ana Lucía wil horen. O, lieve Gerard, ook ik haat verandering. *I believe in yester-day.*

En terwijl ik me sta af te vragen met welke woorden ik de ontroostbare Sally kan troosten, zeult Paul Devroey zijn Samsonite-koffer de trap weer af. Zonder een goedendag of een goedenavond legt hij zijn sleutel op de balie. 'Alles naar wens, meneer Devroey?' Hij knikt en glipt het hotel uit. Als meneer Devroey met rust gelaten wil worden, dan zullen we meneer Devroey met rust laten. Heb je gezien hoe discreet ik kan zijn, Gerard?

Zeven uur. Tijd voor Sally en de pizza's en het nieuws. Als Jakobientje en Jasper thuis waren, zouden ze nu een halfuurtje televisie mogen kijken. Daarna zouden ze hun tandjes moeten poetsen en in bad gaan, en dan zou mama of papa een verhaaltje vertellen. Ze zouden zeuren om nog eentje en daarna nog eentje, en we zouden vertellen tot hun oogjes dichtvielen.

Acht uur, heeft Gerard gezegd. Tegen acht uur brengt hij de kinderen terug. En ja, ze zullen gegeten hebben.

Om halftien is alles weer anders in pension Algera. Er is opnieuw een man in huis, een man die van de situatie op de hoogte is gebracht en vervolgens daadkrachtig is opgetreden. Die man heet Gerard en is blijkbaar nog altijd een beetje mijn man. Hij en ik hebben in de keuken tussen Ana Lucía's hemellichamen op Sally zitten inpraten tot ze er eindelijk in toestemde haar Werner te verraden, zoals ze dat noemt. Tot onze ontzetting hebben we ontdekt dat Sally bang is van haar zoon. Ze is bang dat hij haar zal slaan, ze is bang dat ze hem zal verliezen, ze is bang dat hij in de gevangenis zal belanden, ze is bang dat ze hem te veel heeft verwend en ze is bang dat hij geld van haar gestolen heeft om met zijn vrienden naar Frankrijk te gaan. Een paar maanden geleden heeft ze hem in zijn kamer opgesloten omdat hij toen al naar Frankrijk wilde, en heeft hij zijn donsdeken in brand gestoken om haar te dwingen hem eruit te laten. Ze weet niet wat hij in Frankrijk te zoeken heeft. Voor zover ze weet is hij er nog nooit geweest, al ben je met de auto in een kwartier bij de grens, en Sally heeft een auto. Sally heeft zelfs een BMW. Ze zegt dat veel alleenstaande moeders bang zijn van hun zonen. Ze heeft er een programma over gezien waarin het brutale of zelfs gewelddadige gedrag van de zonen werd verklaard als een onbewuste vergelding voor het verlies van de vader. De moeders zouden daarvoor verantwoordelijk worden gesteld, zelfs als de vader niet is opgestapt maar domweg gestorven. Aan longkanker bijvoorbeeld. Werner is een goeie jongen, maar ze is bang dat hij zich door de verkeerde vrienden laat beïnvloeden. Zijn vrienden deugen niet en de politie heeft de pik op hem en ook op school is er niemand die hem begrijpt. Hij zou een kans moeten krijgen, maar niemand gunt hem een kans. Ze weet niet wat ze moet doen als hem iets overkomt; ze heeft niemand anders op de hele wereld. Ze heeft ons, maar dat is niet hetzelfde. Wij zijn haar werkgevers, wij zijn altijd meer dan werkgevers geweest, maar als we willen kunnen we haar morgen de deur uit zetten. Of stel dat er geen geld meer is om haar te betalen, dan zijn we wel gedwongen haar te ontslaan. Ze weet dat het goed gaat met Algera, maar alles verandert zo snel, en misschien nemen we liever iemand uit Polen of Roemenië aan, die kosten minder geld. De hele tijd heeft Sally gesproken alsof Gerard en ik niet drie dagen geleden uit elkaar zijn gegaan, en ook Gerard en ik hebben het over 'wij' en 'ons' gehad. Sally zal altijd op 'ons' kunnen rekenen, hebben we gezegd. 'Wij' zullen er altijd voor haar zijn. Ze is onvervangbaar voor 'ons'. 'We' hebben Werner als kind gekend en hoewel 'we' hem nu al lang niet meer hebben gezien, beschouwen 'we' hem nog altijd een beetje als lid van de familie. Telkens wanneer Sally het erover had hoe moeilijk het wel was voor een vrouw alleen, heb ik begrijpend geknikt, zonder zelfs maar te denken dat ik in hetzelfde schuitje zit. En ook Gerard heeft zonder blozen begrijpend geknikt. Onbewust is tussen Ana Lucía's hemellichamen besloten dat er in dit ondermaanse slechts tijd en energie is voor één probleem per keer. Wij hebben de afgelopen weken flink keet kunnen schoppen, nu is Sally aan zet. Een amateurgezelschap is in Algera neergestreken. Om beurten mogen de leden een scène improviseren en zoals alle amateurs kiezen we voor het Grote Drama en de Verwoestende Tragiek.

Uiteindelijk is Sally's litanie opgedroogd en is ze volgzaam als een lam met Gerard naar het politiebureau vertrokken. Ze heeft me omhelsd alsof we voor het leven afscheid namen. En Gerard heeft tegen mij 'Tot straks, Lineke' gezegd.

'Tot straks, lieveling,' heb ik geantwoord.

Voor het eerst in vier dagen zijn Jakobientje en Jasper door hun papa naar bed gebracht. Ik vermoed dat er nog niets over het halfbroertje is gezegd. De nieuwe jassen, die Gerard voor ze heeft gekocht, hangen aan de kapstok. Die van Jakobientje is knalgeel omdat zij dol op kuikentjes is. Toen Gerard om tien over acht met de kinderen thuiskwam, heb ik hem eerst de tijd gegeven om ze rustig naar bed te brengen en pas daarna heb ik hem het verontrustende nieuws over Werner verteld. Gerard trok wit weg. Hij was nog maar pas het huis uit en het liep al fout. Een beetje schuldgevoel kan geen kwaad.

Tussendoor is Billy Gordon met mevrouw Gordon gearriveerd, een klein zenuwachtig ding met een indrukwekkende mantel sluik, blond haar en grote gemaquilleerde Bambi-ogen. In haar paspoort staat dat ze vijfentwintig is, hoewel ze zich moeiteloos voor achttien zou kunnen uitgeven. Ze liet haar Billy geen seconde los en kwam me met vochtige ogen bedanken omdat ik hem bij de computer had laten slapen. Ik zei haar niet dat ze daar Raf voor moest bedanken, die tussen tien uur 's avonds en zeven uur 's morgens over Algera waakt en niet snel geneigd zal zijn om tegen een knappe man als Billy Gordon streng op te treden. Me-

·

vrouw Gordon had voor de hereniging met haar echtgenoot een korte gebloemde rok aangetrokken en zwarte laarsjes met een fijne, hoge hak. Mevrouw Gordon zag er verrukkelijk uit en was elke minuut van meneer Gordons vertwijfelde wake bij de computer waard, maar ik hoop dat ze voor de volgende bedrijven van hun huwelijksdrama een andere locatie uitkiezen. Even later verdwenen de twee in de taxi die ik had gebeld naar het dure restaurant waar ik een tafel voor ze had gereserveerd. Zo moet het leven zijn, dacht ik, een aaneenschakeling van taxiritten, vluchten en etentjes; van hotels en restaurants; van parfum, bloemen en totaal overbodige cadeautjes; van romantische afspraken en verliefde, hunkerende blikken; van telefoontjes en mailtjes, misverstanden en verzoeningen; van duizelingwekkend geluk en diepe wanhoop. Ongetwijfeld siert straks een nieuwe ring haar gracieuze hand.

Misschien zijn meneer en mevrouw Gordon verantwoordelijk voor het feit dat ik opnieuw in ontkenning leef. En Gerard, natuurlijk, die me 'Lineke' heeft genoemd. Toen Gerards moeder daarnet aan de telefoon wilde weten hoe het met ons was, heb ik zonder aarzelen geantwoord: 'Goed. Heel erg goed.' En ik heb haar gevraagd of ze zondagavond komt eten. Mijn schoonmoeder heeft gezegd dat ze een fles wijn zal meebrengen en als we willen zal ze na het eten babysitten en kunnen wij naar de film. Ik heb haar gezegd dat we daar met plezier gebruik van zullen maken. Grote Jakobien heeft nog altijd geen teken van leven gegeven, dus is er niemand om mij te berispen.

Daarnet in de keuken dacht ik: 'Gerard is de zon, ik ben de maan en Ana Lucía is het licht dat wij beiden verspreiden en waarmee we Sally, Billy Gordon en Paul Devroey de weg wijzen. Ik beken dat ik een beetje vermoeid ben. Eigenlijk ben ik doodop en ook Gerard ziet er moe uit. Toen ik hem met de kinderen zag binnenkomen, besefte ik voor het eerst dat het ook voor hem niet makkelijk is. Misschien is het inderdaad verschrikkelijk om hals-overkop op iemand anders verliefd te worden; om als een lucifer in een wervelstorm te worden meegevoerd. Hij had kunnen zeggen dat hij niets met Werner en Sally te maken had. Hij had kunnen zeggen dat Sally die jongen altijd te veel heeft verwend en dat hij jaren geleden al heeft voorspeld dat het fout zou gaan. Maar Gerard trok wit weg en is meteen met haar gaan praten. Gerard heeft Algera nog lang niet verlaten.

Raf komt een kwartier te vroeg opdagen en zegt dat hij het roer overneemt. Raf ziet zich graag als de stuurman van Algera en komt soms met een kapiteinskepie op werken. Ook Rafs liefdesleven is woeliger dan ooit, maar bij Raf zou het tegenovergestelde pas zorgwekkend zijn. In de eerste week dat hij hier werkte, heeft Gerard hem twee nachten achter elkaar met een vriendje in de salon betrapt, maar na een hartig woordje heeft hij schuldbewust beloofd privé- en beroepsactiviteiten strikt gescheiden te houden. Kapitein Raf is zo oud als ik, maar trekt altijd met jongens van achttien op. Niemand kan ook maar een seconde aan Rafs geaardheid twijfelen. Je ziet het aan elke beweging en aan elk gebaar, en je hoort het aan de intonatie van zijn stem, zodat je zou zweren dat het om een bestudeerde pose gaat. Zijn huidige vlam moet zijn achttiende verjaardag nog vieren en daarom wil Raf voorlopig geen seksuele relatie met hem. 'Ik wil wachten,' zegt Raf. 'Voor Robbie wacht ik graag.' Raf is een man van principes. 'Ik ben geen beest,' is een van zijn lievelingsuitspraken.

'Nou ja,' zegt Gerard, 'er zijn ook hetero's van halverwege de dertig die iets met meisjes van achttien hebben.'

Ana Lucía is drieëntwintig. Haar vader is elf jaar geleden door de ETA vermoord en haar moeder leeft teruggetrokken in een klooster, waar ze voor haar man en zijn moordenaars bidt. En voor alle zondaars die te zwak zijn om zich te bekeren. En voor vrede op aarde. En voor het ecologisch welzijn van de planeet. Het klooster telt drieëntachtig nonnen, die zich hebben voorgenomen te blijven prevelen tot alle wapens van de aardbodem zijn verdwenen en alle kwaad is uitgeroeid. Ana Lucía is er rotsvast van overtuigd dat de wereld zijn voordeel doet met het offer dat haar moeder dagelijks brengt. Ana Lucía bewondert de keuze die haar moeder heeft gemaakt, maar betreurt het dat ze haar maar één keer per jaar mag bezoeken. Ana Lucía's moeder bidt ook voor mij. In elke brief die Ana Lucía haar stuurde, vroeg ze om haar Belgische vrienden niet te vergeten: Gerard, Aline, Jakobientje *y* Jasper. Als je eenmaal weet dat Ana Lucía de dochter van een godvruchtige vrouw is, begin je het ook aan haar te zien. Ana Lucía straalt alsof ze iets ziet of weet wat voor gewone stervelingen verborgen blijft. Ze is volstrekt onverstoorbaar. Ze zegt dat haar moeders gebed haar naar Algera heeft gestuwd en haar de inspiratie voor de muurschildering heeft gegeven. Ana Lucía wordt door haar moeder geteleleid. Als je jaren in een pension werkt, dan besef je dat de aarde door erg verschillende mensen wordt bevolkt en dat die allemaal hun ideeën en overtuigingen hebben, waar ze niet van af te brengen zijn. Tegelijkertijd besef je dat alle mensen in wezen hetzelfde zijn.

Ik beken dat ik af en toe op het punt heb gestaan Ana Lucía te vragen mij te leren bidden. Ik had me in het hoofd gehaald dat zij als de meeuwen was, over wie men zegt dat ze soms boodschappen uit de andere wereld brengen en dat het takje in hun bek uit die voor ons onbereikbare regionen komt. Als je met Ana Lucía onder één dak woont, begin je in die andere wereld te geloven. En je begint te begrijpen dat sommige mensen er in deze wereld sporen van zien. Op haar kamer had ze een altaartje met de trouwfoto van haar ouders en een kruisbeeld dat ze op de rommelmarkt had gekocht. Ze brandde er wierook en kaarsjes en legde er de schelpen die ze op haar strandwandelingen vond. Er stond altijd een vaasje met bloemen. Tot voor kort speelde ik met het idee om in de

*Aline*

salon voor de gasten ook zo'n altaartje te zetten. Ik weet dat ik Ana Lucía eerder een slet dan een heilige zou moeten noemen, maar Ana Lucía is geen slet. 'Ik bid niet,' zei ze ooit tegen mij. 'Ik zit daar maar een beetje te denken, te zijn. Het bidden laat ik aan mijn moeder over.' En ze greep mijn handen en lachte haar lieve lach.

Gerard heeft haar van mij afgepakt. Ik heb haar zonder aarzelen in dienst genomen, hoewel ze geen woord Nederlands sprak. Ik heb haar in Nieuwpoort wegwijs gemaakt en aan onze vrienden voorgesteld. Ik heb haar ingeschreven voor een cursus Nederlands en heb zelf Spaanse les voor haar gevolgd. Ik heb haar mijn oude fiets gegeven en haar haar geborsteld toen het vol klitten zat. Ik heb haar meegenomen naar een optreden van flamencodansers in Oostende. Ik ben met haar naar de dokter gegaan toen ze zoveel problemen met haar sinussen had. Alinè, noemde ze me, met een accent op de e. Ana Lucía Suárez Blanco was míjn vriendin.

Ik trek mijn jas aan en ga zitten op de bank vanwaar ik de ingang van Algera in het oog kan houden. 'Onze bank' noemen we hem en we zijn altijd een beetje verontwaardigd als er iemand anders zit, zeker wanneer dat 's avonds gebeurt. Een gedeukt colablikje is tot aan de rand van de dijk gerold en niet opgeraapt door de schoonmaakploeg die hier dagelijks patrouilleert. Op dit uur is de zee een zwart gat waarin een onzichtbaar monster zijn monotone klaaglied zingt. Of misschien is de zee zelf het monster dat aan zijn ketting rukt. De weinige late voetgangers lopen dicht langs de gevels, alsof ze bang zijn door de zee te worden opgeslokt. Alleen dapperen en onnozelaars wagen zich nu op het strand. Nergens is de wereld zo donker als midden op zee in een maanloze nacht. Hoe dikwijls heb ik hier niet met Gerard gezeten en gedacht dat ik de gelukkigste vrouw ter wereld was? Ik was waar ik wilde zijn: bij Gerard. Als ik omhoogkeek zag ik de slaapkamerramen van de kinderen. Wanneer mensen me vroegen of ik het niet erg vond dat we zelden weg konden, antwoordde ik dat ik daar eigenlijk weinig behoefte aan had. Ik was gelukkig waar ik was. Aan wie of wat dacht hij? Droomde hij echt van een Tibetaans klooster? Schreef hij gedichten in zijn hoofd? Het klinkt zo puberaal. 'Ik hou niet meer van jou.' Of heeft hij nooit van mij gehouden?

Dit is het seizoen van de zelfmoorden. Er gaat geen week voorbij of iemands zoon of dochter, man of vrouw, vader of moeder, buurman of buurvrouw hangt zich op, neemt een overdosis of schiet zich een kogel door het hoofd. De winter blijft maar duren, alsof de zon nooit meer door al dat grijs heen zal breken. Af en toe duwt iemand in het holst van de nacht een bootje de zee in, roeit tot zijn krachten het begeven en valt overboord. Vroeger stierven mensen bij duistere ongelukken of aan mysterieuze ziektes. Ze verloren de controle over hun stuur, knalden bloednuchter tegen een betonnen paal hoewel er geen tegenligger te bespeuren was. Of ze lagen op een ochtend dood in het bed waar ze kerngezond in waren gestapt. Dikwijls stond dat bed in een hotel of een pension. Ook Algera heeft zijn portie gehad. Dat hoort er allemaal bij als je vreemd volk in huis haalt. Elk mens is een verhaal en soms hoor je bij de eerste ontmoeting meteen het laatste couplet. Je kunt niemand dwingen te leven, maar ik ben blij dat mijn moeder zich voor mij gedwongen heeft. Mama. Geen mieren in de pan voor haar kleine Aline. Aline, heb je je huiswerk gemaakt? Aline, heb je je tanden gepoetst? Ik heb liever niet dat hier vriendinnen komen spelen, Aline. Ook niet als ik er niet ben. Denk aan de gasten beneden in het pension. Je moet altijd met anderen rekening houden, waar je ook woont of bent. Je weet dat ik graag heb dat alles op zijn plaats ligt. Die witte handdoek mag je alleen voor je handen en je gezicht gebruiken. Als je melk opwarmt, moet je het pannetje meteen uitspoelen. Je poetst je tanden te hard! Dat is mijn borstel, Aline. Heb je je bed opgemaakt? Je had beloofd je bed op te maken. Als je een goed rapport hebt, mag je iemand uitnodigen. Een rustig meisje. Zit er een rustig meisje in je klas? Maar achteraf moet je alles opruimen. Alles moet weer op zijn plaats. En rustig, Aline. Rustig. Waarom ben jij nooit eens rustig?

Ja, mama. Zeker, mama.

Zou ik Gerard kunnen vragen om tegen haar te liegen? Om af en toe te doen alsof?

Achter mij maken voetstappen zich van de veilige gevels los en steken de dijk over. Paul Devroey is met zijn Samsonite bij het beginpunt van zijn tocht beland. Naast hem loopt een opgeschoten jongen die Werner zou kunnen zijn, maar Werner niet is, want Werner zit met vrienden in Frankrijk. De Samsonite wordt op de bank naast de 'onze' gehesen en opengeklapt. Even staat Paul Devroey eroverheen gebogen, dan draait hij zich naar de jongen toe en biedt hem iets aan. De jongen houdt zijn handen in zijn zakken, maar uiteindelijk gaat hij zitten en trekt zijn schoenen uit. Het is een van die jongens die onwennig in hun lichaam wonen. Nu kan ik zien wat Paul Devroey van de jongen wil: hij wil dat hij een paar schoenen past. Waarom wil hij dat? Verkoopt hij schoenen? Geeft hij ze weg? Met de nieuwe schoenen aan zijn voeten loopt de jongen langs mijn bank zodat ik even zijn jonge, uitdrukkingsloze gezicht kan zien. De schoenen lijken hem te passen, maar de jongen gaat opnieuw naast de koffer zitten en trekt zijn oude gymschoenen weer aan. Wat ze zeggen gaat in het geraas van de golven verloren. Het zeemonster zwelgt het op.

Na lang aandringen krijgt de oudere man zijn zin en verdwijnt de jongen met de schoenen onder zijn onwillige arm. Beeld ik me in dat de rugzak met zorgen die Paul Devroey torst, nog zwaarder is geworden nu hij naast zijn koffer naar de zwarte zee zit te staren? Voelt hij hoe ik elk gebaar volg? Weet hij dat ik het ben? Meneer Devroey, bent u van plan om iedere week met die koffer door

Nieuwpoort te dolen en schoenen uit te delen? Bent u niet bang dat mensen uw gedrag eigenaardig zullen vinden? Maar voor ik in de verleiding kan komen mijn indiscrete vragen op hem af te vuren, komen Gerard en Sally thuis. Sally's gezicht is opgezwollen en Gerard ziet nog witter dan daarnet. 'Lineke,' zegt hij. 'Hebben wij whisky in huis?'

En zo zitten we opnieuw met z'n drieën in de keuken. Sally's gsm ligt voor haar, want de politie heeft beloofd te bellen zodra er nieuws is. Ze is geschrokken van hun doortastendheid en van de term die ze gebruikten: 'Zorgwekkende verdwijning'.

'Hij is niet verdwenen,' zegt ze telkens opnieuw in de hoop dat we haar bijvallen. 'Hij heeft me zelf gebeld. Als je verdwijnt, bel je niet. Hij zei: "Mama, ik ga met vrienden naar Frankrijk." Ik zei: "Voor hoe lang?" Hij zei: "Dat weet ik niet."'

'Je moet vertrouwen hebben, Sally,' zegt Gerard. 'De politie heeft veel ervaring met dergelijke situaties.'

'O ja?' zegt ze schamper.

'Dat het uitgerekend nu moet gebeuren,' zeg ik.

Gerard knikt terwijl Sally vertelt dat Interpol verwittigd is en er een internationaal opsporingsbevel wordt verspreid. Ze verzint het niet, zegt Gerards geknik, het is waar. Werners signalement is naar alle politiebureaus in Noord-Frankrijk gestuurd. Er is zelfs een tolk voor uit haar bed gebeld.

Als hij terugkomt, zegt Sally, koopt ze een gsm voor hem. 'Zeg nu zelf,' zegt ze, 'als Werner een dealer was, zou hij een gsm hebben. Hoe kun je nu dealen zonder gsm?'

We zwijgen. Wat weten wij over dealen? Gerard neemt een grote slok whisky en glimlacht vermoeid naar haar. 'Ze zullen hem nu wel gauw vinden,' zegt hij, maar het is niet duidelijk of Sally wel wil dat de politie hem vindt. Ze wil haar zoon uit hun handen houden. Hij is van haar.

'Misschien belt hij zelf. Het is een goeie jongen. Hij weet hoe ongerust ik ben.'

We staren alle drie naar de gsm en denken aan Werner, die Gerard en ik volgens Sally niet zouden herkennen, maar die hier vaak met zijn moeder kwam toen ons Jakobientje een baby was en hijzelf een mollig kind dat door zijn klasgenoten werd gepest. Het was het jaar dat Dutroux in Marcinelle werd opgepakt en Sabine en Laetitia uit de kooi werden bevrijd. Met Jakobientje aan mijn borst keek ik telkens opnieuw hoe die geterroriseerde meisjes uit dat huis kwamen en in een auto werden geduwd.

Alsof Gerard mijn gedachten kan lezen, zegt hij dat hij morgen voor Jakobientje een gsm zal kopen. Hij was van plan geweest er nog even mee te wachten, maar Jakobientje is oud genoeg om er verstandig mee om te gaan. Ik knik. Het is waar. Jakobientje is oud genoeg voor een gsm. Ze stuurt zelfs al mailtjes naar kinderen uit haar klas. En hij wil weten of ik me de namen herinner van die twee ontvoerde meisjes in Engeland die ze dankzij hun gsm gevonden hebben.

'Ik weet het niet, Gerard. Het was hoe dan ook te laat. Ze waren al vermoord. Kunnen we alsjeblieft over iets anders praten?'

Gerard neemt mijn hand en zegt dat het hem spijt, en ik knik, want ik weet dat het hem spijt. Het spijt hem van Werner en het spijt hem van ons en het spijt hem van die meisjes, de meisjes in Engeland en de meisjes in België. Het spijt hem zelfs dat Algera zijn kok kwijt is. Lo siento. Lo siento mucho.

Wat moet ik met jouw spijt, Gerard? Jouw spijt is zoals de chocolade die Dutroux aan Sabine gaf om de vieze smaak van zijn lul uit haar mond te verdrijven.

'Ik ga een poosje in de salon zitten,' zegt Sally met een veelbetekenende blik op onze verstrengelde handen.

'Je hoeft niet weg te lopen, Sally. We hebben geen geheimen voor jou.'

Maar ze hijst zich overeind en sloft de keuken uit. Sally ziet er al even gebroken uit als meneer Devroey.

'Weet je wat ik daarnet dacht, Gerard? Ik dacht: Gerards spijt is zoals de chocolade die Dutroux aan Sabine gaf om de smaak van zijn lul uit haar mond te verdrijven.'

Hij laat mijn hand niet los, maar slaat zijn ogen neer. Gerard heeft mij nooit chocolade hoeven te geven. Ik zou hem met plezier hebben opgegeten, uitgedronken en leeggelepeld. Alles vond ik lekker aan hem.

Op die licht verwijtende toon die me zo vertrouwd is, vraagt hij of ik dan niet bang voor die jongen ben. Met andere woorden: hoe kan ik op dit ogenblik aan mijn eigen problemen denken?

'Werner komt terug, Gerard. Natuurlijk komt hij terug. Hij is een puber die zijn vrienden belangrijker vindt dan zijn moeder.' Ik trek mijn hand los. Ik wil de hand niet vasthouden waarmee hij een andere vrouw streelt. 'Maar je bedoelt dat ik over Werner zou moeten praten en niet over mezelf. Je vindt me egoïstisch. Dat is grappig. Ik dacht dat jij de egoïst in huis was.'

'Die jongen heeft een vader nodig, Aline.'

'Je zou hem kunnen adopteren. Jij en Ana Lucía.'

Daarnet beeldde ik me in dat Gerard misschien zou blijven slapen als ik hem dat vroeg, maar nu wil ik alleen maar dolken in hem steken. En vervolgens wil ik met de dolkpunt in zijn vlees wrikken.

'Ik weet dat je boos bent, Aline. Je hoeft me er niet de hele tijd aan te herinneren.'

'Ik ben niet boos, Gerard. Ik ben woedend en bitter. Ik ben razend. En dan kom jij mij de les lezen. Ik ben opnieuw degene die in gebreke blijft. Ik zou meer met Werner begaan moeten zijn. Besef jij wel wat je zegt? Ben jij wel met mij begaan? Of met Jakobientje en Jasper? Of met mijn moeder? Heb jij eigenlijk ooit van iemand gehouden, Gerard? Ik heb medelijden met Ana Lucía. Ik ben tenminste van je af.'

'Je weet dat ik het haat als je roept.'

'Ik roep niet, Gerard. Ik verhef mijn stem zelfs niet. Dat doe ik niet omdat ik niet wil dat de gasten ons horen. Herinner je je de afspraak? Geen woord tegen de gasten. Alles gaat zijn gebruikelijke gang in het gezellige familiepension. Jij beeldt je in dat ik roep. Jij wilt dat ik roep zodat je kunt zeggen: Aline maakt me gek met haar geroep.'

'Jij roept altijd, Aline. Jij roept zelfs als je zwijgt. Ik dacht dat je het besefte en daarom aan Ana Lucía wilde vragen je te leren bidden. Alles aan jou roept. Jij kunt niet ergens onopvallend zijn. Jij valt op als een oranje flikkerlicht. Je hebt het vast van je vader, want je moeder is totaal anders.'

'Laat mijn vader erbuiten, Gerard. Ik ben niet plotseling veranderd.'

'Nee, je bent niet veranderd en je zult ongetwijfeld nooit veranderen. Je zult iedere dag een beetje meer Aline worden. Je kunt het niet helpen. Je bent zoals je bent. Veel mensen vinden het charmant.'

'Maar jij dus niet. Waar is ze nu?'

'We hebben ergens een kamer gehuurd.' Hij zegt niet waar. Ik hoef ook niet te weten waar. In nauwelijks drie dagen tijd is hij een vreemde geworden. Een man die straks naar buiten wandelt om bij een andere vrouw te slapen.

'Denk je dat je hierover een gedicht zult schrijven, Gerard?' Mijn mond is helemaal droog, zo droog als de woestijn waarin we allemaal zijn verdwaald. 'Over hoe we in de keuken zitten terwijl de kinderen boven slapen en hun nieuwe jassen aan de kapstok hangen en Sally op nieuws van Werner wacht en jij straks naast Ana Lucía zult liggen en met je oor op haar buik naar de hartslag van jullie zoon op zoek zult gaan?'

'Dat weet ik niet, Aline. Ik weet nooit vooraf waarover ik zal schrijven.'

'Ga nu. Sally zal je wel bellen als ze nieuws heeft. Ik weet niet of ze je dankbaar is, maar je hebt in ieder geval je plicht gedaan. Je kunt als een tevreden man gaan slapen.'

'Hoe is het met die meneer Devroey over wie je me belde?'

'Dat is mijn probleem, Gerard.'

Hij zucht. 'Ik zal je bellen.'

'Dat is niet nodig.'

'Ik haal de kinderen woensdag op.'

'En als ze er niet zijn?'

'Begin niet, Aline.' Ik voel hem aarzelen of hij me een kus zal geven.

'Ga maar,' zeg ik en ik wend mijn hoofd af.

Ik wil geen kussen van die man.


Om halftwaalf belt de politie dat Werner en zijn vrienden in een discotheek in Rijsel zijn opgepakt. Sally en ik vallen elkaar huilend in de armen, maar als ze haar neus een paar keer goed gesnoten heeft, wil ze me laten beloven nooit tegen Werner te zeggen dat zij hem bij de politie heeft aangegeven. 'Beloof het, Aline. Je moet het beloven. Steek het op Gerard. Hem zal hij niets doen.'

'En jou wel, Sally?'

'Ik weet het niet meer, Aline. Ik kan die jongen niet tegenhouden. Niets of niemand houdt hem tegen.'

'Je moet hem uitleggen waarom je de politie verwittigd hebt. Zeg hem dat je ongerust was. Hij zal dat begrijpen. Je hebt hem niet aangegeven, Sally.'

'Nee, nee, nee,' roept ze hysterisch. 'Jullie hebben de politie verwittigd. Jij en Gerard.' Ze duwt me van zich af. 'Ik had er niets mee te maken. Jij hebt Werner gebruikt om Gerard terug te winnen, maar het is niet gelukt! Hoe jullie elkaar zaten op te vrijen terwijl ik doodsangsten uitstond! Het was walgelijk. Geef toe, Aline, dat je hoopte dat hij zich zou bedenken. Maar je bent hem kwijt!

Hij wil jou niet meer. Hij wil Ana Lucía. En nu moet mijn Werner ervoor opdraaien.' Ze stormt naar buiten en laat me sprakeloos achter.

Ze is gek, denk ik. Ik ben omringd door gekken. Algera is geen knus familiepension, maar een gesticht.

Ik ben zo moe dat ik even overweeg aan Ana Lucía te vragen om morgen voor het ontbijt te zorgen. Hoe kan Sally zulke afschuwelijke dingen beweren?

Daar komt er nog eentje, denk ik terwijl meneer Devroey zijn eeuwige Samsonite over de drempel sleept.

'Alles naar wens, meneer Devroey? Ik stond op het punt te gaan slapen, meneer Devroey. Als u vijf minuten later was gekomen, had Raf u uw sleutel overhandigd. Heb ik u al aan Raf voorgesteld? Raf staat 's nachts aan het roer van Algera. Hij zorgt ervoor dat we veilig de ochtend bereiken. Nog nooit zijn we op verraderlijke klippen te pletter geslagen. Dat is een hele kunst, meneer Devroey, want als de zon eenmaal is ondergegaan kolkt de zee van gevaren. Wij kunnen ons geen idee vormen van de stuipen die het duister onze verre voorouders op het lijf moet hebben gejaagd. Bent u bang in het donker, meneer Devroey? Zou u zich nu op zee wagen?'

Ik klink niet minder hysterisch dan Sally, maar ik kan niet ophouden. Het liefst zou ik meneer Devroey door elkaar rammelen tot zijn mysterieuze koffer op de grond openvalt.

'Hebt u een prettige avond met boeiende ontmoetingen gehad, meneer Devroey? Het ontbijt wordt vanaf zeven uur geserveerd, meneer Devroey. Dat doe ik, want mijn man is helaas verhinderd en mijn assistente is voor dringende zaken naar Rijsel geroepen, maar onze gasten zullen daar geen ongemak van ondervinden. Dat is de gouden regel in dit huis. De gasten gaan altijd voor. We hebben een heel gevarieerd ontbijtbuffet met verschillende soorten brood en kaas en charcuterie en confituur en veel vers fruit en yoghurt. U kunt kiezen voor lekker of voor gezond of voor een combinatie van beide. Als u tijd hebt, moet u het gastenboek in de salon eens doorbladeren, dan zult u merken dat heel veel gasten vol lof zijn over het ontbijt. Weet u dat er ook een computer staat waarvan u gratis gebruik kunt maken? Het bezoeken van kinderpornosites is uiteraard niet toegestaan, maar verder staat het hele net te uwer beschikking. Wij hebben ook een piano die regelmatig wordt gestemd, want niets is zo deprimerend als een valse piano. Kunt u spelen, meneer Devroey? Hebt u een goed gehoor?'

'Als u het me niet kwalijk neemt, mevrouw, ga ik slapen. Vindt u het goed als ik u morgenvroeg mijn verdere plannen meedeel?'

'Verdere plannen, meneer Devroey? Wat bedoelt u met verdere plannen? Wat bent u verder nog van plan?'

Meneer Devroey glimlacht en is opnieuw een lieve opa-visser, aan wie ik al mijn zorgen zou kunnen toevertrouwen.

'Ik had u gezegd dat ik misschien twee nachten zou blijven. Of zelfs drie.'

'Natuurlijk, meneer Devroey. Altijd welkom.'

'Mag ik u iets vragen? U vermeldt herhaaldelijk mijn achternaam, maar ik ken de uwe niet.'

'Tacq. Ik heet Aline Paula Gerarda Tacq.'

'Paul Devroey.'

We schudden elkaar de hand. Gek maar hoffelijk, dat is voortaan Algera's parool. De vierde nacht zonder jou, Gerard. Ik hoop dat ook jij geen oog dichtdoet. Maar ik wil over jouw nachten niets horen en jij hoeft over de mijne niets te weten. Mijn nachten zijn voortaan van mij.

Als Paul Devroey om twee minuten voor tien met zijn koffer de ontbijtzaal binnenkomt, heb ik me al honderd keer afgevraagd waar hij blijft. Telkens als de deur openging, dacht ik: 'Daar is hij.'

Wat heeft hij zo lang in zijn bed gedaan? Heeft hij gelezen? Televisie gekeken? De inhoud van zijn koffer geïnspecteerd?

Het buffet is leeggeplunderd, maar meer dan een broodje en een kop koffie heeft hij niet nodig.

'Weet u het zeker?'

'Absoluut zeker.' Hij glimlacht. 'Zijn dat jouw kinderen, Aline?'

Ik knik en geef Jasper en Jakobientje een teken dat ze zich moeten komen voorstellen. Jakobientje houdt haar nieuwe gele jas tegen zich aan geklemd alsof het een knuffel is. Jasper heeft sinds hij is opgestaan al drie keer gezegd dat hij met zijn papa wil gaan zwemmen en ik heb al drie keer beloofd zijn papa te bellen.

Paul vraagt hun hoe ze heten en hoe oud ze zijn en of ze hun mama flink helpen. Jakobientje, die een hekel aan de interesse van de gasten heeft, mompelt antwoorden terwijl ze strak naar de grond kijkt. Jasper zegt dat hij met zijn vader wil gaan zwemmen

'En zou je ook met mij willen gaan zwemmen?' vraagt Paul.

Jasper schudt zijn hoofd.

'Waarom niet?'

'Je kunt niet gaan zwemmen met mensen die je niet kent.'

'O nee? En kun je fietsen met iemand die je niet kent?'

Jasper blijft zijn hoofd schudden.

'En vliegeren? Ook niet? En ijsjes eten? Nee? Je kunt dus helemaal niets met iemand die je niet kent. Maar ik ken jou. Jij bent Jasper, de zoon van Aline en de broer van Jakobientje. En jij kent mij. Ik ben Paul. Kunnen we nu gaan zwemmen?'

Jasper drukt zich tegen mij aan. 'Ik wil met mijn papa gaan zwemmen.'

Paul glimlacht. 'Kan je papa goed zwemmen?'

Jasper knikt.

'En jij, kun jij al zwemmen?'

Jasper blijft knikken, maar Jakobientje vergeet haar weerzin en zegt dat Jasper liegt.

'Mijn broer kan niet zwemmen! Mama wil dat wij leren zwemmen omdat ze bang is dat we in zee verdrinken, maar Jasper durft zelfs niet in het kinderbad!'

'Ik durf wel in het kinderbad!'

'Als papa je vasthoudt!'

'Weet je, Jasper, dat alle grote zwemmers ooit bang van water zijn geweest?'

'Dat is niet waar!'

'Jawel. Het is soms goed om bang te zijn, want dan heb je iets om te overwinnen.'

De kinderen staren Paul Devroey met grote ogen aan. Jaspers mond is opengevallen. Nooit eerder hebben ze gehoord dat het af en toe goed is om bang te zijn. Nu wil Jakobientje niet achterblijven. 'Ik ben ook bang van water!' roept ze.

'En jullie mama?'

'Dat weet ik niet. Papa gaat altijd met ons zwemmen, maar papa is met Ana Lucía weg. Ana Lucía is onze kok. Ze komt uit Spanje en ze maakt Spaans eten. Haar mama woont in een klooster. Ze bidt de hele dag.'

'In een klooster? En mag ze daar zwemmen?'

'Dat weet ik niet.'

'Ik denk dat ze daar mag zwemmen. Als ik een klooster bouwde, dan zou er een groot zwembad zijn. Ik denk dat je beter kunt bidden als je eerst lekker hebt gezwommen. Denk je, Jasper, dat wij elkaar nu goed genoeg kennen om samen te gaan zwemmen?'

Jasper knikt. Hij kan zijn ogen niet van Paul afhouden. Als de rattenvanger van Hamelen hier ooit passeert, zal Jasper hem als eerste volgen.

'Mogen wij niet met papa gaan zwemmen, mama?' vraagt Jakobientje ongerust.

'Natuurlijk mogen jullie met papa gaan zwemmen. Meneer Devroey heeft veel werk.'

Ik kijk naar de koffer alsof daarin zijn vele werk zit.

'Paul,' zegt hij. 'Noem me alsjeblieft Paul.'

'Ik zet zo meteen verse koffie. Kom, kinderen. We gaan papa bellen.'

'Wie is die meneer, mama?'

'Gewoon iemand die hier logeert.'

'Waarom wil hij met ons gaan zwemmen?'

'Misschien zwemt hij graag, Jakobientje.'

'De meester zegt dat we in het zwembad nooit met vreemde mensen onder de douche mogen gaan. Zelfs niet als ze het heel vriendelijk vragen. Toen hij zo oud was als wij, was er een meneer die zich bloot douchte. Zonder zwembroek. En dan vroeg hij aan jongetjes of hij ze mocht helpen zich te wassen en die moesten dan ook hun zwembroek uittrekken. Hij wilde hun piemeltjes zien. Er zijn grote mensen die de piemeltjes van jongetjes willen zien.'

'Maar jij hebt geen piemel,' zegt Jasper triomfantelijk.

'Zwijg, Jasper. Jij begrijpt niets. Als papa niet met ons kan gaan zwemmen, moeten we dan met die meneer gaan zwemmen, mama?'

'Natuurlijk niet, Jakobientje. Die meneer meende het niet echt. Hoe kan hij nou denken dat ik jullie met hem laat gaan zwemmen? Hij probeerde vriendelijk te zijn.'

'Laetitia was ook gaan zwemmen, hè mama?'

'Ja, schat. Praten jullie daarover in de klas?'

'We moeten van de meester. Er zit een meisje in mijn klas dat geboren is op de dag dat Sabine en Laetitia zijn bevrijd. 15 augustus 1996. En Julie en Melissa waren zo oud als wij toen ze werden ontvoerd. Zij waren al acht en de meeste kinderen in mijn klas moeten nog acht jaar worden, maar Lonneke is al acht en Dylan ook. En ik word over drie maanden en een half acht. Hun foto's hangen in onze klas. Ik vind Melissa de mooiste. Met haar zou ik bevriend willen zijn.'

'Maar ze is dood, Jakobientje.'

'Hij gaf hun geen eten, mama. En toen hij in de gevangenis zat, gaf zijn vrouw hun ook geen eten. Ze zijn gestorven van de honger.'

'Ik weet het, schat. Het is een hele slechte man. Niemand is zo slecht als hij. Ben je niet bang als de meester al die dingen vertelt?'

'Een beetje. Maar de meester zegt dat we erover moeten praten, want dat we het toch van onze ouders horen of op de televisie zien. Maar ik vind het niet erg, mam, dat jullie er met ons niet over praten. Dat doen we wel op school.'

Met haar gele jas nog altijd over haar arm pakt ze de telefoon en tikt het nummer van haar vader in. Ik hoor haar zeggen dat haar broertje wil gaan zwemmen. 'Je kent Jasper,' zegt ze alsof ze straks geen acht maar achtentwintig wordt. 'Hij houdt niet op met zeuren tot hij zijn zin krijgt. En mama kan niet weg.' Ze geeft haar broer een teken dat hij ook iets moet zeggen. Jasper pakt de telefoon en zegt: 'Papa, ik wil gaan zwemmen.' Lachend neemt Jakobientje de telefoon van hem over en dan is het al geregeld. Over een halfuurtje haalt Gerard hen op. 'Kom, Jasper, we moeten onze zwemspullen pakken.'

Mijn dochter is in drie dagen tijd volwassen geworden.

Mijn moeder belt en aan haar stem hoor ik meteen dat ze alles weet. 'Kindje, toch,' zegt ze. Mijn moeder heeft mij nog nooit 'kindje' genoemd.

'Heeft Gerard jou gebeld?' vraag ik, want ik wil weten hoe ze het weet.

'Ik heb ze in het ziekenhuis gezien. Gerard kwam haar afzetten, maar hij kon niet blijven omdat hij de kinderen van school moest halen.'

Mijn moeder kan haar verbijstering niet verbergen. In het ziekenhuis heeft ze elk mogelijk drama meegemaakt, maar nu gaat het over het gezin van haar dochter, de opgewekte Aline, die voor het geluk geboren was.

'Heb je ook met Gerard gepraat?'

'Hij zei heel vriendelijk dag en vroeg hoe het met me was. Hij zei zelfs dat ik er goed uitzag. Ik wist niet dat er iets aan de hand was. Alles leek heel normaal. Pas daarna heeft Ana Lucía het me verteld. Ze nam mijn hand en legde hem op haar buik. "Ik draag Gerards kind," zei ze, alsof dat kind daar zonder haar toedoen terecht was gekomen. Kun je je dat voorstellen? Als iemand anders in haar situatie dat deed, zou je haar een mep verkopen, maar Ana Lucía kan het zo brengen dat je het aanvaardt. Ik weet niet wat het is met die vrouw. Ze is zo volstrekt eerlijk dat je er niets tegen in kunt brengen. Ik heb haar zelfs proficiat gewenst.' Dat laatste klinkt als een biecht, maar mijn mama hoeft zich niet schuldig te voelen. Ik weet perfect welk effect Ana Lucía op mensen heeft.

'Hoe ver is ze, mama?'

'Het kind wordt eind augustus al geboren! Dat is over vijf maanden! Weet je wat dat betekent? Ze is pas sinds de zomer bij jullie!' Mijn mama spreekt nu met uitroeptekens. Haar woorden zwiepen als iele boompjes in de wind.

'Zelfs pas sinds september, mama. Het schooljaar was al begonnen. Het spijt me. Het spijt me verschrikkelijk. Ik geloof dat het me nog meer voor jou spijt dan voor mezelf. Ik wilde jou dit gezin geven, mama. Ik wist niet zeker of je er blij mee was, maar ik wilde het je toch geven. Blijkbaar is het allemaal mijn schuld. Ik maak te veel lawaai.'

'Lawaai?' Nu klinkt mijn moeder alsof ze Gerard het liefst met haar handtas te lijf zou gaan.

'Hij zegt dat ik roep. Alles aan mij roept. Hij zegt dat ik het van mijn vader moet hebben, want jij roept niet.'

Sinds de geboorte van Jasper heb ik mijn vader bij mijn moeder niet meer ter sprake gebracht. De opmerking is niet een subtiele poging om haar tot loslippigheid te verleiden. Wat mij betreft is dat hoofdstuk afgesloten, maar nu opent mijn moeder het ongevraagd.

'Jouw vader was geen stille man, maar of hij nou riep...' Ze gniffelt alsof ze zich iets herinnert wat haar amuseert. Nooit eerder heeft mijn moeder tegen mij een woord over mijn vader gezegd. Nooit. 'Hij bemoeide zich vooral met alles. Als iemand een probleem had, voelde hij zich geroepen het op te lossen. De minen pluspunten in kaart brengen. Daar was hij sterk in: de problemen van anderen.'

'Gerard zegt dat ik roep.'

'Ze vinden altijd wel een excuus, Aline. Als iedereen zo stil was als Gerard en ik, zou de wereld een saaie boel zijn.'

'Wat was het excuus van mijn vader?'

'Jouw vader?' Ze zucht heel diep. 'Hij vond mij niet mooi genoeg. Hij wilde een mooie vrouw. Een vrouw met wie hij kon uitpakken. Een filmstervrouw met grote borsten die paste bij zijn Porsche. Hij sprak over vrouwen zoals over koelkasten of auto's of dvd-spelers. Hij hield van mij, maar hij hield niet genoeg van mij. Het ging ook niet om mij. Het ging om mijn borsten, die niet groot genoeg waren. Als het nu was gebeurd, zou ik misschien een brief naar dat vt4-programma hebben gestuurd. Ken je dat?'

'*Beautiful*?'

'Ja, *Beautiful*. Woensdag was de eerste aflevering. Heb je die gezien?'

'Nee, mama. Ik had andere dingen aan mijn hoofd. Maar jij bent wel de laatste vrouw die ik daaraan mee zie doen.'

'Nu is het niet meer nodig, maar toen had ik hem misschien kunnen houden. Maar waarschijnlijk had hij dan gezegd dat het natuurlijke borsten moesten zijn. Weet jij of je het verschil kunt zien?'

'Ik denk dat je het voelt. Het silicone vroeger kon je voelen. Ik weet niet wat ze er nu in stoppen. En er zal ook wel een litteken zijn, veronderstel ik.'

'Ik heb jou er nooit iets over willen zeggen omdat ik dacht: hoe kan ik Aline dat uitleggen? Dus dacht ik: ik zwijg die man dood. Ik heb een stommiteit begaan en moet er de consequenties van dragen. Zo'n man verdient het niet dat er over hem wordt gepraat. Maar nu zul je het misschien begrijpen. Soms zijn mannen heel kieskeurig en soms zijn ze volstrekt blind.'

'Ik vind niet dat jij kleine borsten hebt, mama.'

'Ah, Aline. Als hij bij me was gebleven, was je misschien in een benzinestation opgegroeid. Dat was zijn droom: borsten, benzine en een Porsche.'

'Hoe heette hij, mama?'

'Wil je hem opzoeken?'

'Ik weet het niet.'

'Ja, je wilt hem opzoeken. Je bent in staat alle benzinestations af te lopen. Het is lang geleden, Aline. Ik weet zelfs niet of hij nog leeft. Zijn neef had een benzinestation, dat hij hoopte over te nemen. De neef zou misschien emigreren. In afwachting reed hij in een Porsche rond op zoek naar borsten.'

'Was hij rijk?'

'Het was een tweedehands Porsche. Of een derdehands.'

'Maar een Porsche.'

'Ik heb niets meer van hem. Niets. Hij is zelfs niet voor de bevalling gebleven, Aline. Ik heb het blad gevonden met zijn berekeningen: meer min- dan pluspunten. Gerarda is voor de man die met mij naar het ziekenhuis is gegaan. Gerard Demuynck. Daarom heet jij Gerarda. Telle mère, telle fille. Dat zeiden de mensen vroeger. Als je de dochter wilt kennen, moet je de moeder bestuderen. En dan keek ik naar jou en dacht: wij zijn in ieder geval een uitzondering op de regel. Maar nu zijn jij en ik een beetje hetzelfde.'

'Mama,' zeg ik. Ik kan alleen maar 'mama' zeggen. Wat valt er anders te zeggen?

'En doet hij nog zijn werk in het pension?'

'Ah nee, mama. Ze zijn alle twee weg. Ik mag alles hebben, zegt hij. Ook het werk.'

'Is het druk?'

'Het is hier altijd druk, mama. En Sally heeft problemen met haar zoon en ik weet eigenlijk niet wanneer ik haar terugzie. Ze was ook kwaad op mij vanwege iets doms. Je kent Sally. Die roept nog meer dan ik. Raf heeft beloofd in te springen. Hij is nu aan het slapen, maar straks neemt kapitein Raf het bevel over de Algera over.'

'Je zou op den duur denken dat wij vrouwen beter iets met homo's kunnen beginnen. Die Gerard was ook een homo. Eigenlijk had ik met hem kunnen trouwen. Hij wilde dolgraag een kind. En borsten interesseerden hem niet.' Ze giechelt. En ze komt me helpen. Ze legt de hoorn neer, stapt in haar auto en rijdt naar mij.


De kinderen komen als engeltjes thuis. Ze zijn niet alleen lief als engeltjes, maar hebben ook allebei vleugeltjes van witte veren op hun rug. Dat is tegelijk een prachtig en een griezelig gezicht, maar nog veel griezeliger is het dat Gerard op straat afscheid van ze heeft genomen. Hij heeft de deur voor ze opengehouden en ze voorzichtig naar binnen geduwd, maar zelf is hij buiten gebleven. Heeft hij geen tijd? Is hij bang of boos? Mag hij van Ana Lucía niet meer binnenkomen?

Ik druk mijn engelen tegen me aan en overlaad ze met kussen alsof ze weken weg zijn geweest. 'Jullie mogen niet wegvliegen, hoor! Jullie moeten hier bij je mama blijven.'

'Engeltjes kunnen alleen naar de hemel vliegen,' zegt wijsneus Jasper. Zijn haar is nog nat en er hangt snot op zijn bovenlip. Hij is

*Aline*

een engel met een snottebel. Jakobientjes ogen zien rood van het chloorwater. Ze moet er voortdurend in wrijven.

'En kunnen ze zwemmen?'

'Natuurlijk kunnen ze zwemmen. Ze kunnen alles.'

'En jij, Jasper? Heb jij een beetje gezwommen?'

'Hij was verschrikkelijk, mama! Hij hing aan papa als een baby-aapje. Jasper is een aap, Jasper is een aap!'

'Kinderen, rustig! Engeltjes vechten niet.'

Dan kan Jakobientje zich niet langer inhouden. 'Ana Lucía heeft de vleugels voor ons gemaakt, mama!'

'En is ze ook mee gaan zwemmen?'

Jakobientje schudt haar hoofd. 'Ze houdt niet van water. Water is te nat, zegt ze. Ze wonen in een hotel, mama. Papa en Ana Lucía wonen in een hotel! Ze hebben maar één kamer. Ana Lucía kookt niet meer, want er is geen keuken. Al hun spullen liggen op een hoop in een hoek van de kamer. Ook papa's mooie nieuwe broek ligt zomaar op de grond! We zijn er geweest om de vleugels te passen.'

'Het zijn echte velen, mama.' Nu Jasper opgewonden is, levert hij een moeizame strijd met de r en 'spleekt' hij een beetje als een Chineesje. 'Ana Lucía heeft ze op het strand gevonden en geverfd. Ze heeft een hele glote zak vol. En volgende keel mogen wij samen met haar velen gaan lapen en daarna mogen wij ze verven.'

Jakobien knikt zoals Gerard knikte terwijl Sally vertelde. Elk woord dat haar broer zegt, is waar. Mijn kinderen lijken allebei op hun vader, Jakobientje nog meer dan haar broer. Je kunt niet weggaan, Gerard. In je kinderen blijf je hier.

'Als de vleugels van meeuwenveren zijn gemaakt, zijn jullie geen engeltjes, maar meeuwen.'

Door de verf hebben de veren hun zachtheid en soepelheid verloren. Er zitten stevige pennen tussen en donzige pluimpjes. Ana Lucía heeft de vleugels met fijne steekjes aan bretels vastgenaaid.

Als je ze naar beneden trekt, worden mijn engeltjes weer doodge-wone aardbewoners.

'Papa zei dat we ze bij hem moesten laten, maar Jasper wilde ze aan jou laten zien. Hij begrijpt het niet, mama. Hij wil het maar niet begrijpen.' Jakobientje, die het wel begrijpt, haalt somber de linkerbretel van haar schouder. Zielig bungelt de meeuwenvleu-gel halverwege haar been. Haar handje gaat naar de rechterbretel, maar ik hou haar tegen.

'Hou ze maar aan, Jakobientje. Ga ze aan oma laten zien. Oma is in papa's kantoor. Ga oma een dikke kus geven!' Dapper glim-lach ik naar mijn lieve, bezorgde engel van zeven, Jakobientje Van Malderen, stiefdochter van Ana Lucía Suárez Blanco, die hemel-lichamen op de muren van de keuken schildert en mijn kinderen met meeuwenveren uitdost; dochter van een moeder die roept en een vader die naar stilte en poëzie verlangt; en kleindochter van een man die borsten belangrijker vond dan zijn eigen kind.

Mijn kinderen weten dat hun mama haar papa niet kent en dat mama daar veel verdriet over heeft gehad en ook oma heeft veel verdriet gehad, maar nu zijn ze allebei gelukkig met Jasper en Ja-kobientje. Oma laat dat niet altijd merken, maar dat komt omdat oma soms heel erg moe is, zo moe dat ze niet meer kan laten zien hoe blij ze wel met Jasper en Jakobientje is. Maar omdat mama niet weet wie haar papa is, weten zij niet wie hun ene opa is. Voor hen is dat minder erg, want ze hebben een papa en een opa, en de opa's van veel kindjes zijn al dood, maar het is nog altijd een beet-je erg. Zo vertellen Jasper en Jakobientje het omdat Gerard en ik hun geleerd hebben het zo te vertellen. En ik hoop dat de dag nooit komt waarop ik tegen Jakobientje zeg: 'Nu kan ik je de waarheid over mijn vader vertellen, want nu zul je het begrijpen.'

Jasper neemt de kapotte rekenmachine die hij van Raf heeft ge-kregen en gaat zijn oma met de boekhouding helpen. Mijn moeder heeft absolute stilte nodig als ze de kolommen met cijfers nakijkt en mijn zoon zwijgt zelden langer dan een seconde, maar ze stuurt hem niet weg. Ze geeft hem zelfs 'werk' en maakt een kopie van een blad dat hij vervolgens mag 'controleren'.

Jakobientje is haar nieuwe jas gaan halen, want zonder die jas, zegt ze, kan ze niet mee naar de supermarkt.

'Als je je jas over die vleugels aantrekt, druk je ze plat.'

'Maar ik trek mijn jas niet aan. Mijn trui is warm genoeg.'

'Waarom neem je hem dan mee?'

'Zomaar.'

'Laat je jas thuis, Bientje. Straks maak je hem vuil of vergeet je hem in de supermarkt en dan vloeien er traantjes.'

'Ik zal heel voorzichtig zijn, mama. Ik ben altijd voorzichtig.'

'Bien, doe alsjeblieft wat ik je vraag.' Ze haat het als ik haar 'Bien' noem.

'Ik doe wat je vraagt. Ik ben heel voorzichtig.'

Haar ogen zijn nu ook gezwollen. Je zou zweren dat ze heeft gehuild.

'Het is jouw verantwoordelijkheid, Bien. Jij moet voor je jas zorgen. Als je hem verliest, krijg je geen nieuwe. Dan moet je je oude blijven dragen.'

Mijn moeder kijkt op, maar geeft geen commentaar. Kinderen, vindt ze, hebben af en toe een bevel nodig. Je laat die jas hier. – Waarom? – Omdat ik het zeg. Hoe kun je een kind van zeven verantwoordelijkheid geven?

In de auto hangt Jakobientje tussen beide stoelen in.

'Doe je gordel om.'

'Dat gaat niet met die vleugels.'

'Herinner je je dat filmpje over die mensen bij een auto-ongeluk? Drie van hen hadden geen gordel om en toen die vleugeltjes kregen vlogen ze recht naar de hemel, maar de ene passagier die zich wel had vastgegespt, werd door de gordel op aarde gehouden.'

'Dat was een film, mama.'

'Dat was een film over dingen die echt gebeuren.'

'Als je doodgaat, krijg je geen vleugels, mama.'

Ik zucht. Mijn dochter wil altijd het laatste woord hebben en dat komt, zegt mijn moeder, omdat wij haar het laatste woord láten hebben. Het komt ook, maar dat zeg ik niet tegen mijn moeder, omdat ik geen ruzie met haar wil maken. Ik wil dat mijn dochter van me houdt en ik wil dat ze later goede herinneringen aan haar jeugd heeft. En zeker hoop ik met haar nooit mee te maken wat Sally met Werner meemaakt. Snel kijk ik over mijn schouder. 'Niet mokken, jij!'

'Ik mok niet, mama.'

'Ana Lucía had gele vleugeltjes voor jou moeten maken en ze aan je gele jas vastnaaien.'

'Ik wil geen kuiken zíjn, mama. Ik vind kuikentjes lief. Dat is alles.' Ze klinkt lichtjes geïrriteerd. Het is ook vermoeiend om alles altijd te moeten uitleggen.

'Heeft Ana Lucía gezegd waarom ze voor jullie vleugels heeft gemaakt?'

'Wie vleugels heeft kan vliegen, mama.'

'En waarom vindt ze dat jullie moeten kunnen vliegen?'

'Ze vindt niet dat we moeten kunnen vliegen, mama, maar als je vleugels hebt, dan kún je vliegen.'

'Wrijf niet in je ogen, liefje. Je maakt het alleen maar erger. Heb je je haar in het zwembad gedroogd?'

'Ana Lucía heeft het gedroogd. Ze zei dat ik kou zou vatten. Een neefje van haar is ooit met natte haren de straat op gegaan. Hij heeft kou gevat en is gestorven.'

'Gestorven?'

'Misschien vertelde ze het om Jasper bang te maken. Jasper wilde jou zijn natte haren laten zien om te bewijzen dat hij in het water was geweest.'

'Hij is nog klein, Jakobientje.'

'Straks wordt hij vijf, mam. Ik kon toen al duiken.'

'Je weet dat je in bad nooit een haardroger mag gebruiken?'

'Ja, mama, dat weet ik.' Ze zucht. Ze mag van ons nog altijd niet alleen een bad nemen, hoewel ze beweert dat iedereen in haar klas dat allang doet. Blijkbaar komen veel kinderen ook alleen met de fiets naar school, zelfs kinderen die de Koninklijke Baan moeten oversteken.

'Vind jij Ana Lucía lief?' vraag ik voorzichtig.

'Soms.'

'Liever dan mama?'

Jakobientje legt haar hoofd tegen de hoofdsteun en slaat haar armpjes om mijn hals, maar ze antwoordt niet. Ik weet dat ik dat soort vragen niet mag stellen en ook Jakobientje lijkt het te weten. Natuurlijk vindt ze Ana Lucía lief. Iedereen vindt Ana Lucía lief. Ze ís ook lief.

Terwijl we wachten tot het licht op groen springt, pak ik haar handje en druk er een kus op. Ze draagt nog altijd de ring die Gerard op de kermis voor haar in het schietkraam heeft gewonnen. Ana Lucía was met ons meegegaan en Gerard heeft haar toen zelfs leren schieten. En ik, onnozele Aline Praline, stond erbij en keek ernaar.

'Kijk, mama! De meneer in de auto naast ons. Dat is die meneer die met ons wilde gaan zwemmen!'

Visser Paul draagt zijn zachtgroene jasje en de grijze trui met de rolkraag. Hij peutert niet in zijn neus en speelt niet met zijn baard en bijt niet op zijn nagels. Hij doet niets van de dingen waarvan men zegt dat mensen ze doen als ze denken dat niemand ze ziet. Zijn handen rusten op zijn stuur en zijn blik op het verkeerslicht.

'Toeter, mama!'

'Dat is onbeleefd, schatje.'

'Waarom is dat onbeleefd? Het is onbeleefd als je geen dag zegt.

Wij moeten van jullie altijd dag komen zeggen. Ook als we niet willen. Haast je! Het wordt groen. Hij rijdt weg!'

'Hij rijdt niet naar de maan, Bien. Dag zeggen is niet hetzelfde als toeteren. Van getoeter kun je heel hard schrikken en dan rij je misschien tegen een boom. Je mag het alleen doen als het echt moet.'

En terwijl ik haar zachtjes wegduw uit angst dat ze over mijn schouder gaat hangen om bij de toeter te kunnen, zie ik bij het Shell-station een jongen staan liften en ook Paul Devroey heeft hem gezien, want hij zet zijn knipperlicht aan en mindert vaart. Alsof ik door een jaloerse echtgenote als privédetective ben ingehuurd, volg ik hem en zie hoe hij naast de jongen stopt, zijn raampje opendraait en met hem praat. De lifter moet ongeveer zo oud zijn als de jongen aan wie hij gisteren de schoenen heeft gegeven. Hoeveel van zulke jongens lopen er in Nieuwpoort rond?

'Wat is er, mama?'

'Niets, liefje.'

'Moeten we tanken?'

'Nee, nee.'

'Jij bent aan het spioneren!'

'Maar nee.'

De jongen stapt in en ze rijden weg. Geïntrigeerd blijf ik hen volgen en zie hoe ze zich af en toe tot elkaar wenden. Dan bedenk ik dat het volstrekt normaal is om een lifter mee te nemen en sla de weg naar de supermarkt in. Misschien is het zelfs beter dat Paul Devroey die jongen een lift geeft dan iemand anders. Waarom ben jij altijd zo nieuwsgierig, Aline? Omdat, Gerard, het jouw zaken niet zijn.

'Wij mogen niet liften, hè, mama?'

'Nee, dat mogen jullie niet.'

'Als we ergens naartoe willen, dan moeten we aan jullie vragen ons te brengen. En als we de laatste tram missen, dan moeten we

*Aline*

jullie bellen en dan komen jullie ons halen, waar we ook zijn. Zelfs als het na middernacht is.'

'Vooral dan.'

Tevreden neemt ze haar gele jas mee de supermarkt in. Mijn dochter is vast van plan nooit te worden ontvoerd.

'Jakobien heeft gebeld,' zegt mijn moeder, en ze bedoelt: grote Jakobien, psychologe Jakobien. 'Ik wist niet dat je die vrouw nog zag.'

'Die vrouw is een goede vriendin van me, mama.'

'Je moet de vuile was niet buiten hangen, Aline.'

'Ik hang de vuile was niet buiten. De vuile was hangt zichzelf buiten. Daarnet in de supermarkt vroeg Julienne of het waar was wat ze had gehoord. Ik zei: "Julienne, ik weet niet wat jij hebt gehoord, dus weet ik ook niet of het waar is", en ik heb mijn karretje verder geduwd. Wat zei Jakobien?'

'Ze zal terugbellen. Ik heb twee reserveringen genoteerd en een mevrouw extra handdoeken gegeven. Ik veronderstel dat dat mocht.'

'Voor welke kamer?'

'6.'

'Waar had ze die handdoeken voor nodig?'

'Ze had een bad genomen en de handdoeken in het water laten vallen. Jasper heeft drie fouten in de boekhouding ontdekt.'

'Drie fouten, Jasper! Wat zouden mama en papa zonder jou moeten? Geef mama een kus! Je zus en ik hebben ijsjes gekocht. Na het eten krijg je er eentje. Dat heb je echt wel verdiend. Is dat Sally die aan het stofzuigen is?'

'Ze is hier zonder een goedendag of een goedemiddag binnengestormd en heeft meteen de stofzuiger aangezet. Ze jaagt de mensen weg!'

'Dan zijn jullie met z'n drieën: jij, Sally en Raf. Vind je het erg als ik er met de kinderen uit muis?'

'Nee, dat vind ik niet erg, maar ik wil een lijst maken van alles wat hier moet gebeuren, Aline. Je hebt nieuwe handdoeken nodig. Ik was beschaamd om die handdoeken aan die vrouw mee te geven. En ik wil ook al het beddengoed eens inspecteren en in de salon zou je moeten kiezen tussen de televisie en de piano. Daarnet kwam iemand klagen dat ze niet naar het nieuws kon luisteren omdat er iemand zat te spelen. "Amazing Grace", geloof ik, maar erg vals. En...'

'Mama, je zou komen helpen.'

'Er is hier zoveel te doen, Aline.'

'Mama, dit is geen ziekenhuis waar alles keurig netjes moet zijn. Een beetje rommel is gezellig.'

Ik kijk naar mijn keurig nette moeder in haar keurig nette mantelpak en haar keurig nette blouse. 'Heb jij nooit eens zin, mama, om...'

'Om wat, Aline?'

'Niets, mama. Ik zal nieuwe handdoeken kopen. Je hebt gelijk, het is een schande dat wij onze achtenswaardige gasten zich met zulke vodden laten afdrogen.'

'Je klinkt bitter, Aline.'

'Ik ben ook bitter, mama. Jij bent al je hele leven bitter. Nu zijn we samen bitter. Of jij kunt ophouden met bitter te zijn en ik neem het over.'

Bot, botter, botst, denk ik. Waar zal dat eindigen?

En ook Sally is verbitterd. Ze maakt kamer 12 schoon, hoewel het Algera's schoonste kamer is en er niemand heeft geslapen. Ik zet de stofzuiger uit en vraag haar hoe het gisteren in Rijsel is afgelopen, maar zonder een woord zet ze de stofzuiger weer aan.

'Laat mij mijn werk doen, Aline. De mensen reclameren als het vuil is.'

Verbeten jaagt ze de borstel steeds weer over dezelfde plek, alsof daar de bron van alle kwaad te lijf moet worden gegaan. Straks zuigt ze een gat in het kleed.

'Is alles goed afgelopen, Sally?' roep ik boven het gezeur van de stofzuiger uit.

'Ja, ja.'

'Sally, het spijt me.'

'Wat spijt je?' Eindelijk zet ze zelf de stofzuiger uit, want van wat ze me nu gaat vertellen mag ik geen woord missen. 'Dat hij terug is? Dat hij kwaad op zijn moeder is omdat ze hem aan de politie heeft verraden? Dat hij nooit meer zal doen wat ik hem vraag, want ik ben een klikspaan? Dat zijn dossier bij de politie nu nog een beetje dikker is? Hij had niets misdaan! Ze stonden gewoon in een discotheek een beetje plezier te maken en werden door de politie opgepakt!'

'Maar jij was ook ongerust, Sally. Jij zat in de keuken te huilen. Je was bang! Waar is hij nu?'

'Dat weet ik niet, Aline. Misschien ligt hij nog in bed; misschien is hij opgestaan en weer naar Rijsel vertrokken. Wat zou je zelf doen?'

'Heb je hem uitgelegd waarom je de politie hebt verwittigd?'

'Werner is een jongen, Aline. Jongens laten ze met rust.'

'Dat is niet waar! Dutroux liet jongens met rust, maar er zijn mannen die jongens lastigvallen. Vorige zomer is er hier eentje gearresteerd. Je was erbij!'

'Jij hebt Werner al lang niet gezien. De eerste die met Werner iets probeert, voelt dit.' En ze toont me haar vuist.

'Sally, laten we afspreken dat je voortaan je problemen voor je houdt, oké?'

'Doe jij dat dan ook.'

En met een schop tegen de knop zet ze de stofzuiger weer aan. De rode gordijnen in onze paradekamer zijn verschoten. Mijn moeders lijst zwelt aan.

Als ik met een engeltje aan elke hand naar buiten loop, zit Paul met zijn Samsonite op de bank naast de onze. Hij heeft voor morgen en overmorgen bijgeboekt, heb ik in het register gezien.

'Daar is hij,' fluistert Jakobientje.

'Iedereen mag op die bank zitten, schatje.'

'Hij is altijd alleen, mama. Daarom wilde hij met ons gaan zwemmen en nam hij die lifter mee.'

En terwijl onze indiscrete blikken in zijn rug priemen, vraag ik me af of ik straks ook zo eenzaam op mijn bankje zal zitten als de kinderen de helft van de tijd bij hun vader zijn.

'Misschien wil hij graag met ons gaan eten?' suggereer ik voorzichtig.

'Nee, mama,' zegt Jakobientje kordaat.


In het restaurant verlies ik mijn zelfbeheersing als Jakobientje cola op haar nieuwe jas morst, die ze als een servet op haar schoot heeft gelegd. Mijn hand schiet uit, ik geef haar een mep en roep dat ik haar gezegd heb dat ze die nieuwe jas niet overal moet meeslepen, en denkt ze dat het geld op onze rug groeit, en beseft ze dat er veel minder geld zal zijn nu papa weg is. Mama en papa zullen alles moeten delen, mama weet zelfs niet of ze de auto zal kunnen houden, de auto staat op papa's naam, en waarom kan ze nooit eens luisteren, waarom doet ze altijd haar zin, ze denkt dat ze alles weet maar ze is nog een kind, en af en toe moet ze luisteren naar wat ik zeg en vooral doen wat ik zeg. Vroeger luisterden kinderen naar hun ouders. Het was luisteren of luisteren.

Mensen aan de tafeltjes naast ons houden op met kauwen en staren ongegeneerd. En terwijl de kokende lava kolkend uit mij stroomt en mijn handpalm brandt, loopt Jakobientje met haar gele jas naar het toilet. Jasper wil zijn zus volgen, maar ik zeg dat hij moet blijven zitten; hij moet eten; hij heeft vijf minuten om zijn bord leeg te eten; hij heeft eten gevraagd en nu zal hij het opeten ook. Jakobientje moet niet denken dat zij de wetten stelt. Ze is een kind. Een intelligent kind, maar nog altijd een kind.

'Jasper, eet.'

'Ik heb geen hongel.'

'Honger, Jasper.'

Ik snauw. Ik ben een snauwende moeder.

'Ik moet pipi doen.'

'Straks, Jasper. Eet nu. Anders krijg je geen ijsje.'

'Ik wil geen ijsje.'

'Daarnet wilde je wel een ijsje. Je moet leren weten wat je wilt.'

Als Jakobientje eindelijk weer aan tafel komt, duwt ze haar bord weg en kijkt me in de ogen. Dan zegt ze heel rustig: 'Nu begrijp ik waarom papa bij jou is weggegaan.'

Ik bal mijn vuisten om haar geen tweede mep te verkopen. 'Hoe durf jij zo tegen je moeder te praten?'

'En hoe durf jij mij te slaan?'

Ze trappen op je ziel. Je doet alles voor ze en dan trappen ze op je ziel. De tranen springen in mijn ogen en ook haar broer huilt nu, maar háár ogen blijven bikkelhard en kurkdroog. Ze is een vreemd, kil en vijandig wezen; ze is de dochter van haar vader.

In de auto trekt ze haar bretels naar beneden en ligt met afgeknakte vleugels zo ver mogelijk van mij vandaan op de achterbank. Jasper weet niet met wie hij solidair moet zijn en zit nu eens dicht bij haar, dan weer dicht bij mij. Haar vernietigende woorden hameren in mijn hoofd. 'Nu begrijp ik waarom papa bij jou is weggegaan.' Ik moet haar zeggen dat het me spijt, maar ik kan het daarmee niet goedmaken en ook zij kan het niet goedmaken. Nooit eerder heb ik een van mijn kinderen een mep gegeven; nooit eerder heb ik ze om vergiffenis willen smeken.

Lo siento. Lo siento mucho.

Als we thuiskomen, heeft Paul Devroey met een van zijn jonge vrienden de computer ingepalmd. Het is weer zo'n opgeschoten jongen die zijn lichaam zeer tegen zijn zin met zich meezeult. De twee hebben hun stoelen dicht tegen elkaar geschoven en kijken niet op als ik met de kinderen binnenkom, zelfs niet wanneer mijn dochter hun een ziedende blik toewerpt. En ook de psychiater die het op de televisie over de eeuwige Dutroux heeft, lijken ze niet te horen. 'Ouders moeten beseffen,' zegt de blonde vrouw, 'dat kinderen veel meer opvangen dan ze denken. Er is eigenlijk geen sprake meer van "kinderen" in de traditionele zin.'

Jakobientje steekt haar tong naar de psychiater uit en trekt haar broertje mee.

'Wij gaan boven televisiekijken, mama. Oma zal ons wel in bed stoppen.'

Ik ben voorlopig afgedankt.

De jongen bij Paul heeft zware acne en vet haar. De gescheurde mouw van zijn jasje bungelt als een lamme arm naast hem. Mijn woede, die zich als een uitgeput dier op de besmeurde vloer van zijn kooi ter ruste had gelegd, richt zich opnieuw op. Algera is verdomme geen tehuis voor zwervers! Ik kruis mijn armen en vat post naast de computer.

'Meneer Devroey, de computer is er voor de gasten. En dan nog wordt er gevraagd de toegestane tijd niet te overschrijden.'

Paul schrikt uit zijn concentratie op. 'Dit is Rudi, Aline. Ik help hem bij zijn huiswerk. Rudi moet maandag een spreekbeurt houden over het Limburgse steenkoolbekken.'

'Ik veronderstel dat Rudi al langer dan vandaag weet dat hij die spreekbeurt moet houden. Nieuwpoort telt verschillende internetcafés, meneer Devroey. En ook in alle bibliotheken staan computers. Is hij de jongen die u daarnet een lift hebt gegeven?'

'Hoe weet jij dat ik iemand een lift heb gegeven?'

'Ik moest tanken en toen zag ik u. Mijn dochter herkende u.'

'Rudi en ik zijn hier buiten op de bank aan de praat geraakt. Kan er een printer worden aangesloten? Ik zou graag een paar teksten uitprinten.'

'Nee, dat kan niet.'

'Rudi heeft thuis geen computer, Aline.'

'Dat begrijp ik, maar op alle scholen en in alle bibliotheken staan computers en printers. Algera is geen internetcafé en ook geen openbare bibliotheek. Het is een familiepension.'

'Rudi weet niet hoe hij het net moet gebruiken. Ik leer het hem.'

Ik staar naar Paul Devroey. Daar zit een kopie van mijn moeders tante Paula: iemand die verwaarloosde kinderen met hun huiswerk helpt. Ze hebben zelfs dezelfde naam.

'U weet dat het verboden is om gasten op de kamers te ontvangen?'

Even knippert hij met zijn ogen alsof hij niet begrijpt waarover ik het heb.

'Aline, ik ga nu de computer afsluiten en dan laat ik hem door Rudi opstarten. Dat is de beste leerschool: het zelf doen.'

'Als u de computer langer gebruikt dan toegestaan, moet u extra betalen.'

'Dat begrijp ik, Aline. Kom, Rudi, jouw beurt.'

De jongen grijpt aarzelend de muis.

'De muis is een kwestie van oefenen,' zegt Pauls rustige lerarenstem. 'Hoe meer je ermee werkt, hoe handiger je ermee wordt.'

Er is iets, denk ik terwijl ik mijn hersens pijnig wat het zou kunnen zijn. Mijn dochter heeft iets van een predictortest. Als je wilt weten of je iemand kunt vertrouwen, dan moet je haar even in zijn buurt zetten. Lacht ze, dan is het in orde, maar kijkt ze boos, dan moet je op je hoede zijn.

Paul lijkt zich van geen argwaan bewust. Hij legt zijn hand op die van zijn protegé en bestuurt samen met hem de tegendraadse muis. 'Ontspan je,' zegt hij. 'Je moet je hand ontspannen.'

Later op de avond, nadat ik samen met mijn moeder haar lange lijst heb doorgenomen en met lichte wanhoop heb beseft dat we zeker vijftienduizend euro zullen moeten uitgeven en zij heeft voorgesteld om geld voor te schieten en ik haar heb opgebiecht dat ik eigenlijk niet goed weet wat er met het pension zal gebeuren want dat Gerard en ik onze eerste financiële afspraak nog moeten maken, ga ik in een dikke trui en een warme jas op onze bank zitten wachten. Toen ik mijn kinderen daarnet toedekte, heb ik in Jakobientjes slapende oor gefluisterd dat ze niet boos op haar mama mag zijn. 'Mama houdt heel veel van jou,' zei ik en ze glimlachte in haar slaap. Ik hoop dat ze aan haar vader niets over die mep vertelt. En zeker niet aan de ingetogen Ana Lucía.

Ik weet niet hoe lang ik daar al zit als ik stappen hoor, maar zonder op of om te kijken weet ik dat hij het is. Net als gisteravond is hij met zijn koffer op stap geweest. Hoeveel mensen zouden zich de man met de Samsonite herinneren als er ooit een signalement van hem werd verspreid?

Hij gaat op de linkerhoek van zijn bank zitten en ik schuif naar de rechterhoek van de mijne. Zo zitten we naast elkaar zonder naast elkaar te zitten.

Na een korte pauze zegt hij: 'Rudi vroeg me je te bedanken.'

'Mij hoeft hij niet te bedanken, meneer Devroey. Ik geloof dat ik mijn standpunt duidelijk heb gemaakt. Het is nobel dat u jonge mensen met hun huiswerk helpt, maar daar is de computer van Algera niet voor. Als Rudi thuis geen computer heeft, dan moet de school hem helpen een oplossing te vinden.'

'Waarom weiger jij me met mijn voornaam aan te spreken, Aline? Hoe dikwijls heb je me al "meneer Devroey" genoemd? Je lijkt bang dat ik mijn naam vergeet.'

'Wij spreken gasten nooit met de voornaam aan, meneer Devroey. Waarom bent u gebleven?'

'Heb jij ook soms het gevoel, Aline, dat deze dijk de rand van de wereld vormt? Eerst is er nog het strand en verder gaapt er een diepe afgrond.'

'Het is niet het einde van de wereld, maar het einde van het land, meneer Devroey.' Ik heb geen behoefte aan poëtische bespiegelingen. Eén dichter in mijn buurt volstaat.

'De zee maakt me bang, Aline. Ik hou van de zee en tegelijkertijd maakt ze me bang.'

'Mij ook,' geef ik toe. 'Zeker 's nachts. En toch zou ik nergens anders willen wonen dan op deze dijk, met mijn rug naar het land.'

Vanmorgen heeft mijn zoon tegenover Paul Devroey zijn mond voorbijgepraat. Zou hij de betekenis van flapuit Jaspers woorden hebben beseft? Ana Lucía is de lucht, denk ik, Gerard de aarde en ik water én vuur. Daarom maak ik zoveel kabaal. Ik hoor mezelf hysterisch lachen.

'Waarom lach je?'

'Ik lach omdat ik denk iets te hebben begrepen. Onze kok heeft de keuken hemelsblauw geschilderd en vervolgens heeft ze de muren met een zon en een maan versierd. Eerst dacht ik dat wij drieën, zij, mijn man en ik... Ik dacht: Gerard – dat is mijn man – is de zon, ik ben de maan en zij is de hemel. El sol, la luna y el cielo. Samen vormen wij een universum. Maar nu zie ik het anders. De kok heeft voor mijn kinderen vleugels van meeuwenveren gemaakt, dus zij is de lucht. Ze heeft een hekel aan water en haar moeder leeft in een klooster, waar ze dag en nacht voor vrede op aarde bidt. Zij en haar moeder staan met één been of één teen in de hemel. Mijn man, die de marathon loopt, is de aarde waarop hij zijn voeten plaatst, en ik, ik ben... U zou water kunnen zijn. De eerste keer dat ik u zag, moest ik aan portretten van vissers denken. Zo is het: Ana Lucía de lucht, Gerard de aarde, u het water en ik het vuur.'

Hij lijkt het absoluut niet vreemd te vinden dat ik hem in dit kwartet betrek.

'Vroeger,' zegt hij, 'ging ik met mijn vader vissen, maar nooit op zee. We zaten uren met een hengel aan de oever van het kanaal. Ooit heb ik een baars gevangen. Mijn moeder wilde nooit mee.'

'Leeft uw vader nog?'

'Ja, ja. En hij gaat nog altijd vissen en mijn moeder blijft nog altijd thuis. Ook zij houden niet van verandering.' Hij lacht schamper. 'Later heb ik iemand gekend die in een kanaal is verdronken.'

'Uw vrouw?'

'Iemand anders.'

'Is uw vrouw lang geleden gestorven?'

'Ja. Zo lang geleden dat ik me weinig van haar herinner. We waren maar kort getrouwd.'

'En u bent nooit hertrouwd?'

Hij schudt zijn hoofd.

'Hebt u een vriendin?'

'Nee, Aline, ik heb geen vriendin.'

'Ergert mijn nieuwsgierigheid u? Mijn man klaagt er altijd over, maar er bestaat een groot verschil tussen nieuwsgierigheid en interesse. Ik ben in mensen geïnteresseerd. Hij niet. Voor hem zijn de gasten te veel. Er is altijd wel iemand die dringend iets nodig heeft of iets wat dringend moet gebeuren. Het houdt nooit op.'

Paul zwijgt en we luisteren naar het ruisen van de zee en de wind en het verre verkeer op de autoweg. Na een tijdje schraapt hij zijn keel.

'Ik ben vanmiddag met die jongen die je me een lift hebt zien geven in Oostende naar het monument voor Leopold II gaan kijken. Hij werkt in het Thermenhotel maar kende het niet, hoewel het ernaast staat. Hij was te vroeg, dus ik zei: kom, ik wil jou iets laten zien. Ken jij het? Heb je het ooit gezien? Die beelden van naakte Congolezen die respectvol naar de grote vorst opkijken? "De dank van de Congolezen aan Leopold II om hen te hebben bevrijd van de slavernij onder de Arabieren." Zo heet die beeldengroep. "De dank!" Ik verzin het niet. En Leopold heet er "de geniale beschermer van de stad Oostende. Son génial protecteur." Leopold II die de Congolezen zou hebben "bevrijd"!'

'Ik denk dat mensen dat monument voorbijlopen zonder het te zien of erover na te denken. Ik heb in Oostende gewoond, maar ik ken het niet. Mijn moeder ook niet, denk ik.'

'De waarheid is een vreemd ding, Aline. Alle mensen zeggen dat ze de waarheid willen weten, maar zodra ze haar weten, negeren ze haar. De waarheid is te groot of te lastig of te onverbiddelijk.'

'Waarom vertelt u me dit, meneer Devroey?'

'Paul, Aline. Ik heet Paul. Ik vertel het je omdat ik vanmiddag met die jongen naar het monument ben gaan kijken. Hij had nog even tijd, dus heb ik hem een les geschiedenis gegeven. Hij wist niets over Congo. Absoluut niets. Hij leek nauwelijks te weten wie Leopold II was en al helemaal begreep hij niet waarom ik me over dat monument en die groteske tekst opwind.'

'U voedt onze jeugd op: spreekbeurten over het Limburgse steenkoolbekken, een les over de Belgische koloniën. Bent u leraar geschiedenis?'

'Geweest. Vroeger.'

'En wat doet u nu?'

'Een beetje van alles.'

'Ik ga slapen, meneer Devroey. Ik ben de afgelopen dagen een paar waarheden te weten gekomen die ik met plezier zou willen negeren, maar anders dan dat monument laten ze zich niet negeren. Misschien moet u het mij maar eens laten zien. Als u tijd hebt. Misschien kan ook ik een les geschiedenis gebruiken. Ik ben nooit zo goed in geschiedenis geweest. Ik vond het altijd een beetje een saai vak. Misschien kregen we het niet van de goede leraar. Blijft u hier zitten?'

'Ik blijf nog even, ja. Slaap zacht, Aline.'

'Slaap zacht, meneer Paul.'

Boven in het appartement ligt mijn moeder op de canapé te snurken onder een donsdeken uit een van de gastenkamers. Haar mantelpakje, witte blouse, kousen en ondergoed hangen netjes over de leuning van een stoel. Ik zoek het label van haar beha en zie dat mijn mama een A-cup heeft. Ik heb mijn moeder nooit naakt gezien, of zelfs maar in haar ondergoed of in een badpak, en nooit eerder heb ik een beha van haar aan een inspectie onderworpen. Zou ze zich al die jaren hebben geschaamd? Zou ze zich daarom onder die mantelpakjes hebben verstopt? 'Je bent er toch maar altijd voor mij geweest,' fluister ik. 'Voor mij en voor mijn kinderen. En je bent er nog altijd. Je mag me alles over hem vertellen als je wilt, maar eigenlijk hoef ik het niet te weten. Misschien wil ik het liever niet weten. Ik weet genoeg.'

Ik kijk naar de beha en vraag me af wat mijn vader me zou vertellen. Alle mensen zeggen dat ze de waarheid willen weten en vervolgens negeren ze haar. Het is Paul, Aline. Noem me alsjeblieft Paul.


Jaspers vleugelbretels liggen in de badkamer op de grond, maar nog altijd hoef ik me niet te beheersen om ze niet te vertrappelen. Integendeel. Met een glimlach denk ik aan mijn engeltjes die altijd mijn engeltjes zullen blijven, wat er ook gebeurt. Pas als ik mijn moeders briefje op mijn hoofdkussen lees, begint de lava opnieuw te borrelen. 'Sally slaapt in de kamer van AL en zorgt morgen voor het ontbijt. Jakobientjes nieuwe jas hangt aan de draad te drogen. De colavlek is eruit. Probeer te slapen. Je hebt het nodig. Mama.' De kamer van AL. Wie verbeeldt ze zich wel dat ze is? Waar haalt ze het lef vandaan om met mijn man... Ik trek de kleerkast open en ruk alle kleren eruit die Gerard nog niet meegenomen heeft: sokken, hemden, broeken, T-shirts, ondergoed, truien, dassen, de shortjes die hij draagt als hij gaat trainen. In de fik, denk ik, ik giet er kerosine over en steek het allemaal in de fik, hier in deze kamer, die dan ook maar moet uitbranden. Niets van die man mag in mijn kast blijven. En er moeten schone lakens op het bed, want deze ruiken naar hem. Verrader, denk ik terwijl ik verrukt ontdek hoe makkelijk een hemd zich laat scheuren als je eerst een knipje in de zoom geeft. Smerige, laffe, laaghartige verrader, alles van jou maak ik kapot!

Twee uur later heb ik nog geen oog dichtgedaan. Onder mijn schedel graaft een colonne termieten een tunnel door mijn hersenen en in mijn oor zoemen bijen steeds hetzelfde lied: Ana Lucía draagt Gerards kind, Ana Lucía draagt Gerards kind. Ze heeft zijn hartje zien kloppen. Het is een zoontje. AL draagt G's kind, het heeft een hartje. Ana Lucía is lucht, Gerard is aarde, Aline is water én vuur. Nee, Paul D. is water, Aline is vuur, samen zijn ze water en vuur. Ana Lucía gaat naar de hemel en Aline spuwt vuur. Het is een zoontje. Zijn hartje klopt. Paul vist en Gerard loopt. Mijn mama heeft kleine borsten. G houdt van AL, ik heet Aline, mijn vader heet Gerard, nee, Gerard was bij mijn moeder toen ik werd geboren. Mijn vader is een patser met een Porsche en aan elke arm een vrouw met grote borsten. Als hij bij mijn moeder was gebleven, rook ik naar benzine. Elk kind moet een naam krijgen, dat moet van de wet, hoe zullen Gerard en Ana Lucía hun zoontje noemen, Lo Siento, hij zal Lo Siento heten, Lo Siento Mucho Van Malderen...

Ik gooi de donsdeken van me af om het treiterige refrein te ontvluchten, maar mijn moeder slaapt in de woonkamer en dus blijf ik liggen in het bed, waar het gewriemel me gek maakt. Opnieuw gooi ik de donsdeken van me af en dit keer sta ik op. Lang blijf ik staren naar de bundel waarin ik het puin van Gerards garderobe heb geknoopt. Dan trek ik mijn kleren aan en sluip de trap af.

Beneden zit kapitein Raf in de gele cirkel van een bureaulamp een tijdschrift te lezen. Beeld ik me in dat hij schrikt? Houdt hij me voor een spook?

'Is iedereen binnen?'

Mensen die na middernacht rondzwalken, boeken zelden een kamer in Algera.

'Ik dacht dat je sliep.'

Heeft Raf van Gerards afwezigheid gebruikgemaakt om een vriendje binnen te smokkelen? Maar waar houdt de verstekeling zich dan verborgen?

'Is er iemand in de salon?'

Hij schudt zijn hoofd. 'Iedereen is naar bed. Als je niet kunt slapen, moet je blijven liggen, Aline. Het laatste wat je mag doen is opstaan, en je mag zeker geen televisiekijken.'

'Wie zegt dat?'

'Iedereen.'

'Slaap jij goed?'

'Ik val in slaap voor mijn hoofd het kussen raakt.'

'Ik vroeger ook. Had jij het zien aankomen, Raf?'

Hij zucht. Raf wenst geen partij te kiezen of uitspraken over ons huwelijk te doen. Raf houdt zich op de vlakte. Misschien zou ik dat in zijn plaats ook doen. Hij is een nachtwacht, geen huwelijksconsulent. Hetero's zijn geobsedeerd door monogamie, zegt hij. Maar homo's verwekken geen kinderen in het overspelige bed.

'Ben jij ooit gedumpt, Raf?'

'Iedereen wordt wel eens gedumpt, Aline. Maar als er kinderen zijn en na zoveel jaar... Probeer te slapen. Alles wordt alleen maar erger als je te weinig slaapt.'

Hij leest enkele regels en kijkt dan op alsof hij hoopt dat ik intussen verdwenen zal zijn.

'Jij bent hier nu de man in huis, Raf. Jij en die Paul Devroey.'

Hij vraagt me niet wie dat dan wel mag zijn. Kapitein Raf wil dat ik ophoepel. Het nachtelijke Algera is zijn territorium.

'Is hij laat thuisgekomen?'

'Wie?'

'Paul Devroey. De man met de Samsonite. Hij heeft een ringbaardje.'

'O die. Die is nog niet zo lang binnen.'

Er sluipt iets vaags in zijn stem en zijn ogen ontwijken mijn blik.

'Wat vind je van hem?'

'Van wie?'

'Van Paul Devroey.'

Raf haalt zijn schouders op. Waarom zou hij een mening over Paul Devroey moeten hebben? Of over mijn huwelijk of over Gerards verhouding met Ana Lucía? Hij wordt niet betaald om meningen te hebben. Misschien moet ik met een speer in zijn flank prikken om een reactie te krijgen. Maar Raf kan honderduit kwebbelen. Soms plakt zijn telefoon uren tegen zijn oor.

'Wat doe jij hier eigenlijk 's nachts, Raf?'

'Mailen, zappen, sms'en, lezen, surfen.' Hij glimlacht.

'Zou je met mij een glas wijn willen drinken? Als ik snel achter elkaar een paar glazen wijn naar binnen giet, kan ik misschien slapen.'

'Ik drink nooit tijdens het werk, Aline. Mijn bazen willen dat niet.'

Misschien is zijn lach te breed of te geforceerd. Misschien trilt zijn hand zelfs een beetje als hij het tijdschrift oppakt om me duidelijk te maken dat hij nu werkelijk verder wil lezen.

'Sally zorgt morgen voor het ontbijt.'

'Dat weet ik, Aline.'

'Heeft ze nog iets over Werner verteld?'

'Nee, Aline.'

'Heb jij soms ook de indruk dat ze liever hier dan thuis is?'
Raf antwoordt niet.

'Ik zal schaapjes tellen, Raf. En dank je voor alles. Als jij er vandaag niet was geweest... Jij, Sally, mijn moeder... jullie zijn nu de mensen die ik kan vertrouwen.'

Onderweg naar boven vraag ik me af of Gerard zich door Raf naar bed zou laten sturen en wat hij straks zal zeggen als hij zijn kapotte kleren ontdekt. Waarvan gaan Gerard en Ana Lucía leven? En het zoontje dat over enkele maanden geboren wordt? Hebben ze in het geheim een spaarpotje aangelegd? En zal de dag niet onvermijdelijk komen dat Algera moet worden verkocht? Wat zal ík dan doen? 'Het spijt me, Aline, maar ik heb het geld nodig.' Altijd en eeuwig: lo siento. En terwijl ik me voorneem om maandag een advocaat in de arm te nemen en misschien maar meteen ook de notaris te bellen, hoor ik iemand hoog en zuiver zingen, alsof de hemel een heraut naar Algera heeft gestuurd. Het is niet de televisie of de radio of een cd, en het is ook geen engel, want engelen vereren de aarde zelden met een bezoek. Ik druk mijn oor tegen de deur van kamer 12b, de kamer die uitkijkt op een blinde muur, en ja, de hemelse stem zingt daar. Het lijkt Russisch of Pools, of misschien Tsjechisch of Roemeens. Weet ik veel. Raf, denk ik terwijl de lava begint te borrelen, kapitein Raf heeft de andere kant op gekeken. Daarom wilde hij me zo gauw mogelijk weg hebben.

Met mijn vlakke hand mep ik op de deur zoals ik op Paul Devroey zou meppen als hij voor me stond.

'Meneer Devroey,' brul ik, 'ik kan overal binnen, dit is mijn pension, het pension van mij en mijn man. Dit is een familiepension!' Met beide vuisten hamer ik op de deur. 'Meneer Devroey, ik had u verwittigd! Geen bezoek op de kamer! Daar is de salon voor.'

Hij trekt de deur open. 'Wat wil je van mij, Aline?'

'Ik wil niets van u. Ik wil dat u verdwijnt. Weg, weg, weg!'

*Aline*

Mijn hand schiet uit en ik sla hem in zijn gezicht. Ik maak me klaar voor een tweede mep, maar hij grijpt mijn pols.

'Jullie zijn allemaal hetzelfde,' roep ik terwijl ik hem met mijn knie probeer te schoppen. 'Jullie denken maar aan één ding! U moest zich schamen! Schaamt u zich niet?'

In de verste hoek van de kamer staat de jongen op zijn benen te trillen. Hij zingt niet alleen als een engel, maar ziet er ook als een engel uit met zijn lange natte blonde krullen, zijn tengere lichaamsbouw en zijn bleke doorschijnende huid, die niet goed is afgedroogd. De engel heeft een handdoek om zijn slanke lendenen geknoopt. Het is een van de handdoeken die door mijn moeder zijn afgekeurd.

'Hoe heet je?' Hij reageert niet. 'Spreek je Nederlands? Deutsch? Français? Español? English? What's your name?'

'Sasha.'

'That's a nice name, Sasha. Maybe you should get dressed and go home.'

'Hij heeft een douche genomen,' zegt Paul Devroey. 'Hij vroeg of hij zich bij mij kon wassen. Hij wilde me bedanken met een lied. Het was het enige wat hij me kon geven. Hij heeft geen "home" om naar terug te keren.'

'Meneer Devroey, ik heb de waarheid gezien en ik zal haar niet negeren. Ik ga nu naar beneden en over vijf minuten wil ik u daar zien met uw tas en uw koffer en het jonge zangtalent. U hoeft niets te betalen, meneer Devroey, ik wil uw geld niet. Ik wil alleen dat u verdwijnt en hier nooit meer een voet binnen zet.'

'Je begrijpt het niet, Aline. Die jongen is dakloos. Hij heeft niets, helemaal niets. Hij heeft alleen zijn stem.'

'Noem me alstublieft geen Aline. Vijf minuten, meneer Devroey. U hebt geluk dat ik de politie niet bel.'

Halverwege de trap komt Raf mij tegemoet. Het is een heel andere Raf, zenuwachtig en bang.

'Ik wist het niet,' zegt hij. 'Ik zweer je dat ik hem niet gezien heb.'

'Daarnet had je hem wel gezien. Je wist zelfs dat hij nog niet lang binnen was.'

'Hem ja, niet de ander.'

'Die is langs het raam naar binnen gevlogen. Of via de schoorsteen. Je uitleg interesseert me niet, Raf. Heb je gezien hoe jong hij is? Ik dacht dat jij een man van principes was: nooit met jongens onder de achttien.'

'Hij wilde een douche nemen, Aline.'

'Dus nu heb je hem wel gezien.'

'Ik geloofde wat hij zei. Het zou niet lang duren. De jongen wilde zijn haar wassen. Hij was echt vuil. Hij stonk!'

'Heeft hij je geld gegeven? Verdien je op die manier iets bij? Maak je van Algera een bordeel? Betalen we je niet genoeg?'

'Hij heeft me geen geld gegeven, Aline. Jij weet niets van de wereld. Waar kan zo'n jongen terecht? Jij weet niet hoe gevaarlijk het buiten is.'

'Ik minacht mensen die kinderen niet met rust kunnen laten. Ik kan je niet zeggen hoe diep mijn minachting is. Ik wil niets met ze te maken hebben. Ik hoef je verklaringen niet te horen. Plus: je hebt gelogen. Ik heb een hekel aan leugenaars, kapitein Raf.'

'Het spijt me, Aline.'

'Daar zat ik op te wachten. Het s-woord. Het spijt me en alles is goed. Het is niet goed, Raf. Ik zal je nooit meer vertrouwen. En ik kan je zelfs niet ontslaan, want dan staan Sally en ik er helemaal alleen voor. Ik moet je dankbaar zijn omdat je me wilt helpen. Als straks die Devroey met zijn schandknaap de trap afkomt, neem je de sleutel van hem aan, en je laat hem hier nooit meer binnen, begrepen? Ik heb hem vijf minuten gegeven, Raf. Ik wil die man nooit meer zien. Schrap zijn naam uit het register. Hij is hier nooit geweest. Hij hoeft niet te betalen. Ik wil zijn geld niet. Verbrand zijn lakens, verbrand zijn handdoeken. Vijf minuten, Raf. Ik ga schaapjes tellen.'

'Aline...'

'Alles is gezegd, Raf. Door iedereen. Er valt in Algera niets meer te zeggen.'

Ik wou dat ik in een voetnoot kon vermelden dat ik als een blok in slaap ben gevallen, dat mijn woede en minachting me voorbij de slapeloosheid hebben gesleurd. Helaas. Maar goddank kan ik nog even in bed blijven liggen, goddank kan ik doen alsof ik lekker lui uitslaap. Ik heb mijn moeder aan de kinderen horen vragen om stil te zijn en mama met rust te laten. 'Mama is uitgeput, mama moet heel veel slapen.' Zo net heeft ze hen mee naar beneden genomen. Goddank heb ik haar.

Om halfeen zit Paul Devroey met zijn weerzinwekkende koffer op de bank. Het is het uur tussen hangen en wurgen: alle oude gasten zijn vertrokken en de nieuwe zijn nog niet gearriveerd. Hij kijkt niet om, maar ik weet dat hij wacht tot ik bij hem kom. Waar haalt hij het idee vandaan dat ik dat zal doen?

Met gekruiste armen ga ik voor hem staan. Ik ben de lerares die de stoute leerling berispt; de leerling die zijn huiswerk niet heeft gemaakt.

'Ik walg van u.'

Dat is het eerste wat ik tegen hem zeg.

'Aline...'

'Noem me geen Aline. Ik had u gevraagd te verdwijnen. Ik vraag het u opnieuw. Verdwijn. Weg.'

'Als ik Sasha niet had meegenomen, had iemand anders het gedaan. Iemand die het tien tegen één niet goed met hem voorhad.'

'Als u die jongen echt wilde helpen, dan had u hem een eigen kamer gegeven. 12 was vrij, dat wist u. Moet ik echt geloven dat hij na het concert zijn kleren zou hebben aangetrokken en zou zijn vertrokken? Ik wil het niet; ik wil het niet in mijn huis; het is zielig, het is pervers. En bespaar me uw verhaaltjes over koning Leopold of over de koloniale repressie. Het gaat om u, om wat u in mijn pension komt doen, om de manier waarop u het onteert. De enige mensen die mij nog interesseren zijn mijn kinderen. En ik wil niet dat mannen zoals u in hun buurt komen. U wilde met ze gaan zwemmen. Waarom wilde u met ze gaan zwemmen?'

'Aline...'

'Noem me geen Aline.'

'Mevrouw Aline...'

'Tacq. Mevrouw Tacq. Aline Paula Gerarda Tacq. Waarom wilde u met mijn kinderen gaan zwemmen? Wat was u met ze van plan?'

'Kinderen zijn het verloren paradijs, Aline.'

'Het verloren paradijs?'

'Je zou me een plezier doen als je die koffer openmaakte.'

'Waarom?'

'Omdat ik het vraag.'

'Waarom zou ik doen wat u me vraagt?'

'Maak hem open. Alsjeblieft.'

'Wat zit erin?'

'Kleren, schoolboeken, een klarinet.'

'Van wie?'

'Van mijn zoon. Maak hem open. Alsjeblieft, Aline.'

'Wat heb ik te maken met de kleren en de klarinet van uw zoon?'

Hij kijkt me smekend aan. 'Maak hem open. Alsjeblieft.'

Ik schud mijn hoofd en ga op de hoek van mijn bank zitten. Ik val nog liever dood dan dat ik iets van die man aanraak.

'U hebt niet het recht jonge mensen lastig te vallen.'

'Ik val ze niet lastig. Ik help ze.'

'U valt ze lastig. U achtervolgt ze. U dringt zich op. Denkt u nu echt dat die jongens graag in uw gezelschap verkeren? U moet ze lokken met schoenen en geld. Het is zo zielig.'

'Ze denken dat ze groot zijn en dat ze alles kunnen. Ze denken dat ze niet tot hun achttiende hoeven te wachten om met een motor te rijden. Ze hoeven ook geen rijlessen te nemen.'

'Wat zegt u?'

'Ik zeg dat ze niet luisteren. Ze denken dat ze onkwetsbaar zijn en alles kunnen.'

Boos kijkt hij naar de koffer.

'Waarom zitten de kleren van uw zoon in die koffer?'

'Hij is gestikt, Aline. Hij heeft zijn eigen tong ingeslikt en toen is hij gestikt. Anders had hij er alleen wat schrammen aan overgehouden. Hij is met de motor van een vriend gaan rijden en hij is gestikt.'

Verslagen kijk ik hoe een meeuw naar de zee duikt en meteen weer opstijgt. De waarheid is altijd veel ingewikkelder dan je denkt. Daarom wordt de waarheid genegeerd en in een koffer gestopt.

'Hoe oud was hij?'

'Vijftien. De gouden leeftijd. Tussen kind en man.'

'U kunt niet eeuwig met die koffer rondlopen, meneer Devroey.'

'Ik was zo ontzettend graag vader, Aline. Alles deed ik graag: koken, wassen, strijken, kinderfeestjes geven, naar het voetbal gaan. Toen zijn moeder stierf, was hij net geen jaar oud. Ik heb hem opgevoed. Je kunt niet geloven hoeveel mensen op zijn begrafenis zeiden dat hij nu bij zijn moeder was. Het klonk alsof ze het goedvonden.'

Iemand slikt zijn tong in en niets is nog hetzelfde. Iemand anders neemt een kok in dienst en vindt nooit meer de weg terug.

'Speelde hij klarinet?'

Hij knikt.

'Hoe lang is het geleden?'

'Elf maanden, twee weken en vijf dagen. Ik wil die dingen niet langer bewaren.' Hij tikt op de koffer. 'Je hebt gelijk. Het is zielig. Ik dacht: ik ga naar zee en daar deel ik zijn spullen uit aan jonge mensen die ze kunnen gebruiken.'

'Hoe heette hij?'

'Ziggy. Ziggy Devroey.'

'Er zijn mensen die geloven dat meeuwen soms boodschappen uit het hiernamaals brengen. Ik zit hier bijna iedere dag, maar ik heb nog nooit een meeuw met een briefje in zijn bek gezien. Waar hebt u vannacht geslapen?'

'In mijn auto.'

'En de jongen?'

'Dat weet ik niet. Hij heeft het op een lopen gezet zodra hij op straat was. Hij was doodsbang van jou.'

'Deed hij u aan uw zoon denken?'

'Ze doen me allemaal aan mijn zoon denken. Ik snuffel aan ze om weer bij hem te zijn.'

'U hebt hulp nodig. Iemand moet u helpen. U kunt niet zo blijven ronddolen. Ik wil niet dat u ooit nog in 12b slaapt. 12b is een hol, een graf. Ik wil niet dat er ooit nog iemand slaapt. U niet, niemand niet.'

Ik schrik van de woede in mijn stem. Iets moet in 12b worden begraven, achtergelaten, opgesloten. De deur moet gebarricadeerd. Het slot met cement volgegoten.

Paul Devroey vraagt niet of dat betekent dat hij in een andere kamer van Algera mag slapen. Het is te vroeg om aan slapen te denken. Eerst moet er worden gegeten en gepraat. Gasten moeten worden ingeschreven en beslissingen moeten worden genomen. Mijn moeders lijst moet de nodige aandacht krijgen en aan Sally moet worden gevraagd of Werner Ziggy's spullen kan gebruiken. Misschien kent hij iemand die de klarinet wil.

Voorlopig zitten Paul en ik op onze banken vastgelijmd. Nooit hoeft er nog iets te gebeuren. Er is genoeg gebeurd. Boven het water krijsen de gulzige meeuwen. Ze klinken als hinnikende paarden, als de schurende ringen van een schommel die dringend geolied moet worden. Nu eens scheren ze laag over de golven, dan weer laten ze zich door warme luchtstromen meevoeren. Wij leven hier. Aan deze oever.

# 3

Ik vraag het hem nog iedere dag en ook hij vraagt het mij. Vijf woorden: 'Zie je mij nog graag?' Of zeven: 'Hou je nog een beetje van me?' Alsof we bang zijn dat het ooit ophoudt. Alsof dit ding tussen ons ooit kan worden ontkend. Licht als een met helium gevulde ballon en log als een koffer vol stenen, maar letterlijk een ding dat ons met elkaar verbindt, nu bijna acht jaar lang.

Binnen in zijn mond is het roze en vochtig en glad, maar zijn huid is donkerbruin als koffie met een zuinig wolkje melk. Als ze hem iets langer in de oven hadden gebakken, was hij helemaal zwart geweest. Zijn polsen zijn smaller dan de mijne en aan de binnenkant ervan is zijn huid zo dun dat je het bloed in zijn slagader ziet kloppen.

'Kijk,' zegt hij, 'mijn hart.'

Alsof het hem verbaast dat hij dat heeft: een hart. En ook mij verbaast het soms. Want hij kan hard zijn, Ruchir. Een harde man met een hart. Een lieve, harde man. En ook ik ben hard. Ik ben nog veel harder dan hij. Als het ooit tot een wedstrijd komt, ben ik degene die wint. 'Hoe kunt ge zo hard zijn?' zei mijn moeder. 'Zo jong en al zo hard.' En hard dat ik daarvan werd. Mijn moeder stopte een trechter in mijn mond en goot me vol beton.

Ruchir giet nooit beton in mijn mond.

'Ontspan je,' zegt hij.

Dat zeggen ze al mijn leven lang tegen mij. 'Zo kan ik u niet onderzoeken!' – 'Ontspan u, anders kan ik u geen spuitje geven.' En gespannen dat ik daarvan word.

Ik was, zei mijn moeder, hard geboren. Zelfs voor mijn geboorte was ik al hard. Precies een steen. Iets wat haar de adem afsneed.

Als ze daar bij de dokter over klaagde, zei die dat ik het was. Ik was de steen die haar de adem afsneed. En nee, hij kon me niet vroeger laten komen. Hij kon het wel, maar hij wilde het niet. Hoe langer ik in haar zat, hoe beter. Zelfs al was ik als een steen. Ze moest geduld hebben. Na de geboorte was ze ervan af. 'Maar toen begon het pas! En weet ge wat uw vader zei?' Ik wist wat mijn vader had gezegd. 'Uw vader zei: "Dat kind heeft geen plaats daarbinnen. Uw vet snijdt dat kind de adem af!"'

Bij de bevalling was ze helemaal gescheurd. Het was niet om aan te zien daarbeneden. En de doktoren wilden daar niets aan doen. Die verdedigden de gynaecoloog die haar had dichtgenaaid als een gefarceerde kip. Ze zorgden daar alleen voor het rijk en chic volk in de dure eenpersoonskamers, want die mochten ze aanrekenen wat ze wilden. 'Dat is de schande van België, dat ge in een eenpersoonskamer beter verzorgd wordt dan in een kamer voor twee of meer. En uw vader, de gierigaard, ging natuurlijk geen geld geven voor een eenpersoonskamer voor mij. "Smeert er wat zalf aan, madameke." Dat zeggen ze er dan niet bij, dat ge daar uw hele leven last van gaat hebben.'

Nooit eerder was er zo'n grote baby in het ziekenhuis geboren. Het was alsof er een kind van zes maanden in die wieg lag. 'Als ge u vandaag ziet, dan zoudt ge dat niet geloven, maar toen stond het in de krant. "Baby van vijf kilo en honderdvijfenzeventig gram geboren in het Middelheimziekenhuis." Met bloemkolen en pompoenen doen ze dat ook. Als er uitzonderlijk grote worden gekweekt, dan staat dat in de krant. "Moeder en dochter stellen het goed." Gij stelde het goed, maar ik niet! Acht voedingen per dag en nog waart ge niet content! Toen ik geen melk meer voor u had, was het gedaan. Wat we u ook gaven, ge haalde er uw neus voor op. Ge wilde mij of ge wilde niets.'

Alle verontwaardiging ebde weg en maakte plaats voor trots. Ik was haar kind, haar enige kind. Ik was uit háár lijf gesparteld en had háár melk gewild.

'Weet ge nog,' zei ze soms, alsof ik me dat kon herinneren. Maar ik knikte en glimlachte zelfs om haar aan te moedigen. En ook zij glimlachte. Vertederd streek ze over mijn haar. Ik was helemaal van haar.

Na mij wilde niet één kind in haar blijven. Het ene hield het acht weken vol, het andere twaalf, een derde vijftien, eentje zelfs vijf maanden, maar dan wilden ze eruit. Soms glipten ze ongemerkt weg, soms zorgden ze voor ondraaglijke krampen. Zeven miskramen. Kon ik mij voorstellen wat dat betekende? En ieder keer naar het ziekenhuis voor een curettage. En de cinema van mijn vader die zich aanstelde alsof híj al dat bloed verloor... Ik had het voor mijn broers en zussen verpest. Uitgeleefd, zei ze. Zoals de appartementen in de blok waar wij woonden. Uitgeleefd en tot op de draad versleten. Rot.

'Wendy, da's een harde.' Iedere dag opnieuw. 'Niet zo hard als haar vader, maar 't scheelt niet veel.'

Hard. Vier lettertjes waarmee je geen ander woord kunt vormen. Hoe je ze ook legt, altijd eindig je met 'hard'. Als Ruchir mij ooit hard noemt, ziet hij me nooit terug.

'Ik meen het Ruchir. Ik meen het echt.'

'Dat weet ik,' zegt hij. 'Je hoeft niet bang te zijn.'

Voor een harde ben ik soms rap bang.


Als baby heeft Ruchir te weinig eten gekregen. Iedereen dacht dat hij de dageraad niet zou halen. 'Ik was niet groter,' zegt hij, 'dan een muis.' En hij lacht. Het eten werd voor de sterke kinderen gespaard en voor de moeders die de kinderen moesten zogen. Zijn moeder had geen melk voor hem. Haar borsten hingen slap als lege waterzakken. Al haar vocht was naar de baby gegaan, en dan nog was die niet groter dan een muis. Langzaam maar zeker mummificeerde ze tot ze met een aangestreken lucifer kon worden verbrand. Iedereen verwachtte dat haar zoontje samen met haar zou worden gecremeerd, maar zíjn hartje klopte dapper verder. Goddank hadden ze hem in de schaduw gelegd.

De achterstand kan niet worden ingehaald. Iedere dag drinkt hij een liter melk en iedere zaterdag loopt hij een halve marathon. Hij eet geen vlees, hij drinkt geen alcohol en hij heeft nog nooit gerookt.

'Je lichaam,' zegt hij, 'is het enige wat je hebt. Of wat je bent.'

Zíjn armen zijn tenger als takken die kunnen worden geknakt en zijn tanden zijn veel te oud voor zijn mond. Te oud en te geel, als de slagtanden van een bejaarde olifant. Een grafschender heeft ze voor hem in het holst van de nacht uit het lijk van een negentigjarige gestolen. Er stond geen maan en een zaklamp had de man niet bij zich. Zo vergiste hij zich van graf. In ruil voor de tanden heeft Ruchir hem zijn haar geschonken. Dik zwart haar uit India. Geloofde ik hem niet?

Ik geloofde hem. Ik geloofde hem altijd.

De eerste keer durfde ik niet op hem te gaan liggen. Ik, die door mijn moeder mager was genoemd, voelde me log en lomp. Als de bek van een uitgehongerde vogel sperde de mond tussen mijn benen zich open. Gulzig at ik hem op.

Om mij te vinden is Ruchir water en land overgestoken. Zijn moeder had hem naar de tempel van Kanya Devi gebracht, want zelf kon ze niet voor hem zorgen. Maar ook de godin wist niet waar ze melk voor de zuigeling kon vinden. Ze was een maagd met alleen maar maagden in dienst en ze had zich voorgenomen altijd maagd te blijven. Met de baby in haar slanke armen bewonderde ze de adembenemende zonsopgang. 'Het blijft mooi,' zuchtte ze. Als de zon helemaal uit de oceaan geklauterd was, zou ze de baby aan het Grote Vruchtwater toevertrouwen. Hij zou nooit liefde kennen maar ook nooit haat, nooit vreugde maar ook nooit verdriet. Nooit zouden er bittere tranen uit die donkere kijkers rollen. Als ze ooit een baby kreeg, dan wilde ze er eentje zoals hij. Maar ze zou nooit een baby krijgen. Die dure eed had ze gezworen. Langzaam begon ze te tellen: één, twee, drie... Bij tien zou ze de oceaan in lopen tot het water aan haar lenige lenden kwam.

Vier, vijf, zes, zeven, acht... Een ongewoon forse kraanvogel landde aan haar voeten. Hij had een gouden kuif en felle brutale ogen. Meteen wist ze dat Shiva hem had gestuurd. Sinds hij haar zonder tekst of uitleg in de steek had gelaten, probeerde hij het met kleine attenties goed te maken. Lieve Shiva. Ze voelde zich dichter bij hem dan ze had kunnen zijn als hij in die fatale nacht wel was komen opdagen en met haar was getrouwd. Door zijn verraad – of was het nonchalance? – bleef ze eeuwig jong. Hij was de wind die haar streelde en de lucht die ze inademde. Hij was het zachte ochtendlicht dat door de diamant in haar neus werd weerkaatst.

Met haar ranke hand streelde ze de krachtige hals van de kraanvogel. 'Ben je niet bang voor de lange zware tocht? Waarom heeft Shiva niet een arend gestuurd of een gans?' Driemaal dompelde ze de baby in het zoute water onder. Toen fluisterde ze in zijn oor dat hij nooit mocht vergeten dat Shiva zelf zijn leven had gered. 'Wees moedig, wees dapper, wees sterk. Waar je ook bent, wie je ook ontmoet, wees altijd zuiver als het licht van deze nieuwe dag.' Ze drukte haar goddelijke lippen op de zijne, wikkelde hem in de brokaten sjaal die ze bij het verlaten van haar bed om haar schouders had geslagen en bond de baby zo stevig mogelijk op de kraanvogel vast. Nog altijd had hij niets gegeten.

Ruchir herinnert zich alles. Zelfs zijn uitgemergelde moeder herinnert hij zich, die hem bij Kanya Devi achterliet. Ruchir gelooft dat hij op de rug van een kraanvogel naar België is gebracht en dat Shiva hem heeft gered. Ruchir wéét dat hij in de armen van de godin is gewiegd. Hij heeft haar parfum geroken, haar boezem gevoeld. Zij zou hem aan de golven hebben toevertrouwd, maar daar heeft Shiva een stokje voor gestoken. Ruchir was voorbestemd om prinses Wendy te ontmoeten en moest naar haar worden gebracht. Vier avontuurlijke weken later scheerde de kraanvogel met zijn hulpeloze passagier over de grijze baren van de Noordzee. De wind droeg hen landinwaarts. In Rumst vloog de kraanvogel met zijn laatste krachten een open raam binnen. Hij landde op het bed van de man en de vrouw die Ruchirs nieuwe ouders zouden worden en gaf de geest. Ruchir, die onderweg met regen en wormen in leven was gehouden, snakte naar melk.

Ook zíjn komst stond in de krant. 'Echtpaar uit Rumst adopteert baby uit Kanyakumari.'

Als mijn moeder niet uit het kanaal was opgevist, hadden hij en ik elkaar nooit ontmoet. Dan had de kraanvogel voor niets zijn leven geofferd en had Shiva tevergeefs het lot afgewend. Als mama zoals altijd met de bus naar huis was gekomen, woonden Ruchir en ik nu niet in hetzelfde huis. Zij heeft ons bij elkaar gebracht. Zonder haar was er geen 'ons', geen 'wij'. Zonder haar zat ik nu niet naast hem op de rand van het bad, terwijl hij zijn nagels knipt. Niemand op de hele wereld heeft nagels die zo hard groeien als Ruchir. Dat komt, zegt hij, door al die melk die hij drinkt. Straks zal hij de nagelrandjes met zijn hand bij elkaar vegen en in het vuilnisbakje gooien. Niet eentje zal er op de tegels blijven liggen. Daarna zal hij de nagelknipper in het etui stoppen en de nagelvijl nemen. Wanneer hij klaar is met de nagelvijl, zal hij hem onder de kraan afspoelen en weer op zijn plaats leggen. Als mama nog leefde, had ik dat allemaal nooit gezien.

'Ik zou jou hebben gevonden,' zegt hij.

'Hoe?' vraag ik.

Hij keurt de nagels van zijn rechterhand en blaast het nagelstof weg. 'Ik heb jou gevonden. Ik heb dat baantje in het dodenhuisje genomen, omdat ik wist dat jij daar op een nacht zou staan. Ik had je al gevonden, maar ik had geen haast. Ik wist dat jij naar mij zou komen.'

Hij gelooft wat hij zegt en dus geloof ik het ook een beetje. Ik wil het geloven omdat hij het gelooft. Hij is een groot verwend kind dat tevreden zijn nagels bewondert. Zijn nagels en zijn dikke zwarte haar en zelfs zijn gele tanden, die veel te oud zijn voor zijn mond. Als kind heeft hij veel liefde gekregen. Zijn ouders hadden alle hoop opgegeven. Al jaren lieten ze het raam voor de ooievaar openstaan. Een kraanvogel is een kraamvogel is een ooievaar. Hij werd het schranderste jongetje dat Rumst ooit op school had gekend. Toen hij geneeskunde ging studeren, dacht iedereen dat hij in zijn geboorteland ondervoede baby's wilde gaan redden.

Als Shiva wil dat hij naar India gaat, zal hij een duidelijk teken geven.

Een kraanvogel zal in onze tuin landen. Of op ons bed.

Misschien stuurt Shiva Kanya Devi of komt hij zelf. Wat er ook gebeurt, Ruchir vertrekt niet zonder mij. We gaan samen of we gaan niet.

Hij zegt: 'Ik hou al jaren en jaren van jou. Ik heb jou altijd liefde gegeven.'

Hij zegt: 'Zonder mij had je het niet overleefd. Ik was bij jou zonder dat je het wist. En ook Shiva beschermde je. Hij beschermt jou nog altijd.'

Ruchir wil overal geboren zijn en iedereen altijd hebben gekend. Er bestaat geen jaloersere man dan hij. Zijn blinde geloof vertedert mij. Ik, die hard was als staal, ben vertederd door hem.

'Waarom, denk je, stond ik bij je moeder toen je binnenkwam? Ik zette nooit een voet in de onderzoekzaal. Maar die dag wist ik dat jij zou komen. Je moeder had het me toegefluisterd. "Ruchir," zei ze, "straks halen ze Wendy. Dan moet gij er voor haar zijn."'

'Ze was dood, Ruchir.'

'Natuurlijk was ze dood. Wat lag ze anders in het lijkenhuisje te doen? Ze zat onder de blauwe plekken die niet blauw waren maar bruin, en er kleefde een stukje Marsverpakking aan haar hals. Dat was het eerste wat ze me vroeg. Of ik het kon weghalen. Ze zei het niet, maar ze zong het. Ze zong zo hoog dat ik het nauwelijks kon horen. En ze wilde weten of ik haar dik vond. "Ge vindt me zeker vet? Ik ben ook vet. Ik was alleen gelukkig met eten in mijn mond." Ik zei haar dat ze in India een schoonheid zou zijn. "Wij houden van mollige vormen. Magere mensen hebben geen geld om eten te kopen." Daar moest ze om lachen. "Rustig maar," zei ik. "Straks rol je van de tafel." Toen moest ze nog harder lachen.'

'Ze lachte niet veel, Ruchir.'

'Mensen veranderen als ze sterven. "Ge hebt dat Marspapierke nog niet weggehaald," zong ze. "Nee," zei ik, "en weet ge waarom niet? Stel dat ze een verdachte oppakken met tien repen Mars in zijn zak, dan weten ze: aha, nu kennen we de moordenaar." – "Wendy zal daarvan verschieten. Die heeft mij nog nooit zo gezien. Maar ze zullen mij straks wel wassen. Als ze klaar zijn met hun onderzoeken, dan zullen ze me wassen. Eerst moet Wendy komen zeggen dat ik het ben. Nu weet niemand dat ik ik ben. Ik kan iedereen zijn. Of niemand." Daar werd ze stil van, maar na een tijdje begon ze opnieuw te zingen. Ze zong dat ik dichter bij haar moest staan, want dat jij elk ogenblik kon komen. "Zorg goed voor haar," zong ze. "Ze denkt dat ik niet van haar hou. Ze denkt dat ik haar geen liefde heb gegeven. Natuurlijk heb ik haar liefde gegeven. Ik gaf haar de liefde die jij mij voor haar stuurde. Zij is mijn enige overlevende kind. Als ik haar niet had gehad, was ik geen moeder geweest."'

'Wat zou je hebben gedaan als ik niet bij jou was gebleven?'

'Maar ik wist dat je zou blijven. Je moeder had het me gezegd. Ze had het gezongen zoals walvissen zingen.'

Ze rook naar rotte vis. Gassen waren uit haar darmen ontsnapt en hadden haar buik opgeblazen. Als een ballon was ze gaan drijven. Late wandelaars hadden haar gezien. Ze dachten dat het vuilnis was. Er werd voortdurend vuilnis in het kanaal gedumpt. Maar het was geen vuilnis.

Ik schoot in de lach toen die mensen mij dat vertelden. Zo moe en uitgeput was ik dat ik bij het minste of geringste lachte of huilde. Ik huilde als ik moest lachen en ik lachte als ik moest huilen. Maar ik zag wel aan hun gezicht dat ze dachten: amaai, dat is een harde. Ze waren speciaal voor mij naar Antwerpen gekomen. Ze zagen het als hun plicht mij alle details te vertellen. En toen lachte ik ze in hun gezicht uit.

Het eerste wat de lijkschouwer deed toen hij binnenkwam, was het stukje Marsverpakking met een snel gebaar weghalen. Ik kon zijn nagels over haar huid horen schrapen. 'Die rookte veel,' zei hij laconiek. Misschien raadde hij zelfs dat mijn moeder iedere dag op haar werk twee repen Mars had gegeten. Dat wist ik toen nog niet. Ik had nooit een stap in de school gezet waar zij in de cafetaria werkte. Ik had me nooit afgevraagd wat ze daar precies moest doen. Repen Mars verkopen dus. En Leo's en Lions en wafels van Vigaufra en broodjes met kaas of ham of vleessla of salami en koffie en thee en frisdrank. Broodjes mocht ze eten zoveel als ze wilde, maar snoep moest ze betalen, tenzij de chauffeur een doos Mars liet vallen en de repen geplet of gebroken waren. Dan moest mijn moeder ze wel opeten, want ze konden niet meer worden verkocht. En als de chauffeur geen doos liet vallen, dan gebeurde het dat er eentje uit de handen van mijn moeder glipte. Bij elke levering kletste er wel een doos tegen de grond. Mijn moeder offerde zich op, want het was zonde om al die Marsen weg te gooien. Aesha vertelde het me. Van haar drie collega's huilde zij het hardst. 'Uw moeder at zo graag. Ze had niets anders. Repen Mars en sigaretten. Dat was alles wat ze had.' En toen bloosde ze een beetje. 'Gij waart er natuurlijk ook,' zei ze, waardoor ze het alleen nog maar erger maakte.

Ik zag mijn moeder niet graag. Ze was mijn moeder, maar ik zag haar niet graag en zij zag mij niet graag. Ze zou voor mij door een vuur zijn gegaan en ik misschien ook voor haar, maar we zagen elkaar niet graag. Ruchir wil daar altijd een draai aan geven. Hij weigert die naakte waarheid te aanvaarden. 'Jouw moeder was een vrouw van weinig woorden, maar ze hield van jou en jij hield van haar.'

'Hoe kun jij dat weten, Ruchir?'

'Ik hoor toch hoe je over haar praat. Ik heb gezien hoe ontredderd je was.'

'Ze was mijn moeder, Ruchir. Ze was vermoord of in het water gesukkeld. Ik had twee dagen niet geweten waar ze was. Maar daarom zag ik haar nog niet graag. En ook zij zag mij niet graag. Jij, Ruchir, hebt haar nooit gekend. Ze was helemaal geen vrouw van weinig woorden. Als ze eenmaal begon, hield ze niet meer op.'

Hij haalt zijn schouders op en legt de nagelvijl op zijn plaats. Ik denk dat hij bedoelt: 'Besef jij wel hoe ondankbaar je bent? Heb jij er enig idee van hoe het is om je echte moeder nooit te hebben gekend?' Hij bedoelt: 'Herinner je de goede dingen, zelfs al zijn ze nooit gebeurd. Bedenk goede dingen die je je vervolgens kunt herinneren.' Hij bedoelt: 'Heb je dan niet genoeg aan mij? Maak ik dan niet alles goed?'

'Ruchir?'

'Wat?'

'Ik zie je graag.'


Soms lijkt het precies hetzelfde te betekenen: 'ik zie je graag' en 'ik zie je niet graag'. Of beter gezegd: het betekent niets. Woorden hebben er niets mee te maken.

'Waarom?' vraag ik soms. En ik bedoel: 'Waarom hou je van me?'

'Daarom,' zegt hij.

'Waarom?' vraagt hij soms. En hij bedoelt: 'Waarom hou je van me?'

'Daarom,' zeg ik.

Het is bijna saai. Het ís ook saai. 'En ze leefden nog lang en gelukkig.' Dat zijn wij. Prins Ruchir uit Kanyakumari en Rumst, en prinses Wendy uit Hoboken. Niet Hoboken New Jersey, maar Hoboken Antwerpen. Toen mensen uit de Oude Wereld naar de Nieuwe trokken, gebruikten ze de oude namen voor de nieuwe plekken, alsof de Oude Wereld een tent was die ze hadden afgebroken en in een koffer gestopt om hem aan de andere kant van de oceaan weer op te zetten. 'Maar besef je wel,' zegt Ruchir, 'dat India veel ouder is dan Europa? Wíj zijn de Oude Wereld. Weet jij hoe oud de oudste Veda is?'

'Ja, Ruchir, dat weet ik. En weet je waarom? Omdat jij het me iedere week zegt.'

Hij lacht. 'Jij hebt geluk,' zegt hij. 'Besef jij wel hoeveel geluk je hebt?'


De twee Hobokens hebben niets met elkaar te maken. Hoboken New Jersey komt van 'Hobocan Hackingh': land van de pijp. Die naam hadden de indianen bedacht, lang voor ze bezoek uit de zogeheten Oude Wereld kregen. Ruchir heeft het in dikke encyclopedieën opgezocht, dezelfde encyclopedieën als waarin alles over de Veda's staat.

'Maar als die Nederlanders Hoboken Antwerpen niet hadden gekend, dan hadden ze van Hobocan Hackingh nooit Hoboken gemaakt!'

Wij in Hoboken hebben altijd gedacht dat we onze naam hebben gegeven aan een stad aan de andere kant van de oceaan. Wij noemden ons de Oude Wereld. Wij hadden Ruchir nog niet ontmoet.

Ruchir moet van Hoboken afblijven. Hoboken is van mij.

Ieder jaar wisselen de twee Hobokens twintig schoolkinderen uit. Ze worden uit hun huizen en klassen geplukt en kilometers verder in andere huizen en klassen neergezet. Ieder jaar trouwt minstens één meisje uit het ene Hoboken met een jongen uit het andere, nadat ze jaren met elkaar hebben gemaild, gechat, gebeld of ouderwetse brieven geschreven. Hun kinderen worden op hun beurt naar het andere Hoboken gestuurd, als ze in een van de twee Hobokens zijn blijven wonen. Eenmaal Hoboken, altijd Hoboken.

Ruchir zegt: het is een stadslegende dat het ene Hoboken zijn naam aan het andere te danken heeft.

Het had ook Rumst kunnen zijn. Rumst Antwerpen en Rumst New Jersey. Maar het lot besliste dat het Hoboken werd, dankzij de Lenape indianen die bij het kampvuur graag een pijpje rookten. Dat hield de muggen weg.

Kinderen die van het ene Hoboken naar het andere Hoboken willen reizen moeten toestemming van hun ouders hebben. Daar begint het mee: een formulier dat door de ouders moet worden ingevuld en ondertekend en waarop die ouders hun bereidheid kunnen aangeven om aan kinderen uit het andere Hoboken onderdak te verschaffen. Sommige ouders vullen het formulier in op de dag dat ze hun kroost komen inschrijven. En ook hun kinderen kunnen niet vlug genoeg de oceaan oversteken. Als het moest, verkochten ze hun ziel.

Ik wilde niet naar New Jersey. Ieder jaar zaten we in de klas met kinderen uit New Jersey opgescheept. We moesten hen helpen en vriendelijk voor ze zijn, hoewel ze niets wisten of konden of begrepen. Zelfs de Engelse les konden ze niet volgen. De meesten verveelden zich te pletter. Of ze schrokken als ze werden afgeblaft omdat ze de straat te snel of te langzaam overstaken, of op het fietspad liepen, of in een winkel eindeloos treuzelden voor ze hadden beslist wat ze wilden. Af en toe liep er eentje weg om in de haven op zoek te gaan naar een schip dat naar het andere Hoboken voer, maar de meesten waren in de greep van algehele lusteloosheid. Ik weet niet wat in hun Hoboken over ons Hoboken werd verteld, maar de ontgoocheling stond op hun gezicht geschreven. En toch bleven ze ieder jaar komen. Koppig volhardden ze in hun dwaasheid.

'Natuurlijk wilde je niet naar New Jersey,' zegt Ruchir. 'Wat moest jij in New Jersey zoeken? Ik woonde in Rumst.'

Sommige huizen in Hoboken leken een pension voor kinderen uit het andere Hoboken. Er hing permanent een bord met 'Welkom!' boven de deur. En ook op het hart van de bewoners stond in grote letters 'Welkom' geschreven. Ze leefden met open armen en met een open hart. Mijn vader zei dat ze er geld voor kregen en ook mijn moeder beweerde dat ze zich lieten betalen. Ze verdeelden hun huis in zo veel mogelijk kamers om het met kinderen uit Hoboken New Jersey vol te stoppen. Soms noemde mijn vader een precies bedrag: tweeduizend frank per kind per week. Met tien kinderen had je een forse maandwedde verdiend. Maar mijn vader wilde daar niet aan meedoen. Hij buitte geen kinderen uit.

Wij woonden in een villa met vier slaapkamers, waarvan er maar twee werden gebruikt. De fontein in de tuin kon met roze, gele of groene spotjes worden verlicht en spoot zijn water uit de mond van een schalkse faun. Die leek van brons, maar was van gips. In hun badkamer hadden mijn ouders elk hun eigen wastafel én wc. Mijn moeder had geen kast, maar een kamer voor haar kleren. Als je in de woonkamer muziek opzette, hoorde je die ook in de badkamers en de wc's. En dan was er mijn moeders grootste trots, die zelfs op verwende snotneuzen uit New Jersey indruk zou hebben gemaakt: haar kookeiland. Maar mijn vader wenste zijn villa niet te delen. Kinderen, zei hij, moesten in hun eigen huis bij hun eigen ouders blijven. Was het niet erg genoeg dat sommige kinderen geen keuze hadden? En dan keek hij met bolle, bloed-doorlopen ogen over de rand van zijn bril. Mijn moeder en ik zwegen. We dachten aan mijn vaders droevige levensverhaal. We hoopten dat er geen uitbarsting zou volgen. We hielden onze adem in.

Zijn villa. Mijn moeder dacht dat hij die villa had gebouwd om haar te imponeren. Ze was achttien jaar jonger dan hij. Hij was zes-endertig toen ze trouwden, en zij achttien. Iedereen zei: ge zijt zot, maar zij dacht: ik ga lekker in een villa met vier slaapkamers en twee badkamers wonen. Ze slikte alles van hem voor haar kookei-land en haar kast die een kamer was en de fontein die geel of roze water spoot. Als zij wegging, kwam er vroeg of laat een andere vrouw. Hij sterft eerder dan ik, dacht ze, en dan is alles van mij. De helft van haar voorspelling kwam uit: hij stierf eerder dan zij, maar alles was van de bank. Ze had er nooit aan gedacht zijn villa ook op haar naam te laten zetten. Ze dacht dat dat allemaal geregeld was toen ze met mijn vader trouwde. Ze was toch de moeder van zijn kind?

Als ik aan Ruchir vraag of hij weet wie zijn vader is, zegt hij zon-der aarzelen: Shiva. De god Shiva. Wie anders?

In Hoboken New Jersey stond het tweelinghuis waarin mijn twee-lingfamilie woonde. Ik zou er nooit aan tafel zitten, want de vader liet geen vreemde luizen binnen. Van alles en iedereen in Hobo-ken Antwerpen bestond een kopie in Hoboken New Jersey. Zelfs huisdieren hadden er hun wederhelft. Ik, Wendy Verdonck uit Hoboken Antwerpen, hoefde Wendy WeetIkVeelWie uit Hobo-ken New Jersey niet te ontmoeten. Het volstond dat ze er was. Ergens aan de andere kant van het water. Ik was niet alleen.

'Natuurlijk was je niet alleen.' En ik weet welke zin er zal volgen. Dat hij er was. Zelfs toen hij er nog niet was. Hij, de zoon van

Shiva die door Kanya Devi met een brokaten sjaal op de gouden kraanvogel werd gebonden. Zelfs toen hij me niet kende, kende hij me. Altijd en eeuwig dezelfde antwoorden; altijd en eeuwig dezelfde rotsvaste overtuiging. Maar iedere dag ook dezelfde onrustige vraag: 'Zie je mij nog graag?' Of: 'Hou je nog een beetje van me?' Alsof we bang zijn dat het ooit ophoudt. Alsof dit ding tussen ons ooit kan worden ontkend. Licht als een met helium gevulde ballon en log als een koffer vol stenen, maar letterlijk een ding dat ons met elkaar verbindt, nu bijna acht jaar lang.

Ik heb honger. Ik honger naar verandering en ik honger naar hem. Naar zijn lichaam, naar zijn stem, naar zijn handen, naar zijn lach. Zelfs naar zijn voeten en zijn tenen en zijn teennagels, die hij zo zorgvuldig knipt. En naar zijn lippen en zijn penis, die zo perfect in mij past. En naar zijn hart, zijn zuivere, sterke hart, dat bleef kloppen toen iedereen dacht: hij haalt de dageraad niet.

Ik wil een ander, maar die ander moet hij dan zijn. Ik wil andere woorden horen, maar die woorden moeten zijn woorden zijn. Want ik wil geen ander dan hem. Geen andere stem, geen andere lach, geen ander hart, geen andere lippen en zeker geen andere penis. Hard zuig ik erop zodat hij wild wordt en gromt als een wolf. Shiva neemt bezit van hem. Shiva gebruikt zijn lichaam om het mijne te beminnen. Hij spert zijn mond wijd open, alsof hij me wil opeten. Ik klamp me aan hem vast tot de storm is uitgewoed. Uitgeput valt hij op het bed.

Ooit houdt het op. Ooit ontmoet hij een ander, ontmoet ik een ander. Dan is het sprookje uit.

'Ik zie je niet meer graag. Heb je het begrepen? Je wilt het niet begrijpen. Er is een ander van wie ik hou. Ik kom uit haar bed. Ruik je het niet aan mij? Versta je geen Nederlands? En dit? Versta je dit? Je kunt er nog meer krijgen. Je kunt er zoveel krijgen als je wilt!'

*Wendy*

Nooit, zegt hij. Nooit zal hij zo tegen mij tekeergaan. Hij is niet zoals mijn vader. Ik hoef niet bang te zijn. Heeft hij ooit zijn woord gebroken?

Dat heeft hij nooit gedaan. Hij is goed. Koekegoed. Maar soms is hij hard. Herinnert hij zich die patiënte die zo verliefd op hem was? Herinnert hij zich hoe meedogenloos hij was? En de weduwe die voor hem al die maaltijden kookte, herinnert hij zich haar? Onlangs heeft zijn moeder in zijn wachtkamer geduldig haar beurt afgewacht, omdat ze hem anders nooit ziet. Waarom maakt hij geen tijd voor haar? Heeft ze niet altijd alles voor hem gedaan?

Hij klakt met zijn tong, weigert commentaar. Of hij zegt: 'Als zij mij niet had geadopteerd, had iemand anders dat gedaan.'

'Jij doet altijd je zin, Ruchir.'

'Dat is waar.'

Ik ben zijn zin. Mij heeft hij altijd gewild. Nog voor ik geboren was. En soms voegt hij eraan toe: 'En jij wilde mij.' En dan kust hij me en drukt me tegen zich aan.

Ik ben veel harder dan hij. Ik ben een steen die mensen de adem afsnijdt. En onvoorspelbaar, dat ben ik ook. Iemand met twee gezichten, van wie ge op voorhand nooit weet met welk gezicht ze zal binnenkomen. Te zot of te bot. Precies zoals mijn vader. Dat komt ervan als ge bij de duivel slaapt. Dan baart ge zijn jong.

'Jouw moeder is dood,' zegt Ruchir.

Ik knik. Hij en ik hebben haar in het dodenhuisje zien liggen. We stonden aan weerszijden van de metalen tafel en staarden naar haar lijk. Het was midden in de nacht en ik klappertandde van de kou en de vermoeidheid en de schok. Meer dan twee dagen en nachten had ik niet geslapen of gegeten. Ik lachte omdat ze was gevonden en ik huilde want ze was dood. Ik was te moe om te weten wat ik voelde. Ik probeerde te kotsen, maar er kwam niets uit. Ik nam een sigaret, maar Ruchir zei dat ik niet mocht roken. Ik dacht dat ik in het mortuarium niet mocht roken, maar hij bedoelde dat ik moest stoppen met roken. Hij wilde geen rokende vrouw.

Er kleefde een stukje Marsverpakking aan haar hals en haar nieuwe witte jurk zat onder het slib. Dat zag niet zwart en ook niet bruin of groen of paars. Het zag tegelijkertijd zwart en bruin en groen en paars. Alles aan haar was nat, alsof ze niet een uur maar een minuut geleden uit het water was gehaald. De stof van haar jurk plakte aan haar lijf. Waar de voering gescheurd was, kon je haar huid zien. Het linkerbandje van haar beha ontbrak. Het was niet met een mes doorgesneden en ook niet kapotgerukt. Het ontbrak gewoon, alsof ze het in de fabriek vergeten waren. Uit het ontbreken van het bandje viel niets af te leiden, maar dat hoorde ik later pas, nadat ze binnenstebuiten was gekeerd. Voorlopig klampte ik me aan het bandje vast, dat er niet was: het zou opheldering brengen en naar een motief leiden, misschien zelfs naar een dader.

Het was een sobere, vleeskleurige beha met voorgevormde cups. Mijn moeder was hem na haar werk samen met Aesha gaan kopen. Ze hadden van hun hart een steen gemaakt en de beha's met kant laten liggen. Aesha had besloten dat mijn moeder onder die witte jurk een onzichtbare beha moest dragen. Ze moest eruitzien alsof ze geen beha droeg, zodat de jurk maximaal tot zijn recht kwam. Alle aandacht moest naar de jurk gaan.

'Maar schoon beha's dat ze daar hebben, Wendy. Ge zoudt daar ook eens moeten gaan kijken. En niet duur. Ik zie dat wel niet graag, vleeskleurig. Vleeskleurig is lelijk beige, als ge 't mij vraagt. Maar naar het schijnt is dat wat ge moet dragen onder wit.'

Ze had de vleeskleurige beha gekocht, en een nieuwe jurk én ze was naar de kapper geweest. Er hoorden ook nog blauwe oogschaduw, zwarte mascara en rode lippenstift bij. 'Het is niet,' had Aesha gezegd, 'omdat ge een beetje zwaarder zijt, dat ge u niet schoon moogt maken. Af en toe moet ge uzelf verwennen. Dan voelt ge u beter en dan ziet ge er ook beter uit. Kijk maar naar de studenten: degeen die verliefd zijn, stralen allemaal!'

'Er staat daar geen leeftijd op.'

Dat zei Aesha achteraf tegen mij. Aesha was de jongste en de mooiste van de vrouwen die in de cafetaria van de verpleegstersschool werkten. Het jaar voordien was ze een tijdje met een van de studenten uitgegaan. Er zaten ook jongens op de verpleegstersschool, die officieel Hoger Instituut voor Verpleegkunde heette.

'Waarop staat geen leeftijd?' vroeg ik.

'Op verliefd worden,' antwoordde ze.

Mijn moeder verliefd? Mijn moeder die hoopte dat een man haar aantrekkelijk zou vinden? Ik was verliefd. Ik had een man ontmoet voor wie ik de vrouw van zijn leven was. En ook dat had Aesha meteen in de gaten. 't Was misschien niet het moment om het te vragen, maar ze durfde zweren dat ik verliefd was. Die jongen die bij mij op de begrafenis was, was dat hem?

Ik knikte.

Ik kon het niet wegsteken, zei ze. Kwam hij uit Marokko?

'Nee, nee. Uit het meest zuidelijke puntje van India.' Maar mensen dachten wel vaker dat hij uit Marokko kwam. Vooral Marokkanen dachten dat. Misschien had een matroos uit Marokko in Kanyakumari iets achtergelaten. Prins Ruchir hoorde die theorie niet graag. Prins Ruchir stamde rechtstreeks van de goddelijke Shiva af.

Mijn moeder, zei Aesha, had nooit iets over hem verteld.

'Dat kon ook niet.'

Ik had zelfs nog niet de tijd gehad om me af te vragen wat zij van hem zou denken. En of ik – als ze nog leefde – geïnteresseerd zou zijn in wat ze dacht. Of ik haar had toegestaan een mening over hem te hebben. En dat het verwarrend was, zei ik tegen Aesha, om verliefd te worden terwijl je naast het lijk van je moeder staat. Misschien betekende het niets.

Was ik dezelfde Wendy als twee weken voordien? De Wendy die met haar moeder in een appartement op de achtste verdieping van Blok F woonde? De Wendy die met vriendinnen iedere zaterdag ging dansen? Die weigerde haar moeder daar een woord over te vertellen? Want het ging haar niet aan. Zij had daar geen zaken mee. Ze moest zich daar niet mee bemoeien. Het was mijn leven! Ik was godverdomme achttien!

'Wat neemt gij, Wendy? Dat kan toch niet dat gij de hele nacht staat te dansen, thuiskomt, twee uurkes slaapt en dan in de tea-room gaat werken? Zoiets kunt ge toch maar doen als ge iets neemt? En eet gij wel? Ge moet regelmatig eten. De ene dag laat ge uw bord staan, de andere zoudt ge de pan mee opeten! Ik weet waar ge mee bezig zijt. Ge zegt dat niet aan uw moeder, maar ik weet dat wel. Tegen een moeder kunt ge niet liegen!'

Alsof een moeder helderziende is.

Ik nam niets, mama. Soms een pilleke, ja, en later op de avond misschien nog eentje, maar dat is niet iets om bang van te zijn. Toen gij zo oud waart als ik toen, leefde ge ook niet als een nonne-ke. Ge waart al getrouwd! Ge had mijn vader leren kennen en ge waart met hem getrouwd. En een jaar later had ge een kind. Als ge kon herbeginnen, zoudt ge dan ook niet gaan dansen met vrien-dinnen?

Dat was reden nummer twee waarom ik die verliefdheid niet echt vertrouwde. Achttien was veel te jong om een keuze te maken. Ik wilde niet de fouten van mijn moeder maken.

'Ik ben anders,' zei Ruchir. 'Ik heb niets met je vader of je moe-der te maken.'

Mijn moeder had ook gehoopt dat mijn vader anders zou zijn. Ze was halsoverkop getrouwd om van haar vader weg te komen. Ze ging in een chique villa wonen met een man die van haar hield.

Ik was bang dat er van mijn verliefdheid niet veel zou overblij-ven als ik een beetje was bekomen. Of van de goesting om Ruchir de kleren van het lijf te rukken. Dat was de belangrijkste reden om het niet te vertrouwen. Want zo was ik niet.

Ik dacht: over een maand of twee ben ik weer de Wendy van vroeger. De harde, onvoorspelbare Wendy. De Wendy die jongens uitlacht die met haar willen vrijen. Als Ruchir zich dan misbruikt voelt, zal ik hem zeggen: jíj hebt van de situatie misbruik gemaakt.

Hij hád ook van de situatie misbruik gemaakt. 'Ik had geen keuze,' zegt hij. 'Jij was in staat om met eender wie in bed te stappen. Ik was bang dat je de lijkschouwer zou bespringen. Of die onderzoeksrechter. Of allebei.'

'Jij was jaloers.'

'En jij was gek.'

Ik zal nooit weten wat er in die dagen na haar dood zou zijn gebeurd als Ruchir niet bij haar lijk was opgedoken. Ik kon het niet verstoppen. 'Ruchir!' brulde het in mijn hoofd. Ik wilde maar één ding: bij hem zijn. Soms lachte ik als een zottin. Ik wist niet of ik liep, viel of vloog. En ook Ruchir kreeg oncontroleerbare lachbuien. Dubbelgevouwen schaterden we samen op zijn bed.

'Ge moet huilen,' zei Aesha. 'Ge zult ziek worden als ge niet huilt.' Ze had fonkelende donkere ogen en volle lippen, die ze karmozijnrood stiftte. Zelfs met haar haar samengebonden en haar roze nylon schort zag ze er als een filmster uit. Ze zei dat ik zoals mijn moeder was: ik besteedde te weinig aandacht aan mijn uiterlijk. 'Ge wilt toch niet dat uw vriendje naar een ander kijkt? Een vriendje krijgen is niet moeilijk, maar hem houden...'

Aesha had mijn moeder de beha en de nieuwe jurk helpen uitkiezen. Ze hadden er wel twintig gepast, voor ze haar goesting vond. 'Want dat is niet gemakkelijk, een wit kleed,' zei Aesha. 'In een wit kleed ziet ge er al rap uit alsof ge gaat trouwen.' Bij dat woord barstte ze in tranen uit. 'Als ik het iemand had gegund, dan was het uw moeder. Maar dan met ne goeie man. Ne man die haar respecteert en adoreert. Het heeft niet mogen zijn.' Ze snoot haar neus en nam haar zakspiegeltje. Haar mascara was uitgelopen.

Mama zag er niet uit alsof ze ging trouwen, wel alsof ze in haar nachthemd de straat op ging. De jurk was niet warm genoeg voor het seizoen. Ze moest er een jas over dragen. 'Dat trekt op niks met die jas,' had ze gezegd terwijl ze zich in de spiegel keurde. 'Ik heb dat nog tegen Aesha gezegd, dat dat op niks zou trekken met een jas, maar ze zei dat ik hem moest laten openhangen. Wat vindt gij, Wendy? Open of dicht?'

'Kunt ge daar nu bij,' zei Aesha, 'dat wij toen eigenlijk het kleed hebben gekozen waarin ze zou sterven?' En dat het maar goed was dat ne mens niet alles op voorhand wist.

Aesha was op zoek naar ander werk. Dat gaat niet, zei ze, verder doen alsof er niets is gebeurd. Ze had ziekteverlof gekregen en daarvan wilde ze profiteren om ander werk te zoeken. 'Als ik zeker wist dat het ook was gebeurd als ze zich niet zo schoon had gemaakt... Ik dacht daarmee goed te doen. Ik wilde haar een beetje fierheid geven.'

Ze beet op haar lip. Er waren twee weken voorbijgegaan sinds Ruchir en ik elkaar in het dodenhuisje hadden leren kennen. Het leek een eeuwigheid.

Trouw stuurt Aesha mij ieder jaar rond 20 oktober een kaartje. 'Veel groeten van Aesha, die u en uw moeder niet vergeet.' Ze is op een reisbureau gaan werken. Als mijn moeder niet was gestorven, was ze eeuwig in de cafetaria van de verpleegstersschool gebleven. Maar ze wilde daar niet blijven. Ze wilde er niet aan wennen dat mijn moeder er niet meer was.

Waarom, zo wilde de onderzoeksrechter weten, had mijn moeder die witte jurk aangetrokken? Of beter gezegd: voor wie? Had ik daar enig idee van?

'Voor de meisjes,' antwoordde ik zonder aarzelen. 'Voor Sabine, Laetitia, Julie, Melissa, Ann en Eefje. Uit respect voor hen en voor hun ouders en voor het onnoemelijke leed dat hun is aangedaan. En voor de onschuld, natuurlijk. Voor de kinderen die onschuldig worden geboren.'

Geen seconde twijfelde ik eraan of dat het volledige antwoord was. Die witte jurk, dacht ik, was voor de Witte Mars en de Witte Mars was voor de meisjes. Er was een oproep gedaan om witte kleren te dragen en witte ballonnen mee te brengen. Mijn moeder was een Dutroux-watcher van het eerste uur. De foto's van de vermoorde meisjes hingen in de keuken aan de muur en het portret van Julie en Melissa stond ingelijst op haar nachtkastje. In een schoenendoos bewaarde ze artikels die ze had uitgeknipt en videobanden van programma's die ze had opgenomen. Iedere avond installeerde ze zich met haar sigaretten en een fles wijn voor de televisie en keek opnieuw hoe Sabine en Laetitia uit de kelder van Dutroux werden bevrijd. 'Die kinderen,' jammerde ze dan. 'Die arme kinderen!' Ze propte een handvol chips in haar mond.

Connerotte was haar held. Hij zou de waarheid aan het licht brengen. Toen Connerotte van het onderzoek werd gehaald omdat hij een benefietavond voor Laetitia had bijgewoond waarop spaghetti werd geserveerd, ging ze in ons flatgebouw van deur tot deur met een petitie tegen het spaghetti-arrest. Zevenenveertig bewoners zetten hun handtekening. Ze had ook nog twee andere flatgebouwen gedaan, maar daarna had ze het opgegeven. Onze blok – F – viel nog mee, zei ze, en ook E en D waren te doen, maar met het crapuul in A en B wilde ze niets te maken hebben. Daar woonden mensen die niet beter waren dan Dutroux. Wij waren Alphabet City: van A tot K. 'Ze zouden beter hier alle kelders eens controleren,' zei mijn moeder. Zij durfde er geen stap binnen te zetten. 'Lach niet zo! Zit daar niet zo te lachen. Ge denkt dat niemand mij wil verkrachten? Is dat wat ge denkt? Dat ik te lelijk en te vet ben om te worden verkracht? Ge moogt het zeggen want het staat op uw gezicht te lezen. Ge kunt voor uw moeder niet verbergen wat ge denkt! Maar ge vergist u. Verkrachting heeft niets met liefde te maken. Verkrachting is geweld. Denk daar maar eens over na als ge de hele nacht staat te dansen! Gij zoudt eens een tiende moeten meemaken van wat die meisjes hebben doorstaan. Dan zoudt ge mij niet meer uitlachen! Dan zoudt ge blij zijn dat ge een moeder hebt!'

In de blok werd mijn moeder achter haar rug uitgelachen. Niemand geloofde een woord van wat ze vertelde over de chique villa met de Amerikaanse keuken en de fontein en de spotjes en de bronzen faun die eigenlijk van gips was. Dat kwam ook omdat ik het niet bevestigde. Ze keken me vragend aan, maar ik deed of ik niet begreep wat er van me werd verwacht. Of ze geloofden haar, maar ze vroegen zich hardop af of ze nu werkelijk dacht dat zij de enige was die door haar man in de zak was gezet. En wie dacht ze wel dat ze was!

Op haar begrafenis stonden ze er allemaal. En maar janken alsof ze hun beste vriendin verloren hadden. Blok F zamelde geld in voor een krans met niets dan witte bloemen. Veel mensen droegen witte kleren alsof ze recht van de Witte Mars naar haar begrafenis waren gekomen. Er waren zelfs witte ballonnen. De kranten hadden geschreven dat mijn moeder op zondag 20 oktober in een nieuwe witte jurk van huis was gegaan. Ze had met dochter Wendy afgesproken dat ze na de Witte Mars op tijd voor het avondeten thuis zou zijn. Dochter Wendy was niet naar de Witte Mars gegaan. Dochter Wendy moest werken.

Ziet ge wel, zei Ruchir, dat uw moeder graag was gezien.

Over de doden niets dan goeds.

Soms streelde mijn moeder de gezichten van de meisjes. Die arme, arme meisjes. Er viel een traan op hun gezicht. Dan was het alsof ze samen een potje huilden.

Ze hield van hen omdat ze niet van mij kon houden. Ik was te

*Wendy*

hard. Te onvoorspelbaar en te hard. Ze had het geprobeerd, maar het lukte niet. Niemand kon van mij houden. Ik was een harde. Een bikkelharde.

Als ze van mij had kunnen houden, was ze die zondag thuisgebleven. Of ze zou me mee hebben gevraagd. Ze zou een briefje hebben geschreven voor de bazin van de tearoom om te zeggen dat ik ziek was. Met mij erbij was ze veilig teruggekeerd.

Mijn moeder had het niet getroffen. Ik was het enige kind dat ze had kunnen houden. Maar ik was een steen die mensen de adem afsneed.

Soms geef ik het verkeerde antwoord. 'Nee, ik hou niet meer van jou. Het is voorbij. Vraag me niet hoe dat komt. Ik begrijp het zelf ook niet.' En ik leg mijn hoofd tegen zijn borst of ik bijt in zijn arm of ik lik hem zoals een dier haar jong. Met mijn tanden trek ik aan de zwarte haren in zijn oksel, die stug zijn als het garen waarmee mijn moeders wonden werden gehecht voor ze in haar kist werd gelegd. Een kist van spaanplaat met houtfineer, voor meer was er geen geld. En ook voor die goedkope kist was er geen geld. Mijn moeder had zevenduizend driehonderdzeventien frank in de bank. Hoeveel geld er in haar portefeuille stak, weet ik niet. De portefeuille is nooit teruggevonden, en ook haar schoenen niet of de jas die ze op mijn advies open had laten hangen. Ik schat: vijfhonderd frank. Vijfhonderd frank was het bedrag waarmee mijn moeder meestal de deur uit ging. Als er vijfhonderd frank gestolen werd, dan was dat geen ramp, en als ze meer geld nodig had, dan was er Mister Cash. Mister Cash was voor noodgevallen. Met die kaarten moest ge voorzichtig zijn, want voor ge het wist, gaf ge meer uit dan ge had. De banken hadden niets liever, dan konden ze u interesten doen betalen. Bij mijn vader was het zo begonnen. De banken hadden hem laten doen, ze hadden hem zelfs aangemoedigd. Niemand had daar eens de telefoon gepakt om te horen wat zij ervan vond. En dan achteraf de uitgestreken gezichten waarmee ze haar zijn dossier voorlegden, alsof zij er niets mee te maken hadden. Alsof ze nog maar pas dat dossier in hun kast hadden ontdekt. Alsof ze al die tijd niet geweten hadden dat het daar lag en dat ze er veel geld aan gingen verdienen. Onschuldige lammeren. 'Maar mevrouw,' had die bankdirecteur gezegd, 'u hebt die documenten ook getekend! Wij wisten niet beter of u was op de hoogte!' Natuurlijk had ze ze getekend. Ze had eens moeten proberen ze niet te tekenen. Zij kenden haar man zeker niet? Zij wisten niet hoe koleirig die kon worden als hij zijn goesting niet kreeg!

Er waren twee soorten leningen: de persoonlijke en die met de villa als onderpand. Dat was niet hetzelfde, legden ze haar in de bank uit. Daar moest een onderscheid tussen worden gemaakt. En de schande, zei ze, te weten dat ook zij geld had uitgegeven dat niet van haar was. Maar ze had het niet geweten. Hoe had ze het moeten weten? Niemand had haar iets uitgelegd. Ze had haar handtekening gezet omdat mijn vader zei dat ze haar handtekening moest zetten. Ze had eens moeten proberen haar handtekening niet te zetten! Maar ze zou alles tot de laatste frank afbetalen. Haar weduwepensioen zou ze gebruiken om het goed te maken. En voor mij en zichzelf zou ze dus gaan werken. De villa werd openbaar verkocht. Twee rechters gingen er wonen met hun kroost. Meneer de rechter en mevrouw de rechter. Volgens mijn moeder was het doorgestoken kaart.

'Jouw moeder was zot dat ze die leningen afbetaalde,' zegt Ruchir. 'Die banken verdienen elke frank die ze lenen minstens drie keer terug.'

Ik wou dat ze die zevenduizend driehonderdzeventien frank er die middag met Aesha had doorgedraaid. Voor een jas, bijvoorbeeld, die niet bij de witte jurk had misstaan. Of voor een designertas. Of voor een portefeuille die ze nog geen week later in het kanaal zou verliezen. Er worden geen duikers in het kanaal gestuurd om een portefeuille te zoeken met vijfhonderd frank. En ook de vuilnisbakken van het land worden niet systematisch uitgekamd. Als ze daarmee moeten beginnen.

'De tering naar de nering, Wendy.' Dat was haar gouden regel. 'Zaaien naar de zak.' Alle rekeningen waren betaald, de diepvriezer zat vol en in de bank had ze zevenduizend driehonderdzeventien frank om tot het eind van de maand van te leven. Plus waarschijnlijk nog de vijfhonderd frank van haar portefeuille daarbovenop. Zevenduizend achthonderdzeventien frank voor elf dagen. Dat was niet slecht, want voor de bus had ze haar abonnement en in de diepvriezer zat er eten voor minstens een maand. Maar er was dus geen geld voor een kist. Het O C M W zorgde voor een kist. 'Met of zonder kruis?' – 'Zonder,' zei ik. Sinds de begrafenis van mijn vader had mijn moeder geen stap in een kerk gezet. Een kist van spaanplaat met houtfineer en houten handgrepen. Kostprijs: 19.950 frank, inclusief 6% btw. Er zijn mensen die geld opzijleggen voor hun begrafenis, maar mijn moeder had daar niet aan gedacht. Ze kon niet aan alles denken.

Goddank moest ik de lijkschouwer en de politie en de onderzoeksrechter niet betalen. 'Wij doen ons werk,' zeiden ze toen ik hen bedankte. 'Daar worden wij voor betaald.'

'Daar moet ge dus eerst dood voor gaan,' hoorde ik mijn moeder zeggen, 'om eindelijk iets gratis en voor niets te krijgen!'

In de zak van mijn jas zat het briefje van duizend frank dat ze mij voor noodgevallen had gegeven, want ik had geen Mister Cash. Dat had ik haar moeten beloven: geen Mister Cash zolang ik geen vast inkomen had. En daarna een Mister Cash waarmee je niet onder nul mocht gaan. Ik moest vechten tegen de genen van mijn vader. Ik mocht het niet zoeken.

Dit was een noodgeval. Mijn moeder moest worden begraven. Maar intussen koesterde ik het briefje als een talisman: zolang ik het bezat, was ik niet arm. Daarom had mijn moeder het me gegeven, opdat ik niet arm zou zijn. Voor een jonge vrouw was dat gevaarlijk. Een jonge vrouw zou soms zotte dingen doen, als ze zonder geld zat.

Ik had naar de bank moeten stappen en geld vragen voor een eiken kist. Ik had moeten zeggen: mijn moeder heeft zegeltjes gespaard en bonnetjes uitgeknipt en prijzen vergeleken en altijd elke rekening op tijd betaald. Ze heeft zelfs de schulden van mijn vader afbetaald. En nu is er geen geld voor een kist. Of ik had naar de verpleegstersschool moeten gaan waar ze na de dood van mijn vader in de cafetaria was gaan werken omdat hij geen frank voor haar en mij had gespaard. Alles had hij zelf opgemaakt. Zelfs de leren fauteuils bleken van de bank te zijn. De bank kon dat niet helpen, zei de bank, mijn vader had vrijwillig zijn handtekening op hun documenten gezet en ook de handtekening van mijn moeder stond erop. De bank had geen keuze, maar mijn moeder wel: als zij het geld op tafel kon leggen, dan mochten we in de villa blijven wonen. En anders zou de bank nemen waar de bank recht op had.

Ik had naar de woonmaatschappij kunnen stappen die de blokken A, B, C, D, E, F, G, H, I, J en K in haar bezit had en aan wie mijn moeder na de verbanning uit de villa iedere eerste dag van de maand stipt de huur had betaald, al was het een schande om voor zo'n krot huurgeld te vragen. Of naar de vervoersmaatschappij bij wie ze al die jaren een abonnement had gehad en die haar iedere ochtend met de bus van tien voor zeven naar de cafetaria van de verpleegstersschool had gebracht. Of naar de elektriciteitsmaatschappij, de watermaatschappij, de gasmaatschappij, de telefoonmaatschappij, de teledistributiemaatschappij, de warmen-koud-watermaatschappij. Niet één rekening was onbetaald gebleven. Nooit had ze iets gestolen of iets genomen waar ze geen recht op had. Nooit had ze bij het OCMW aangeklopt.

'Je moet nemen,' zegt Ruchir. 'Je moet niet wachten tot je

krijgt.' En: 'Geld moet rollen. Hoe meer het rolt, hoe meer het groeit.'

Ze is nu bijna acht jaar dood en de witte ridders van de witte mars zijn vergeten. Dutroux heeft zijn proces gehad en ook aan hem hoeft eindelijk niet meer te worden gedacht. Van Sabine en Laetitia staan nieuwe foto's in de krant, van Julie, Melissa, Ann en Eefje worden nog altijd dezelfde afgedrukt. Ik wou dat ik Ruchir later had leren kennen. Dat ik eerst van mijn moeder afscheid had kunnen nemen, en dat ik pas daarna hem had ontmoet. Dat er eerst het verdriet was geweest en pas daarna de verliefdheid. Dat het verdriet en de woede en de geilheid niet waren samengebald, zodat ik niet meer wist wat verdriet was, en wat woede en wat geilheid, en of daar eigenlijk een verschil tussen was. En ik wou dat ze mij die witte jurk hadden gegeven toen ze klaar waren met hun onderzoek. Of de lelijke vleeskleurige beha waarvan het linkerbandje ontbrak. Ik heb zelfs niet de doos met krantenknipsels en videobanden bewaard. Of de foto's van de meisjes die ze in de keuken aan de muur had gehangen. Ik heb helemaal niets van haar. Alleen haar woorden in mijn hoofd en haar genen in mijn lijf. En een verkreukeld briefje van duizend frank.

Iedere wond was een kwijlende mond die stonk. Grauw vlees was als een pruillip onder vet en huid vandaan omhooggekruld. Het was alsof iemand mijn moeder had willen kussen en aan de lippen waarmee ze geboren was niet genoeg had gehad. Oranje bloed sijpelde uit haar. Het sijpelde uit haar wonden en het sijpelde uit haar huid alsof haar aderen poreus waren geworden. Het was het enige in haar wat nog leefde, het bloed dat ze verloor en dat opgehouden was rood te zijn.

De lijkschouwer maakte er nieuwe monden bij. Diep groef hij in haar, in haar hersenen en in haar darmen en zelfs in haar hart. En vervolgens naaide hij alle monden met grove steken dicht.

Haar echte mond liet hij ongemoeid, en ook haar geheime mond, die bij mijn geboorte was gescheurd om nooit meer te helen.

'Bij de levenden leveren wij fijner werk.' Dat waren de woorden van de lijkschouwer. Wij, chirurgen in het algemeen, of wij, de lijkschouwer? Eerst 'wij, de politie' en toen 'wij, de lijkschouwer', maar niet 'wij, Wendy, de dochter van het lijk', en ook niet 'wij, Ruchir, de portier van het dodenhuisje', of 'wij, het lijk'. De lijkschouwer was een ijdele man. IJdel en zelfgenoegzaam, maar met mate en misschien ook met reden. Zijn dochter Elsbeth was even oud als ik. Ze studeerde kunstgeschiedenis in Rome en kostte hem een fortuin. De lichtjes in zijn ogen verraadden hoe trots hij op haar spilzucht was.

Mijn moeder lag als een aangespoelde walvis op de metalen tafel in het dodenhuisje leeg te druppen. De goot in de tafel kon het vocht niet slikken. Druppels rolden over de rand en liepen naar de goot onder de tafel, waarin een roostertje zat. Daarlangs stroomden ze weg. Haar mondhoeken wezen bars naar beneden. Het zinde haar niet. Niets van wat er ooit met haar gebeurd was, zinde haar, maar dit, de metalen tafel, het harde neonlicht, het stukje Marsverpakking, de jurk die aan haar vel plakte, de kapotte beha, het roostertje in de grond, het mes van de lijkschouwer die te lomp was om te zien wat er met haar was gebeurd, en het geflikflooi van haar dochter met die portier, waren het toppunt. Ze had altijd geweten dat Wendy een harde was, maar zo hard? Ze hadden beter Aesha kunnen laten komen. Aesha zou om háár bekommerd zijn. Die was meer een dochter voor haar dan Wendy.

Wij flirtten niet, mama. We flirtten niet en flikflooiden niet. Het gebeurde gewoon. Alsof we daar met elkaar hadden afgesproken. Alsof jij daarom op die tafel was gaan liggen. Zo dood en zo nat en zo vies als je was.

Niemand mocht het dodenhuisje binnen zonder zich bij hem te melden. Hij had een tafel waaraan hij studeerde en een brits waarop hij nooit langer dan twee uur achter elkaar sliep. Meestal at hij bij een weduwe in de buurt, die blij was dat ze voor iemand kon koken. Ook haar had hij in het dodenhuisje ontmoet. Hij noemde haar een oud wijf. En dat het soms niet te vreten was, het eten van het oud wijf. Ze had zich in het hoofd gehaald dat Ruchir een brahmaan was, die door de gemeenschap moest worden onderhouden. Dat dacht ook Ruchir een beetje.

Iedere dag zag hij lijken op die metalen tafel liggen. Dat was voor hem de gewoonste zaak.

Maar dat het zo snel ging, zei ik. Dat een lijk er zo onmiskenbaar als een lijk uitzag.

Lijkschouwers waren mislukte dokters. Als straf voor geknoei met levende patiënten waren ze naar het mortuarium verbannen. Het was er altijd koud.

Ik weet niet wat ik het ergst vond: de geur van ontbinding of de geur van de producten waarmee vloeren en tafels en instrumenten dagelijks werden ontsmet. En Ruchir die daar vrijwillig voor koos. Die zich iedere nacht met zijn cursussen in het portierskamertje installeerde omdat hij nergens anders zo rustig kon studeren, én hij werd er nog voor betaald ook.

De lijkschouwer liet hem af en toe het mes hanteren. Oefening baart kunst. Ruchir had geen andere plek. Het huis in Rumst stond te koop en in het appartement waar zijn adoptieouders nu woonden, was geen kamer voor hem.

'Waarom niet?'

'Daarom niet.'

Zijn ouders waren oud en moe. Nu had hij de weduwe, bij wie hij zijn benen onder tafel stak. Hij zwoer dat hij nooit het bed met dat oud wijf had gedeeld. Oud wijf. Ze zag er hooguit als veertig uit. Maar waarom, vroeg ik hem, barstte ze in tranen uit toen ze mij op zijn brits zag zitten? Hij haalde zijn schouders op. Hij wenste de weduwe te vergeten. Hij was haar al vergeten. Kon ik koken? Zou ik hem eten brengen? – In het dodenhuisje? Nooit.

'Maar dit wil je wel?' Hij kuste me en legde zijn hand op mijn borst. Ik duwde hem niet weg.

Ruchir beweerde dat hij het niet rook. Dat hij het baantje had genomen omdat hij zo slecht rook. Sommige mensen zien niet goed, anderen horen niet goed en hij rook niet goed. Maar ik rook het wel. Ik rook het bij mij en ik rook het bij de lijkschouwer en ik rook het bij hem. En ondanks die geur wilde ik hem. Het was sterker dan die geur.

'Natuurlijk,' zegt hij, 'wilde je mij.'

'En de weduwe?' vraag ik. 'Wilde zij jou?'

Hij antwoordt niet. Iedere week komt er een nieuwe weduwe bij. Dokter Ruchir kan zo goed luisteren, zeggen ze. Dokter Ruchir begrijpt hoe moeilijk ze het hebben. Hij is een dokter voor de levenden. Ook mij klampen ze op straat aan om over dokter Ruchir te praten. En dat ik zoveel geluk heb met zo'n uitzonderlijke man.

'Ik weet het,' zeg ik, en ik vertel hun niet hoe hij achter hun rug over hen praat.


'Voor wie kom jij eigenlijk,' vroeg de lijkschouwer met een brede glimlach, 'voor je moeder of voor hem?' Hij wees naar het raam van het portierskamertje, waarachter Ruchir over zijn studieboeken gebogen zat.

'Ik...'

'Je hoeft niet te antwoorden.' Hij legde een arm om mijn schouder. Ruchir was een belofttevolle student. Die jongen zoog kennis op als een spons. En ook ik moest studeren. Ging ik nog naar school? Wat studeerde ik? Voedings- en dieetkunde? Dat was fantastisch. Alle jonge mensen moesten veel en hard studeren. Hoe meer zij studeerden, hoe slimmer de wereld werd.

*Wendy*

Neuriënd ging hij verder met zijn werk. Vrijdag 25 oktober 1996. De derde en zoals zou blijken de laatste dag van zijn onderzoek. Mijn moeders stoffelijk overschot kende voor hem nog weinig geheimen. Maar het laatste en belangrijkste geheim, het geheim waarvoor hij naar het dodenhuisje was gestuurd, weigerde het koppig prijs te geven: hoe was mijn moeder aan haar eind gekomen? Was ze gevallen of geduwd? Had ze zich aan de kademuur geschaafd of aan een meerketting verwond, of was ze met een mes bewerkt? Op die vragen moest de lijkschouwer het antwoord schuldig blijven. We moesten met vraagtekens verder leven. Wij, de lijkschouwer, en wij, Wendy en Ruchir.

'Uw moeder,' zei hij, 'is niet verkracht. Ze heeft geen seks gehad.'

De lijkschouwer had mijn moeder ook 'daarbeneden' onderzocht. Hij had de ravage gezien die ik had aangericht.

Zijn dure dochter Elsbeth had jaren geleden haar moeder – zijn eerste vrouw – verloren. Voor de overlevenden was er leven na de dood. Dat wilde hij me zeggen. Dat was de boodschap die hij voor me had. Zijn dochter had het moeilijk gehad, maar wie haar vandaag zag... Ik deed hem aan haar denken. Dat was ongeveer het eerste wat hij tegen me zei. Dat ik hem aan zijn dochter deed denken. En dat ze sinds kort in Rome studeerde, maar voor de herfstvakantie naar België kwam. Vanwege haar bezoek gooide hij op vrijdag 25 oktober 1996 om vijf uur de handdoek in de ring. Elsbeth landde om kwart voor acht op Zaventem en verwachtte dat ze door haar vader werd opgehaald. Hij had een bordje gemaakt met haar naam om als haar officiële chauffeur op de luchthaven te staan. De volgende dag reed hij met haar en zijn nieuwe gezin naar zijn huis in Knokke. Hij wilde, zei hij, gaan uitwaaien. Ik knikte, want ik kon hem daar met zijn dochter en zijn vrouw en zoontjes op het strand zien staan. De wind tilde zijn kleren op en waaide de lijklucht uit zijn haren. Drie dagen lang had hij van 's morgens tot 's avonds mijn moeder bestudeerd en zijn bevindingen op een bandrecordertje ingesproken. Hij had veel ontdekt, maar niets dat definitief opheldering bracht. Hij wist dat mijn moeder geen seks had gehad. Dat kon hij met absolute zekerheid verklaren. Mijn moeder was niet verkracht. Iedere ochtend tikte zijn secretaresse het bandje van de dag voordien uit. Zijn rapport zou hij aan zee schrijven, terwijl zijn dochter en zijn zoontjes en zijn nieuwe vrouw een wandeling maakten of boodschappen deden of een pretpark bezochten. Hij kon daar geconcentreerder werken dan thuis.

Ik denk dat hij me als kindermeisje of kok zou hebben meegevraagd, als hij niet had gemerkt wat er tussen Ruchir en mij gaande was. Hij wilde me weg van het druppende lijk. Hij was een goed mens. Hij is nog altijd een goed mens. Iemand moet zich met lijken bezighouden. Iemand moet aan de levenden kunnen vertellen hoe de doden aan hun eind komen. De doden kunnen dat zelf niet doen.

25 oktober was ook de verjaardag van mijn vader, die zesenvijftig zou zijn geworden, als hij nog had geleefd. Mijn moeder en ik hadden vooraf nooit geweten of mijn vader zijn verjaardag wilde vieren of niet. Soms had hij zich in zijn kamer opgesloten uit respect voor zijn moeder, die zijn geboorte niet had overleefd. Maar soms had hij de deur opengegooid en gevraagd waar zijn cadeautjes bleven. Of waren we vergeten welke dag het was? Wanneer mijn moeder en ik daar dan met lege handen stonden, liep hij rood aan zoals alleen mijn vader rood kon aanlopen. Als zijn hoofd zich helemaal met bloed had gevuld, barstte zijn woede los. Achteraf lag hij uitgeput op zijn bed te janken. Mijn moeder, die hij minuten voordien in haar gezicht had geslagen, moest hem nu troosten. 'Ge moogt dat niet doen,' zei ze tegen hem. 'Ge gaat er nog eens in blijven.' En ze knipperde met haar ogen. Dat knip-

peren verraadde haar angst. Of haar woede, dat weet ik niet. Hoe meer hij zich liet gaan, hoe meer zij zich beheerste. Er mocht geen dokter komen die haar toegetakelde gezicht zou zien. Op 25 oktober 1987 gebeurde wat mijn moeder altijd had voorspeld: mijn vader bleef erin. Niemand kon hem eruit halen: wij niet en ook de dokter niet, want die kwam te laat. Nooit zou hij haar nog kunnen slaan. Nooit zou hij haar nog een lui, vet varken kunnen noemen.

Ik denk dat de lijkschouwer alles over mij en mijn moeder wist. Ik denk dat hij wist dat mijn moeder als afscheidscadeautje van mijn vader een blauw oog had gekregen en dat mijn vader in zijn laatste minuten een stoel op de televisie kapot had geslagen, omdat mijn moeder en ik naar een idioot programma keken, terwijl hij leed. Dat was niet waar. We keken naar het nieuws. Meestal eiste hij dat we samen met hem naar het nieuws keken. Hij wilde geen imbecielen in huis. Kijken was niet voldoende, we moesten het achteraf kunnen navertellen. We moesten hoofd- van bijzaken onderscheiden. We moesten verbanden leggen. Na zijn dood bleven mijn moeder en ik naar het nieuws kijken. Het duurde maanden voor we beseften dat het niet meer hoefde.

Het lijden van mijn vader was begonnen op de dag van zijn geboorte en duurde onafgebroken in alle hevigheid voort tot op de dag van zijn dood. Nooit had iemand zo erg geleden als mijn vader. Zijn lijden was uniek. En omdat híj leed, moest alles en iedereen in zijn omgeving ook lijden. Een lach ging als een dolksteek door zijn hart. Hij zou nooit vreugde kennen; hij leefde in smart. Tot het plotseling omsloeg en hij fluitend de kamer binnenkwam. En waarom keken wij zo somber? Vanwaar die lange gezichten? Was het geen stralende dag?

Te zot of te bot. Zo was mijn vader. Hij stierf met in zijn hand de pluk haar die hij in extremis uit de schedel van mijn moeder had gerukt. Misschien had hij zich aan haar willen vastklampen. Die pluk en mijn moeders gehavende oog waren onze tweede redding: de politie had in een oogopslag het huiselijk drama gereconstrueerd. 'Soms,' zei de agente terwijl ze de kale plek monsterde, 'zijt ge ze beter kwijt dan rijk.'

Het contrast tussen mijn leven en dat van dochter Elsbeth zou te pijnlijk voor woorden zijn geweest, als ik intussen Ruchir niet had leren kennen. Maar ik hád Ruchir leren kennen en mijn ouders waren allebei dood. Ze waren ballast die ik overboord kon werpen.

Mijn moeder lag als een vraagteken onder het harde neonlicht. Wat? Wie? Waarom?

'Morgen,' zei de politieagent. 'Morgen is het tijd voor vragen. Nu moet je slapen.'

Ik knikte. Ik moest slapen. En ik zei het. 'Ik wil slapen.' Ik zei het tegen Ruchir, die ik voordien nooit had gezien en over wie ik nooit had gedroomd en op wie ik niet had gewacht. Alles had anders kunnen lopen. Ik had de politieagent kunnen vragen mij naar huis te brengen. Ik had een taxi kunnen bellen. Ik had me kunnen omdraaien en naar buiten lopen, al was het maar om een sigaret op te steken. Maar ik zei: 'Ik wil slapen', en bleef staan.

De politieagent draaide zich om. De politieagent liep naar buiten. Hij had zijn plicht gedaan. De nabestaande van het slachtoffer was met het slachtoffer geconfronteerd en had haar geïdentificeerd. Ze had formeel verklaard dat die vrouw haar moeder was.

Op vrijdag 25 oktober om kwart voor vijf was het afgelopen. Met stempels en handtekeningen werd haar lichaam vrijgegeven. De begrafenisondernemer beloofde het die avond op te halen. Er moesten afspraken over de kist worden gemaakt. Hij zou me een prijslijst bezorgen. En of ik kleren voor haar kon meebrengen. Of ik kleren kon uitkiezen waarin ze zou worden begraven. Toen hij dat van die kleren zei, kon ik eindelijk huilen. Ze moest dus echt in een kist worden gelegd. Ik probeerde 'mama' te zeggen tegen het lichaam op de tafel. Mijn hand vond een muntstuk in mijn jaszak en legde het tussen haar vale lippen. 'Voor de overtocht,' fluisterde ik. Tranen vielen op haar roerloze gezicht. Mijn moeder had me nooit gekust en ook ik kuste haar niet. Ik was de blaren waarop ze moest zitten nadat ze haar gat aan mijn vader had verbrand.

'We hebben sterke vermoedens,' had de politieagente gezegd, 'dat we de persoon die u zoekt gevonden hebben.'

De persoon die u zoekt. Dat was mijn moeder.

Het was midden in de nacht, maar ik zat op een stoel naast de telefoon. De gordijnen waren open en ik zag mezelf weerspiegeld in de ruit. Mijn gezicht zweefde in het zwarte gat van de nacht. Het was alsof ik aan de andere kant van het raam het meisje bij de telefoon observeerde. Ik keek graag naar mijn gezicht. Het was mijn gezicht. Door dat gezicht was ik niet mijn vader en ook niet mijn moeder.

'Ge denkt omdat ge schoon zijt dat ge u alles moogt permitteren.'

Dat had de bazin van de tearoom gezegd waar ik op zondag 20 oktober 1996 van 10 uur tot 18 uur had geserveerd. En dat ik mijn gezicht niet meer moest laten zien. Dat er genoeg schone gezichtjes in Antwerpen rondliepen. Echte schoonheid, had ze gezegd, zat vanbinnen.

De bazin en ik leefden al weken op voet van oorlog. Dat onze wegen zouden scheiden stond in de sterren geschreven. Of die sterren ook hadden beslist dat het uitgerekend op de dag dat ik verweesde moest gebeuren, weet ik niet. De bazin was een gulzige vrouw. Het liefst liet ze haar personeel gratis werken. Als we een glas Spa voor onszelf inschonken, dan moesten we daarvoor betalen. Voor wie dorst had, was er water uit de kraan. Ik stookte tegen haar, zei ze. Ik moedigde de anderen aan in opstand te komen. Vroeger had niemand er een probleem van gemaakt dat ze voor hun consumpties moesten betalen. 'Weg!' zei ze. 'Weg, weg, weg!' Ik was de rotte appel. Ze had me letterlijk naar buiten geduwd.

In die tijd zocht ik het conflict op, zeker met vrouwen die mijn moeder hadden kunnen zijn. Ik deed het onbewust, maar ik deed het wel. Pas als ik werd uitgescholden, kende ik rust. Ik kon zo'n vrouw het bloed van onder de nagels pesten. Ik kon haar jennen tot ze gegarandeerd ging brullen. Iedereen dronk Spa, maar ik was de enige die zich voor haar neus een glas inschonk. Toen mijn moeder stierf voerde ik strijd met die bazin én met minstens drie docenten van de opleiding Voedings- en dieetkunde. Dat was geen geringe prestatie na amper vier weken les, waarvan ik hooguit de helft had bijgewoond. Er scheelde iets aan mijn attitude, wist ik van de docente psychologie en communicatie. Ik zocht negatieve aandacht. En daarom, zei ze, zou ze mij niet schorsen, want anders beloonde ze mijn destructieve gedrag. Ze was echt een koe, zelfs al had ze gelijk. Ze sprak elke lettergreep heel nadrukkelijk uit, alsof ze voor een klas hardhorigen stond. En ze droeg kleren van Nathan of Dries Van Noten of Caroline Biss. Daar moest je psychologie voor hebben gestudeerd, om voor een klas achttienjarigen in kleren van Nathan of 'den Dries' te paraderen. Een meisje uit onze blok liep af en toe voor 'den Dries' in Parijs. Dan haalde hij haar in een lichtblauwe Jaguar op en mocht ze met hem naar Parijs. Fiona was lang en mager en ze had geen borsten, maar ze was geen koe.

Wat ik op mijn laatste werkdag in de tearoom had verdiend, had ik intussen aan taxi's en telefoons uitgegeven. We waren twee dagen verder en de verdwijning van mijn moeder werd als hoogst onrustwekkend beschouwd. In die dagen voor en na de Witte Mars verwittigden ouders de politie als hun kinderen een kwartier langer dan afgesproken wegbleven. Maar mijn moeder had haar woning drieënzestig uur geleden verlaten. Hoe langer ze weg-bleef, hoe geringer de kans dat ze levend gevonden werd.

Ik had honger en ik had het koud. Ik droeg een trui van mijn moeder die veel te groot voor me was. Voor mij lag het artikel waar-over ik voor de les communicatie een spreekbeurt moest houden. De politie had me de raad gegeven afleiding te zoeken. Ik las tien keer dezelfde zin zonder te begrijpen wat er stond. Toen rinkelde de telefoon.

Of ik naar het politiekantoor kon komen. Nu meteen.

'Ja natuurlijk,' klappertandde ik.

De agente zei niet: 'Uw moeder staat naast mij. Ze neemt nu de telefoon van me over.' Ze zei: 'We hebben sterke vermoedens dat we de persoon die u zoekt gevonden hebben.' Zo sterk waren die vermoedens dat ze haar naar het dodenhuisje in Antwerpen had-den gebracht.

Ik had de politie de foto gegeven die tijdens de personeelsuit-stap in juni was gemaakt. Mijn moeder stond tussen Tamara en Aesha, de vrouwen met wie ze iedere dag in de cafetaria van de ver-pleegstersschool werkte. Rita, haar derde collega, stond rechts van Tamara. Mijn moeder zag eruit zoals altijd: stuurs en dik en met een sigaret. Ik had ook de jurk beschreven waarin ze zondag samen met mij om twintig over negen de deur was uitgegaan. Een witte jurk, die ze speciaal voor de Witte Mars had gekocht. Ze had er haar jas over gedragen, maar ze was van plan geweest die tijdens de Mars open te laten. Om de riem van haar tas had ze een wit lint geknoopt, alsof ze zich aan dat voornemen wilde herinneren. Ze zou proberen de trein van dertien over tien te halen, dan was ze om elf uur in Brussel. Verschillende getuigen hadden mijn moeder in die trein zien stappen. Ze had Brussel en de mars bereikt, want een persfotograaf had een foto gemaakt waarop ze was te zien, alleen en verloren tussen dat vele volk. Ze was vergeten haar jas open te knopen. Misschien vond ze het te koud.

De agente bedacht zich. Ze zouden me komen halen, zei ze. Het was te laat voor een jonge vrouw om alleen door de straten van de stad te lopen. En er reden geen bussen meer.

Geen seconde dacht ik dat mijn moeder rustig naast de agente zat. Dat ze een sigaretje had opgestoken, hoewel roken in het kantoor waarschijnlijk streng verboden was. Ik dacht helemaal niets. Of ik dacht alleen maar praktische dingen: honger, kou, geld, sleutels, waar is mama, mama is weg, probeer aan iets anders te denken. Mijn moeder had me nooit gebeld. Ik had haar gebeld. Ik was degene die haar had moeten verwittigen omdat ik later zou komen. Ze bleef opzitten tot ik thuiskwam. Ze moest vroeg op, maar ze bleef wachten. Met haar sigaretten en een pak chips en een fles cola of wijn installeerde ze zich voor de televisie. Of met bier. Als ze het koud kreeg, sloeg ze een sjaal om haar schouders, maar ze zette de verwarming niet opnieuw aan. Dat had ze nog van mijn vader, dat je met die dingen niet moest knoeien. Als die goed afgesteld waren, moest je er met je poten van afblijven. Ik bleef van alles met mijn poten af. Ik leefde in dat appartement als een inbreker die geen sporen wilde achterlaten. Iedere ochtend maakte ik mijn bed op zoals mijn vader het me had geleerd en hij had het in de instellingen geleerd waaruit hij was weggelopen. Aan een professioneel opgemaakt bed kun je niet zien of iemand er de nacht voordien in heeft geslapen. En als ik me gewassen had, dan veegde ik de wastafel en de kranen met de handdoek schoon. Zorgvuldig verwijderde ik de haren die in de borstel waren achtergebleven. Ik droogde mijn tandenborstel af en legde hem in mijn lade naast mijn haarborstel en haarspelden en mascara en tampons. Je mocht nooit andere mensen voor jou laten opdraaien. Als ik haar tot op mijn gat wilde, dan was dat mijn keuze en mijn verantwoordelijkheid. Ja, papa. Nee, papa. Na negen jaar leefden mijn moeder en ik nog altijd onder zijn regime, dat dus het regime was van de instellingen voor Bijzondere Jeugdzorg. Ik mocht lang haar hebben op voorwaarde dat ik het samenbond. Want mijn ouders wilden geen dochter in huis met een gordijn voor haar gezicht. Meisjes met zo'n gordijn hadden iets te verbergen en een dochter die iets te verbergen had, wilden ze niet in huis. En ook een dochter die niet at, wilden ze niet. Want wie niet at, werd ziek en wie ziek was, liet andere mensen voor zich opdraaien. Mijn moeder was altijd bang dat ik niet goed at. Of dat ik anorexia zou krijgen. Of al had. Want ik was zo mager. Ik was nog magerder dan die Fiona, die met die modeontwerper in een Jaguar naar Parijs reed. Was dat misschien wat ik wilde? Wel, dan kon ik die dromen maar beter meteen uit mijn hoofd zetten, want mannequins moesten minstens twintig centimeter langer zijn dan ik. Zoals Fiona, ja. Als ge zo groot waart als Fiona, dan had het zin om mager te zijn. Maar ik was anders mager dan zij. Ik was zelfs magerder dan mijn vader, en die was al zo mager. Dat mijn vader mager was, was normaal omdat hij in die instellingen was opgegroeid. Maar ik had altijd genoeg eten gekregen. Iedere dag had ze voor mij en voor mijn vader gekookt. Altijd had ze ervoor gezorgd dat er verse groenten waren en fruit.

Toen ik zondag thuiskwam, stond het eten op het fornuis klaar. Het stond er al toen ik vertrok. Vogeltjes zonder kop met erwtjes en wortelen en aardappelpuree. Ze had me gezegd dat het iets later kon worden en dat ik niet op haar hoefde te wachten.

Ik schepte een portie in de pan die mijn moeder gebruikte om eten op te warmen en zette de televisie aan. De pan had een gietijzeren bodem. Als je het fornuis laag zette, brandde er nooit iets in aan, zeker niet als je er een scheutje water aan toevoegde.

Sabine en Laetitia stonden naast elkaar bij de microfoon. Ze stamelden woorden van dank, terwijl de mensen uitbundig juichten. Hun jonge gezichtjes waren kletsnat van de tranen.

Elk ogenblik verwachtte ik mijn moeder. Ze zou binnenkomen in haar nieuwe jurk, die er niet meer zo nieuw zou uitzien. Haar jas zou open of dicht hangen. Ze zou vertellen over de Witte Mars. Ik zou geen woord zeggen over mijn ontslag, want ze zou er alleen maar over zagen.

Het werd acht uur. Misschien zaten alle treinen vol en stond ze te wachten op een perron. Mijn moeder was aan de bus gewend. Ze nam zelden of nooit een trein.

Om negen uur werd ik ongerust en om halftien belde ik de politie. De agent zei dat het nog altijd erg druk in Brussel was. Een kwart van de bussen was nog niet uit Brussel vertrokken. Was mijn moeder met de bus gekomen?

'Met de trein,' zei ik.

Dan had ze nog tijd, zei de agent. Misschien had ze iemand ontmoet die haar een lift naar huis zou geven.

Ik zei dat mijn moeder nooit bleef plakken.

Dit is geen normale dag, zei hij.

Dat is waar, zei ik.

Om elf uur belde ik opnieuw. Ik kreeg iemand anders aan de lijn. Het duurde even voor die de notities vond die de eerste agent had gemaakt. Ze waren met de hand geschreven en hij kon ze niet goed ontcijferen. Ze lagen naast de computer, klaar om te worden ingetikt.

Twintig minuten later belden er twee agenten aan.

'Is er nieuws?' vroeg ik.

Ze schudden het hoofd. Ik moest rustig blijven. Er waren nog meer verdwijningen gemeld. Blijkbaar heerste er een angstpsychose. Het was niet uitgesloten dat mensen hun verdwijning ensceneerden om te bewijzen hoe gevaarlijk het land wel was. Of om een deel van de aandacht te krijgen. Waarmee ze niet wilden beweren dat mijn moeder dat had gedaan. We moesten waakzaam zijn, maar niet overbezorgd.

Het uniform van de ene agent was iets te groot. Misschien was hij nog maar pas in dienst.

'Maar waar is ze?' vroeg ik. 'Waar is mijn moeder?'

Het was toen dat ze vroegen of ik een recente foto van haar had.

Woonden mijn moeder en ik hier met ons tweeën?

Ik zei dat mijn vader negen jaar geleden overleden was.

Had mijn moeder een vriend?

Ik schudde mijn hoofd.

Had ze in een recent verleden een vriend gehad?

Opnieuw schudde ik mijn hoofd.

Had ik een vriend?

Nee.

Ik was dus alleen thuis?

Ik knikte.

En hoe oud ik was, wilden ze weten.

'Achttien,' zei ik. Ik liet hun mijn identiteitskaart zien.

Dat was een groot geluk, zeiden ze. Dat maakte alles veel een-
voudiger. Want zelfs als ik zeventien jaar en elf maanden was geweest, dan had mijn voogd in mijn naam moeten optreden.

'Dat weet ik,' zei ik. 'Ik weet alles over voogden. Na de dood van
mijn vader is er een voogd aangesteld.'

'Een lid van de familie?'

'De halfbroer van mijn moeder. Hij en zijn vrouw zijn op reis.
Peru, geloof ik.'

Een van hen zag het kaartje dat een vriend uit Hoboken New
Jersey had gestuurd. In elke woonkamer in Hoboken Antwerpen
stonden kaartjes uit Hoboken New Jersey op de schouw of de kast.
Het waren dikwijls dezelfde kaartjes.

Of mijn moeder veel contacten in Hoboken New Jersey had?

Ik schudde mijn hoofd. Dachten ze werkelijk dat mijn moeder
er zonder een woord van vaarwel vandoor was gegaan?

'Heeft uw moeder een paspoort?'

'Nee.'

'Heeft ze contacten in het buitenland?'

'Nee. Mijn moeder heeft zelfs niet veel contacten in het binnenland.'

'Misschien is ze met iemand aan de praat geraakt. In de trein bijvoorbeeld. Misschien heeft ze de tijd uit het oog verloren.'

Ze gaven me een nummer dat ik mocht bellen als ik nieuws of vragen had.

Maar wat zouden ze doen?

Om te beginnen zouden ze nagaan of mijn moeder de landsgrenzen was overgestoken, een betaalkaart had gebruikt of zich in een hotel had aangemeld.

Mijn moeder in een hotel? Wat had mijn moeder in een hotel te zoeken?

Dat wisten ze niet. Ze wisten alleen dat ik niet wist waar ze was. Ze moesten de zoektocht ergens beginnen. Had mijn moeder een mobiele telefoon?

Nee.

Dat was jammer, want met een mobiele telefoon kon je mensen makkelijk opsporen. Hoe meer mensen een mobiele telefoon hadden, hoe makkelijker iedereen gevonden zou worden. Op een dag zouden alle mensen altijd een mobiele telefoon bij zich hebben en hoefde er nooit meer iemand zoek te raken.

De agent met het te grote uniform had gesproken. Hij voerde al de hele tijd het woord.

'Wat bedoelt u?'

'Wat ik zeg.' Hij glimlachte. 'De wereld verandert zo snel. Mensen laten meer en meer sporen achter. Hoe meer sporen, hoe makkelijker onze job. We zullen uw moeder vinden. Als er een spoor is, dan vinden we haar. U kunt ons helpen haar spoor op het spoor te komen.'

De agent sprak alsof de blunders in de zaak Dutroux nooit waren gemaakt. Alsof die agenten nooit het huis van Dutroux hadden doorzocht zonder de meisjes te ontdekken, die zich in de kelder schor hadden geschreeuwd in de ijdele hoop te worden gered. Als er een spoor is, dan vinden we haar!

'We hebben onze les geleerd,' zei de man, alsof hij mijn gedachten raadde. 'In zekere zin is het een goede zaak dat uw moeder uitgerekend nu is verdwenen. Als ze is verdwenen.'

'Ze is verdwenen. Ik weet niet waar ze is.'

Mijn tanden begonnen te klapperen. Ik stak er mijn vinger tussen opdat het zou ophouden. Kort voor zijn dood had mijn vader zijn rekenmachientje verloren. Het lag altijd op dezelfde plek in dezelfde lade of het zat in zijn jaszak. Er waren maar twee mogelijkheden: de lade of zijn jaszak. Als hij boodschappen ging doen, trok hij de lade open en greep het blindelings. Bij zijn thuiskomst legde hij het meteen op zijn plaats en noteerde in het schrift dat ernaast lag hoeveel hij had uitgegeven. Het kon niet verdwenen zijn. Maar het wás verdwenen. Telkens opnieuw trok hij de lade open en dwong ons naar de lege plek te kijken. Hij wilde ons ook een kans geven het rekenmachientje terug te leggen. Hij zou ons niet straffen als we het teruglegden. Hij was bereid te aanvaarden dat we een goede reden hadden gehad om het te pakken. Maar het was tijd om het terug te leggen. En ook zijn zakken keerde hij binnenstebuiten. Het rekenmachientje was weg.

Nu was het hele appartement een lege plek. De keuken was leeg, haar slaapkamer was leeg, haar stoel aan tafel was leeg, haar fauteuil bij de televisie was leeg en het bankje waarop ze haar voeten legde was leeg.

De agenten gaven me de raad te gaan slapen. Het had geen zin, zeiden ze, om wakker te blijven. Ging ik naar school?

Ja, ik ging naar school.

Dan was het belangrijk dat ik voldoende nachtrust kreeg.

De hele nacht bleef ik bij de telefoon zitten. Af en toe viel ik even in slaap en schrok wakker omdat ik dacht dat de telefoon gerinkeld had. Ik nam de hoorn van de haak. 'Hallo? Hallo? Mama? Ben jij dat, mama?'

Om zes uur sloeg de verwarming aan en om tien over zes liep haar wekker af. Ik liep naar haar kamer die er precies uitzag als altijd: het bed even keurig opgemaakt als het mijne, alle kleren netjes in de kast. Ik zette de wekker af en keek naar het eenpersoonsbed. Op haar nachtkastje lag de *Knack* met een foto van haar held, Connerotte, op de cover. Sinds wanneer las mijn moeder de *Knack*? Ik sloeg het tijdschrift open en zag dat zinnen in het artikel waren aangestreept. Mijn moeder had een abonnement op *Het Nieuwsblad*, waaruit ze artikels knipte, maar nooit eerder had ze de *Knack* gekocht. Voorzichtig legde ik het tijdschrift terug. Ik wist niet wat ik moest doen: bij de telefoon blijven zitten voor het geval mijn moeder belde of naar het politiekantoor gaan. We hadden geen antwoordapparaat en ook geen mobiele telefoon. Bijna niemand die ik kende had in die tijd een mobiele telefoon. De man van de eigenares van de tearoom had er één en mijn oom, die tot voor kort mijn voogd was geweest, zou er misschien eentje aanschaffen. 'Dat verbaast mij nu, zie, dat gij dat nog niet hebt,' had mijn moeder tegen hem gezegd. 'Anders zijt gij altijd den eerste als er nieuw speelgoed is. Gaan de zaken niet goed?' – 'Zou u dat plezier doen, als de zaken slecht gingen? Zoudt ge u dan beter voelen?' – 'Ik voel mij goed,' zei mijn moeder. 'Van mij moogt gij tien mobiele telefoons kopen, als dat u gelukkig maakt. En nu ge geen voogd van ons Wendy meer zijt, kunt ge ze niet gebruiken om haar te controleren.' – 'Ik neem mijn verantwoordelijkheid, Francine.' – 'Dat weet ik, dat gij uw verantwoordelijkheid neemt. Als Wendy en ik één ding weten, dan is het dat gij uw verantwoordelijkheid neemt.'

Want ze kon er niet tegen dat haar broer, die nota bene een halfbroer was, zich met mijn opvoeding bemoeide. Zij mocht van 's morgens tot 's avonds kritiek op mij hebben, maar iemand anders moest dat niet wagen.

In Kanyakumari, zegt Ruchir, halen de vissers iedere ochtend de lijken van de afgelopen nacht uit het water. Ze leggen ze op het strand waar politie en nabestaanden ze kunnen vinden. En daarna duwen ze hun bootjes de golven in.

Ik nam een deken van mijn bed en ging op de bank liggen. Zo meteen, dacht ik, komt ze thuis en vraagt ze waarom ik op de bank slaap en niet in mijn bed. Normaal ging ze nu de deur uit met in haar tas de krant, haar sigaretten en haar blocnote waarop ze boodschappen noteerde, maar ook ideetjes die haar te binnen schoten en die ze niet wilde vergeten. Iets wat ze mij wilde zeggen. Of iets wat ze op de bewonersvergadering ter sprake wilde brengen. Ze liep de twee stappen naar de lift en drukte op de knop. In bed kon ik horen hoe de lift met een schok tot stilstand kwam en de deuren open- en dichtgleden. Soms hoorde ik dan toch haar voetstappen op de trap. Dat betekende dat iemand in de lift vuilnis had achtergelaten. Of erin had gepist of gekakt of gekotst. Onze blok telde veertien verdiepingen. Eigenlijk waren het er dertien, maar de dertiende werd de veertiende genoemd omdat er anders niemand wilde wonen. Op het gelijkvloers waren een vergaderzaaltje en een wasserette en een appartement dat het OCMW voor noodgevallen gebruikte. Als een dakloze ergens was opgepakt, dan kon die daar voor een paar nachten terecht. In de winter lag dat appartement vol met matrassen. Als er geen plaats meer was, legden ze matrasjes in de vergaderzaal. Dan belde mijn moeder met het OCMW om een klacht in te dienen. Er was maar één toilet voor al die daklozen en de alcoholisten onder hen hadden allemaal diarree. Als zo'n dakloze aanbelde om te vragen of hij het toilet mocht gebruiken, had je de keuze: of je liet hem binnen en dan moest je achteraf het appartement een uur lang luchten, of je liet hem niet binnen en je liep het risico dat hij een hoopje of een plasje voor je deur of in de lift achterliet. 'Maar die van het OCMW hebben daar geen last van,' zei mijn moeder. 'Ik heb dat nage-vraagd: niemand van het OCMW woont in een van dees blokken. Wij zijn de afvalbak. Een afvalbak waarvoor ge iedere maand huur betaalt.'

Wij woonden op de achtste verdieping naast een Turks gezin waarvan de kinderen van 's morgens tot 's avonds kabaal maakten. Aan de andere kant woonden twee homo's. Mijn moeder noemde hen de pedofielen, maar ze waren stil en ze groetten haar hoffelijk. En ze konden geen kinderen krijgen, die zouden krijsen en tieren. En ze waren bijna ieder weekend naar hun huisje in de Ardennen. Mijn moeder hing voortdurend briefjes in de trappenhal en in de lift met het verzoek aan de bewoners om zich een beetje te gedra-gen. 'Pissen en kakken doen we op ons eigen toilet!'; 'Na tien uur zijn we stil!'; 'Honden blijven buiten!'; 'Van beleefd zijn is nog niemand doodgegaan!' Ze stak zulke briefjes ook in alle brieven-bussen. Vorige week had ze de trappenhal nog volgehangen met 'Wij zijn allen trots op F!'. Iemand had 'trots' doorgestreept en er 'kots' van gemaakt. Alle oproepen van mijn moeder werden van commentaar voorzien, maar daarin zag ze het bewijs dat ze gele-zen werden. Ze had plannen voor een 'Trots-op-F'-actie. Bij haar op school hadden ze met iets gelijkaardigs veel succes geboekt. Er was daar een docent van wie blok F veel kon opsteken, zei ze. Hij zwoer bij een positief verhaal. Daar bereik je het meest mee. Die docent was Paul Devroey, maar dat wist ik toen nog niet. Ik had de naam Paul Devroey nog nooit gehoord. Mijn moeder vertelde me veel, maar ze vertelde me niet alles.

Om halfnegen belde Aesha.

'Francine? Zijt ge ziek?'

'Het is Wendy. Mijn moeder is er niet.'

'Is ze ziek?'

'Ik weet het niet. Ze is gisteren niet thuisgekomen.'

'Waarom niet?'

'Dat weet ik niet.'

'Hoe weet ge dat niet?'

'Ik weet het niet.'

'Is ze niet naar de Witte Mars geweest?'

'Ja, ze is naar de Witte Mars geweest.'

'En ze is niet thuisgekomen?'

'Nee, ze is niet thuisgekomen.'

'Wat gaat ge doen?'

'Ik heb de politie gebeld. Gisteren zijn ze hier geweest. Ik heb ze de foto van de personeelsuitstap meegegeven. Ze willen haar opsporen.'

'Opsporen?'

'Ja.'

Ik moest me beheersen om niet te huilen.

'Waar kan ze zijn?'

'Dat weet ik niet. Dat weet ik echt niet. Weet gij het?'

'Nee. Ik zal het hier eens vragen. Maar ik denk niet...' Haar stem stierf weg en ik legde neer. Ze belde meteen terug om haar telefoonnummer te geven. En of ik haar alstublieft wilde bellen als ik nieuws had. En ook anders mocht ik haar bellen. Mocht zij mij bellen?

Mijn vader had nooit gewild dat mijn moeder werkte omdat hij a. genoeg verdiende en b. niet verdroeg dat mijn moeder er niet was wanneer hij van kantoor kwam. Vrouwen die elders werkten, verwaarloosden hun werk thuis. En hij had ook te veel op zijn werk gezien wat er op feestjes gebeurde. Ge moet, zei hij, de kat niet bij de melk zetten. En de katers, had mijn moeder gevraagd, mogen die wel bij de melk? Mijn vader werkte op het Rekenhof. De hele dag controleerde hij rekeningen. En als hij thuiskwam bleef hij met zijn rekenmachientje rekeningen controleren. Hoe meer hij controleerde, hoe dikker zijn dossier bij de bank werd. Het was proper gesteld met België, zei mijn moeder, als hij de rekeningen van het land met hetzelfde resultaat controleerde als die van zichzelf.

De telefoon rinkelde.

'Met Wendy Verdonck?'

'Hebt u nieuws?'

'Een momentje, mevrouw. Ik verbind u door.'

De onderzoeksrechter had het volgende nieuws: het dossier was geopend, het onderzoek was van start gegaan en mijn moeders signalement was verspreid. Nu wenste hij een gesprek met mij. Kon ik naar het kantoor komen? Zijn naam was John. John Palsterman. En hij was dus onderzoeksrechter.

'Zoals Connerotte.'

'Ja, zoals Connerotte.'

Hij gaf me zijn mobiele nummer. Ik mocht hem dag en nacht bellen. Hij zei niet dat ik me niet ongerust hoefde te maken. Ze deden wat ze konden om mijn moeder te vinden.

Ik trok mijn jas aan en liep naar de bushalte. Bijna meteen kwam er een 39. Dat was de bus die mijn moeder iedere dag om tien voor zeven nam. Het liefst zat ze helemaal voorin, vlak achter de chauffeur. Haar dag begon goed als dat plekje vrij was.

De chauffeur stopte. Er wachtte niemand anders bij de halte, zodat ik me bijna verplicht voelde in te stappen.

'Ik heb me vergist,' zei ik. 'Ik moet naar het politiekantoor.'

'Dan moet u lijn 6 hebben,' zei hij vriendelijk. Mijn moeders plekje was leeg.

In de verte zag ik een taxi. Ik stak mijn hand op, zoals een politieagent zijn hand opsteekt om het verkeer tot stilstand te brengen. Ik, die nooit eerder in mijn leven een taxi had genomen, bracht de taxi met mijn hand tot stilstand en ging achterin zitten. Rustig maar beslist gaf ik het adres op.

John Palsterman bood me een doos Kleenex aan, nam tegenover mij plaats en wachtte.

'Gaat het?' vroeg hij na een tijdje.

Ik knikte. Toen liet hij me het zilverkleurige toestelletje zien waarmee hij alles wat ik hem vertelde zou opnemen en of ik daar bezwaar tegen had. Het paste in de palm van zijn hand.

'Heb je ontbeten?' vroeg hij.

Ik schudde mijn hoofd.

'Wil je koffie?'

Ik knikte.

'Melk en suiker?'

'Veel melk,' zei ik. Door die melk besefte ik dat ik leefde. Ik was helemaal alleen, maar ik leefde. Ik prutste de melkkuipjes open en beloofde John me alles zo nauwkeurig mogelijk te herinneren. Ik knikte om aan te geven dat ik begreep dat elk detail van cruciaal belang kon zijn.

'Het gaat om je moeder,' zei hij.

'Het gaat om mijn moeder,' herhaalde ik.

Ik vroeg of ik mocht roken. Dat mocht.

Ze had gezegd: 'Het kan iets later worden, maar het eten staat klaar.' Vogeltjes zonder kop met erwtjes en wortelen en aardappelpuree. Die had ze de avond voordien klaargemaakt.

Ze had gezegd: 'Ge moet niet op mij wachten, ge moogt al beginnen.' En dat dat inderdaad uitzonderlijk was. Normaal was ik degene die te laat thuiskwam. Zij bleef dan zitten wachten tot ik er was. En ze warmde mijn portie op.

'Ze is dus een punctuele vrouw?'

'Eigenlijk wel.'

Was mijn moeder alleen naar Brussel gegaan of had ze met iemand afgesproken?

Dat wist ik niet. We hadden samen de bus naar het Centraal

Station genomen, want ik moest op de Meir zijn. Bij het station had ze zich nog eens omgedraaid en naar mij gezwaaid.

Hoe heette die tearoom?

De Sinjoor. Maar ik had mijn ontslag gekregen. De bazin had mij niet graag.

En de naam van de school waar mijn moeder werkte? En de namen van vriendinnen of vrienden bij wie ze haar hart luchtte? Waren er buren met wie ze het goed kon vinden? Of met wie ze op voet van oorlog leefde? Was mijn moeder geliefd? En op haar werk? Had ze goede contacten op haar werk?

Toen vertelde ik John Palsterman over de witte jurk die mijn moeder samen met Aesha had gekocht.

'Een nieuwe jurk?'

'Ja.'

'Een nieuwe witte jurk?'

'Voor de Witte Mars.'

En of mijn moeder altijd veel aandacht aan haar kleding besteedde.

'O nee. Absoluut niet.'

'Maar nu dus wel?'

'Wel ja,' zei ik, 'voor Ann en Eefje en Sabine en Laetitia en Julie en Melissa.'

Was ik er zeker van dat die witte jurk voor de meisjes was bedoeld?

'Voor wie anders?'

John Palsterman en ik keken elkaar recht in de ogen. Toen vroeg hij of er iemand in het leven van mijn moeder was met wie ze die dag een afspraak had kunnen hebben. Iemand voor wie ze die witte jurk kon hebben aangetrokken. Was het gedrag van mijn moeder de afgelopen weken veranderd? Was mij iets opgevallen? En of hij me nog een espresso kon aanbieden.

'Mijn moeder haat mannen. Het ergste wat een vrouw volgens

haar kan overkomen, is verliefd worden op een man. Dutroux toont hun ware gelaat. Hij is tenminste eerlijk.'

Opnieuw begonnen mijn tanden te klapperen.

'Je bent moe,' zei John Palsterman.

'Ja,' zei ik. 'Ik ben moe.'

Hij zei dat ik moest proberen te rusten. Hij zou me met een dienstauto naar huis laten brengen. Ik moest hem beloven geen domme dingen te doen.

Over twintig jaar krijgt elke baby bij zijn geboorte een chip ingebouwd, en ook in de fabriek wordt elk voorwerp met een chip uitgerust, zodat alles en iedereen door middel van een zoekrobot kan worden opgespoord. En die chip zorgt er dan ook voor dat je slaapt wanneer je lichaam slaap nodig heeft, en dat je de juiste hoeveelheid vitaminen en mineralen en calorieën binnenkrijgt, en ook kun je maar een klein beetje boos worden. Je kunt uitzinnig gelukkig zijn, maar niet buiten je zinnen van woede, en je kunt zeker niemand slaan, of je penis in haar stoppen als ze dat niet wil, of iemand in een camionette sleuren, of kelders bouwen waarin je ze dan weken gevangen houdt en mishandelt.

Dankzij die chip kan dat allemaal niet meer. Niemand zal nog nachten de zolen van zijn schoenen moeten lopen om iemand te vinden. Niemand zal nog onvindbaar zijn.

Als over twintig jaar baby's inderdaad zo'n chip ingeplant krijgen, gaan Ruchir en ik met een cruiseschip naar Kanyakumari. Of met een vliegtuig, dat maakt niet uit. Ik wil zien waar hij geboren is. Ik wil met hem door de straten lopen van een stad waarin iedereen dezelfde huid, dezelfde ogen, dezelfde jukbeenderen en hetzelfde dikke zwarte haar heeft als hij. Of zelfs dezelfde gele tanden. In de tempel van de maagdelijke godin Kanya Devi wil ik een offer brengen. Ik wil haar danken omdat ze hem heeft gered.

Ruchir gelooft niet in achteromkijken. Maar als ik de weddenschap win, krijg ik mijn zin. Híj heeft met mij gewed dat hij me meteen bezwangert als we neuken zonder pil. Het eerste kind zal een zoontje zijn met de huid en het haar van hém. Daarna volgt er een meisje dat op mij lijkt.

'Wil jij kinderen?'

'Natuurlijk wil ik kinderen.'

'Maar ze mogen niet op mij lijken?'

'Natuurlijk mogen ze op jou lijken. Maar het eerste zal een jongetje zijn en lijkt op mij.'

Meer dan een maand na mijn moeders dood is haar handtas bij de politie van Sint-Joost-ten-Node binnengebracht. De tas was leeg op een klantenkaart voor steunkousen na met haar naam en adres, en een foto van mij. 'Wendy, 16 j.' had ze op de achterkant geschreven.


Op dinsdag 22 oktober 1996 zat ik om halfnegen opnieuw bij de politie. Of ik een beetje had kunnen slapen?

Ik schudde mijn hoofd.

Of ik zin had in koffie?

Ik knikte. Ik was met de politieauto gekomen die stapvoets tussen de blokken van Alphabet City reed.

John Palsterman wist nu meer over mijn moeder dan ik zelf.

Of de naam Paul Devroey me iets zei, wilde hij weten. Had ik mijn moeder ooit over een man horen praten die Paul Devroey heette?

'Nee,' zei ik. 'Nooit.'

Paul Devroey was de verandering die zich blijkbaar in het leven van mijn moeder had voltrokken. Als ze klaar was met haar werk, knoopte ze haar schort los en ging met hem aan een tafeltje zitten. Hij was de docent ethiek. Een weduwnaar. Vader van een zoontje. Een opvallende man met lang haar, blauwe ogen en een baard. Erg geliefd. Soms ging hij met een kopje koffie bij mijn moeder zitten, terwijl zij broodjes smeerde. Volgens Aesha gaf hij haar les.

'Ethiek?'

'En geschiedenis.' Hij had dat allebei gestudeerd. Vanuit die dubbele interesse had hij zich op de zaak Dutroux gestort. Hij had er bij de directie op aangedrongen een middag alle lessen te schorsen om een debat te organiseren. Er werd in België geschiedenis geschreven, zei hij. De school had een verantwoordelijkheid tegenover de studenten. Iedereen was betrokken partij.

Mijn moeder had het debat bijgewoond. Ze zat op de eerste rij en had haar ogen niet van Paul Devroey af kunnen houden. Zei Aesha, die het van de secretaresse had gehoord. En na afloop had mijn moeder niet de bus genomen, maar was ze door Paul Devroey met zijn auto naar huis gebracht. Dat was donderdag 17 oktober. De volgende dag was mijn moeder samen met Aesha gaan winkelen. Paul Devroey had alle studenten en docenten opgeroepen om aan de Witte Mars deel te nemen. De school had bussen ingezet. Maar noch Paul Devroey noch mijn moeder had van die mogelijkheid gebruikgemaakt.

Was mijn moeder dan samen met Paul Devroey naar de Witte Mars gegaan?

Paul Devroey hield vol dat hij helemaal niet was gegaan. Rond de middag had hij zijn zoontje bij zijn schoonmoeder in Lier afgezet en daarna was hij gaan rijden. Dat deed hij wel vaker, zei hij. Soms nam hij een lifter mee, maar deze keer had hij niemand zien staan liften. Soms reed hij naar zee, soms reed hij naar de Ardennen, soms ging hij de grens over naar Frankrijk of Duitsland of Nederland. Het maakte hem allemaal niet zoveel uit, als hij maar reed. Hij zou gereden hebben tot het tijd was om zijn zoon op te halen. Onderweg was hij ook nog ergens gestopt om te eten. De schoonmoeder was ondervraagd en die bevestigde dat haar kleinzoon bij haar had gegeten en daarna was ze met hem naar het voetbal gegaan. Rond zes uur had haar schoonzoon aangebeld. Hij had een kop koffie gedronken en had naar de beelden van de Mars gekeken. Daarna was hij met zijn zoon weggereden. En nee, ze had niets bijzonders aan hem opgemerkt.

Het onderzoeksteam was alle beelden van de Witte Mars aan het bekijken. Voorlopig hadden ze noch mijn moeder noch Paul Devroey ontdekt, maar wel beelden van de delegatie van de verpleegstersschool. Aan alle persfotografen was gevraagd hun filmpjes binnen te brengen. De auto van Devroey was in beslag genomen. En de kleren die hij zondag had gedragen.

'Waarom?'

'Misschien vinden we DNA van je moeder.'

'Gaat u hem arresteren?'

'Daarvoor is het te vroeg. Maar hij mag het land niet verlaten. Kun je ons een tanden- of haarborstel van je moeder bezorgen?'

'Maar is ze dan dood?'

'We willen alleen weten of ze zondagmiddag met Paul Devroey heeft doorgebracht.'

De dienstauto bracht me naar huis. Om één uur 's nachts kwam het telefoontje.


Als mensen me vragen wanneer en hoe mijn moeder gestorven is, dan merk ik aan hun gezicht dat ze die twee dagen niet echt lang vinden. Te kort zelfs om het over een verdwijning te hebben. Sabine, dát was een verdwijning. En die twee Russische meisjes van wie het ene tijdens hun gevangenschap twee kinderen van hun beul heeft gebaard. Maar twee dagen, zie je ze denken, zijn om voor je het weet. Twee dagen zijn te kort om je echt ongerust te maken.

Andere mensen zeggen: wat vreselijk! Of: wat afschuwelijk! Maar ze kunnen onmogelijk weten wat het is om twee dagen en twee nachten bij een telefoontoestel te wachten. Ze kennen de overweldigende angst niet en de gekmakende overtuiging dat je iets moet doen, maar je weet niet wat. Je zou je pink geven om iets te kunnen doen. Of je teen, je been.

En dan zijn er de mensen die hun eigen verhaal kwijt willen. 'Ik heb ooit op de markt van Saint Rafaël mijn zoontje uit het oog verloren. Hij was pas drie en sprak geen woord Frans. Het heeft hooguit tien minuten geduurd, maar ik heb toen zo hard zijn naam lopen brullen dat ik een week later nog geen geluid uit mijn keel kreeg.' Eindeloze variaties op hetzelfde thema. Verdwijningen in bossen, op stranden, in de steegjes van een oude stad. Verdwijningen met een gelukkige afloop die niets, maar dan ook niets met mijn moeder te maken hebben, en die dus ook geen recht hebben op een plekje naast haar dossier, zelfs niet op een plekje in de schaduw ervan.

Ik ben opgehouden het te vertellen. Ruchir en ik hebben afgesproken dat zijn ouders bij een treinongeluk zijn omgekomen. Mijn ouders waren allebei verstokte rokers. De ene is door longkanker geveld en de ander door emfyseem, en nee, ik ben niet bang dat ook ik jong zal sterven, want ik heb nooit gerookt. Soms zeggen hij en ik met een brede lach: 'Wij hebben geen ouders. Wij zijn in een fabriek gemaakt. Kinderen van een machine, dat zijn wij.'

Sommige mensen herinneren zich haar van in de krant. Zonder dat ik er iets over zeg, weten ze dat ik de dochter ben van die vrouw die na de Witte Mars uit het kanaal is opgevist en van wie werd gedacht dat ze het slachtoffer was van een psychopaat. Sommige mensen dachten zelfs dat Dutroux er de hand in had. Dutroux zat in de gevangenis, maar misschien was hij de mastermind, die zijn handlangers erop uit had gestuurd. Er bestonden netwerken binnen netwerken, die nog lang niet waren opgerold. De dood van mijn moeder bewees hoe gevaarlijk het land wel was.

Of ik ontmoet iemand die op de verpleegstersschool heeft gezeten en aan wie mijn moeder belegde broodjes en drank heeft verkocht. Of die haar begrafenis heeft bijgewoond. Of die van Paul Devroey les heeft gekregen en zich de hysterie herinnert. Dagenlang was er op de verpleegstersschool over niets anders gesproken. Eerst verdween mijn moeder en vervolgens werd de populairste docent van moord verdacht. Maar uiteindelijk kon de politie niet één lek in zijn alibi ontdekken. Er werd DNA van mijn moeder in zijn auto gevonden, maar getuigen bevestigden dat hij haar na het debat een lift had gegeven.

*Het Nieuwsblad* drukte een kaartje af met de route die Paul Devroey op zondag 20 oktober had gevolgd. Onder alle plaatsen waar hij was gestopt, stonden het tijdstip en een kort citaat uit de verklaring van de getuige. 'Maastricht, Coffeeshop Red, 15.30 u. "Hij kwam hier wel vaker. Hij rookte een jointje en stapte op. Een opvallende, maar rustige verschijning."' – 'Docent ethiek steekt stiekem grens over om drugsbehoefte te bevredigen terwijl bejaarde schoonmoeder voor zoontje zorgt.' Dat 'bejaard' was schromelijk overdreven: de vrouw was amper zestig.

Alle getuigen waren stellig: Paul Devroey was die zondagmiddag alleen. Door zijn baard, zijn blauwe ogen en lange haar bleef hij niet onopgemerkt. *Het Nieuwsblad* noemde hem een overjarige hippie. Zijn rijtjeshuis in Meise had een tuin waarin hij fruit en groenten kweekte. Zijn zoon heette Ziggy. De foto bij het artikel was gemaakt tijdens het debat over het spaghetti-arrest. Devroey had een microfoon in de hand en droeg een gestreepte trui en een spijkerbroek. Volgens *Het Nieuwsblad* had hij tegen de studenten gezegd: 'Er bestaat geen geldig excuus om zondag uit Brussel weg te blijven.' Mijn moeder zat op de eerste rij. In de krant was rond haar hoofd een witte cirkel getrokken. De handtas die een maand later bij de politie van Sint-Joost-ten-Node zou worden binnengebracht, stond tussen de stoelpoot en haar rechtervoet. Ze had een verband om haar enkel, omdat ze die had verzwikt.

*Wendy*

Mijn moeder had haar geheimen met zich meegenomen, maar Paul Devroey lag niet in zijn graf. Hij zat in een psychiatrische inrichting in Duffel. Ruchir zocht iemand om hem in het dodenhuisje te vervangen en ging met me mee. Een vriendin van hem had in het ziekenhuis stage gelopen. In de tuin hadden ze een kopie van de grot van Lourdes.

De baard waarover ik zo dikwijls had gelezen en horen praten, was weg en ook zijn haar was geknipt, maar toch herkende ik hem meteen. Hij was, zoals Aesha had gezegd, anders dan andere mensen.

Hij zag eruit als een man die wachtte. Zijn handen lagen voor hem op tafel als voorwerpen waarvan hij zich de functie niet kon herinneren. De vingers van de ene hand zochten die van de andere en klampten zich eraan vast. Ze losten elkaar en lagen weer rusteloos op het formicablad. Het schoot door mijn hoofd dat hij niet op mij, maar op een vonnis wachtte.

Ik ging zitten op de stoel tegenover hem. Brutaal keek ik hem in de ogen.

'Je bent gekomen,' zei hij.

Ik knikte.

'Innige deelneming.'

Ik zweeg. Hij staarde naar zijn vingers.

'Hoe was de begrafenis?'

'Er was veel volk. Ook van de school. Vooral van de school.'

'Als er een klacht wordt ingediend, is het de plicht van de politie die te onderzoeken. Iedereen heeft het recht een klacht in te dienen en vervolgens heeft iedereen het recht zich te verdedigen. Als de politie gegronde redenen heeft om iemand te verdenken, is het de plicht van de politie een onderzoek in te stellen.'

'Maar u wordt niet langer verdacht.'

'Voorlopig niet.' Zijn vingers haakten in elkaar. 'Er kunnen altijd nieuwe klachten komen. Het werk van de politie is nooit voltooid.'

'De kranten schrijven dat u die middag helemaal niet in Brussel bent geweest.'

'De politie leest de kranten niet. Mijn dossier is zo vreselijk dik, zo heel erg dik.' Hij drukte de toppen van zijn vingers tegen elkaar.

'Meneer Devroey, waarom hebt u niet aan de Witte Mars deelgenomen?'

'Ik moest mijn zoontje naar zijn oma brengen.'

'Maar daarna had u tijd om naar Brussel te rijden.'

'Het was te laat. Brussel zat vol.'

'Het was niet te laat. Mijn moeder verwachtte u.'

'Ik heb je moeder niets beloofd. Nooit. Ik heb haar gezegd...' Hij sloeg zijn handen voor zijn ogen en snikte.

'Wat? Wat hebt u haar gezegd?'

'Ik heb haar gezegd dat ik waarschijnlijk uit Lier met de trein zou komen omdat ik te laat zou zijn voor de bus en het waanzin was met de auto te komen. Ik heb haar geen hoop gegeven.'

'U had uw zoontje vroeger kunnen wegbrengen.'

'Een kind is geen zak aardappelen. Ik was moe. Ik ben moe.' Hij staarde naar zijn vingers. 'Ik heb je moeder nooit iets beloofd. Nooit.'

'U was niet moe. U organiseerde debatten. U nam de hele school op sleeptouw.'

'Brussel zat vol. Driehonderdduizend mensen tussen het Noord en het Zuid. Dat is de hel.'

'Waarom verstopt u zich hier?'

'Ik verstop mij niet, Wendy.'

Hij kende mijn naam. Hij wist alles over mij omdat mijn moeder het hem had verteld. Nu begon ík met mijn vingers te friemelen. We waren twee idioten die aan hun vingers waren overgeleverd.

Ik duwde mijn stoel achteruit en stond op. Omdat ik bang was dat ik zou gaan huilen, draaide ik me om en liep zonder afscheid te nemen naar buiten. Daar vond ik Ruchir bij de grot. Ik ging naast hem op het bankje zitten en legde mijn hoofd op zijn schouder. Ik had alle kaarten in handen gehad, maar Devroey had gewonnen.

'Slaap bij mij vannacht,' zei ik.

'Jij slaapt bij mij.'

Ik schudde mijn hoofd. 'Ik wil nooit meer in het dodenhuisje slapen.'

Hij glimlachte.

'Ik ga naar huis, Ruchir.'

Hij hield me niet tegen.

De telefoon rinkelde. Ik kende dat toestel. Uren had ik ernaast gewaakt.

Het was John Palsterman. Als ik zin had, konden we samen een hapje eten en een beetje nakaarten. Hij hoopte dat Allerheiligen en Allerzielen niet te zwaar voor mij waren geweest.

Nog geen halfuur later belde hij aan. 'Ik kom naar boven,' zei hij voor ik de kans kreeg hem te zeggen dat ik naar beneden zou komen. Hij was onherkenbaar in een spijkerbroek en een leren jasje.

'Je moet hier weg,' zei John. 'Je mag hier niet blijven.'

'Waar moet ik naartoe?'

'Kun je bij je vriend gaan wonen?'

'Bij Ruchir? Ik weet niet of ik dat wil.'

'Waarom niet?'

Ik haalde mijn schouders op.

'Hoe lang kennen jullie elkaar?'

'Niet lang.'

'Dat dacht ik al.'

Ruchir weet niet dat John Palsterman toen die vragen heeft gesteld en dat ik die antwoorden heb gegeven. Ruchir zat in zijn kamer in het dodenhuisje over een cursus gebogen. Anders dan de meeste mensen is hij niet bang van de doden. En ook aan de ontredderde bezoekers bewaart hij dierbare herinneringen. Aan de vrouw die op de koude tegels kronkelde en die hij zachtjes overeind moest helpen; aan de vader die hem absoluut de fiets van zijn zoon wilde geven want de jongen zou er nooit meer op rijden; aan de weduwe die voor hem maaltijden kookte omdat ze niemand anders had; aan de lijkschouwer die gelukkig was als een kind wanneer hij gave organen ontdekte; aan mijn moeder die voor hem had gezongen. De ene dode, zei hij, was de andere niet. Sommige doden wilden met rust gelaten worden. Die hadden zonder aarzelen de stap naar de overkant gezet. Anderen bedelden om aandacht. Er moest nog iets op aarde geregeld worden. Ze hadden iets verzuimd of ze hadden ergens de tijd niet meer voor gehad. Hij was hun allerlaatste kans. En nee, hij was nooit bang. Hij had van de doden veel gekregen. Mij, bijvoorbeeld. Hij en ik waren voor elkaar gemaakt. Mijn moeder had ons samengebracht. Ze had haar leven geofferd opdat wij elkaar zouden vinden. Je zou Ruchir moeten kennen om te begrijpen wat ik bedoel.

John Palsterman ging zitten in de stoel waarin mijn moeder altijd had gezeten, wanneer ze televisiekeek. Hij wist dat het haar stoel was. We hadden het er uitgebreid over gehad.

'Ik heb morgen een afspraak met het OCMW,' zei ik. Het was een leugen, maar als ik ze morgen belde om een afspraak te maken, was het maar een kleine leugen.

'Het is niet altijd eerlijk verdeeld,' zei hij.

Ik schoot in de lach. 'Het is nooit eerlijk verdeeld!'

'Ik woon in een veel te groot huis. Kamers zat. Als je niet weet waar naartoe... Ik woon er alleen.' Zijn handen lagen rustig op zijn dijen. Het waren mooie, krachtige handen.

'Hoe oud bent u?'

'Zesendertig.'

'Zo oud als mijn vader toen hij met mijn moeder trouwde. En zij was toen zo oud als ik. Hebt u kinderen?'

Hij schudde zijn hoofd.

'Een vrouw?'

Hij bleef zijn hoofd schudden.

'Een man?'

'Nee. Ik woon alleen. Alle vrouwen met wie ik heb proberen samen te wonen, hebben me verweten dat ik met mijn werk ben getrouwd. Misschien hebben ze geen ongelijk. Het huis is groot genoeg om er met twee mensen alleen te wonen.'

'Is er een tuin?'

Hij knikte. 'Met fruitbomen en een kippenren en een schommel van de vorige eigenaar.'

'Het is een villa?'

'Ja.'

'Afbetaald?'

'Nog niet, nee. Ik heb jou de afgelopen weken dikwijls bewonderd. Veel mensen zouden in jouw situatie minder sterk zijn geweest.'

'Ik ben niet sterk. Ik ben hard.'

'Dat geloof ik niet,' zei hij.

Ik dacht aan de brits in het dodenhuisje waarop ik met Ruchir had geslapen en aan de lijklucht die met niets viel weg te wassen en aan wat ik hem daarnet gezegd had: dat ik er nooit meer wilde slapen. Misschien had mijn moeder niet hem, maar John Palsterman gestuurd.

'Wat zou ik moeten doen in ruil voor een kamer in uw huis?'

'Niets. Helemaal niets.' Hij glimlachte. 'Laten we gaan. Ik heb ergens gereserveerd.'

In de lift leunde ik tegen de wand tegenover de deur. Dat deed ik altijd. John stond dicht bij de deur, klaar om uit te stappen. Ter gelegenheid van mijn moeders begrafenis waren de lift en de trappenhal schoongemaakt, en sindsdien had niemand erin gepist of gekakt of gekotst.

Ik herinner me het pad waarover John en ik liepen van blok F naar zijn auto. Het was geen dienstauto. Ik kende het pad als mijn broekzak, maar vandaag was het geen pad, maar een koord dat over een ravijn was gespannen en waarover ik tot mijn eigen verbazing liep. Ik viel niet, maar het kon niet anders of ik zou dat binnenkort doen. Dan zou alles eindelijk weer echt zijn. Sinds mijn moeder was verdwenen, was niets nog echt. Ruchir was niet echt, haar lijk was niet echt, de begrafenis was niet echt, het bezoek aan Paul Devroey was niet echt en nu was ook John Palsterman niet echt. Vroeg of laat zou ik in het echte ontwaken. Dan zou ik bij Ruchir zijn, of bij John of bij iemand anders of bij helemaal niemand. Terwijl ik over het pad naar Johns auto koorddanste, wist ik niet bij wie ik zou terechtkomen. Ruchir wist het of dacht het te weten. John was minder zeker van zijn zaak. En ik? Het liefst wilde ik eeuwig op mijn koord blijven lopen. De lucht was er een beetje ijl. Soms zou ik hebben gezworen dat ik zweefde, vloog of gleed.

Het was prettiger op dat koord dan op de grond. Ik zal wel geweten hebben dat ik er niet eeuwig kon blijven, maar ook dat herinner ik me niet. Ik herinner me het gras tussen de stenen van het pad. Ik herinner me de Mercedes, die als de felbegeerde prijs in een loterij stond te blinken. John hield het portier voor me open. Ik stapte in. Ook binnenin zag de auto er gloednieuw uit. Ik dacht dat hij naar de villa zou rijden om me de tuin te laten zien en de kippenren en de fruitbomen en de kamer waar ik zou mogen wonen, maar we reden zoals afgesproken naar een restaurant. Het lag buiten de stad.

'Ik heb honger,' zei ik.

'Jij hebt altijd honger,' zei hij met een lach.

'Ik denk dat de helft van de gesprekken tussen mijn moeder en mij over eten gingen. Eten dat ze had gekocht en eten dat ze had klaargemaakt en eten dat moest worden opgewarmd en eten dat moest worden opgegeten. Mijn moeder was altijd bang dat ik niet genoeg zou eten. Ik heb Paul Devroey gezien.'

'Dat weet ik. Toen zijn vrouw stierf heeft zijn schoonmoeder een klacht tegen hem ingediend wegens schuldig verzuim.'

'De oma?'

'Ja, de oma. Haar dochter had medicijnen nodig, maar hij zou druk op haar hebben uitgeoefend om die niet te nemen. Er was iets met haar bloed. Hij was ervan overtuigd dat het zich zou herstellen als de natuur haar gang kon gaan. Uit alles bleek dat ook zij van die pillen af wilde. Hij steunde haar, maar ze wilde het zelf. De moeder hield vol dat hij verantwoordelijk was, maar de klacht werd niet-ontvankelijk verklaard. Drie jaar later was het opnieuw prijs. Toen deed een buurvrouw aangifte bij de politie omdat hij met haar dochtertje in bad was gegaan. Dat meisje was thuis komen vertellen dat ze zijn penis had gezien. Geen enkele wet verbiedt een man om met zijn zoontje en buurmeisje in bad te gaan. Het is misschien niet verstandig, maar het is niet illegaal.'

Ik at snel en gulzig alsof ik bang was dat iemand mijn bord zou wegpakken. John raakte zijn eten nauwelijks aan.

'Mijn moeder dacht dat ze een afspraak met hem had. Ze dacht dat ook hij met de trein zou komen en dat ze dan samen van Brussel-Noord naar Brussel-Zuid zouden lopen. Ze had eindelijk een man vertrouwd.' Ik nam een slok water.

'Wil je nog dessert?'

Ik knikte. John riep de jongen die ons had bediend en vroeg hem de kaart te brengen. Terwijl ik die bestudeerde, voelde ik me letterlijk uitzetten, maar koppig volhardde ik in de gulzigheid.

'Tiramisu,' zei ik tegen de jongen. Daarna at ik ook alle koekjes die bij de koffie werden geserveerd, alsof ik hoopte dat het koord waarop ik al weken danste onder mijn gewicht zou knappen. Dan zou ik beseffen dat mijn moeder dood was en dat ik voortaan als wees door het leven moest gaan.

Het koord knapte niet. John rekende af en ik stapte opnieuw in de Mercedes. Ik vroeg hem of ik de villa mocht zien. Ik herinner me dat ik dacht dat ik een brommertje nodig zou hebben, als ik daar woonde.

'Villa's kun je kopen,' zegt Ruchir.

Dat is waar en niet waar. Ik heb Ruchir nooit verteld dat ik die avond met John Palsterman naar zijn villa ben gaan kijken, maar ik denk dat hij het weet. Ik denk zelfs dat hij het wist toen ik hem op het bankje bij de namaak Lourdesgrot zei dat ik niet meer in het dodenhuisje wilde slapen. Ruchir weet altijd alles. Daarom hoef ik hem niets te vertellen. Daarom ook heeft het geen zin bij hem weg te gaan. Ik wil ook niet bij hem weg, maar soms vraag ik me af hoe het zou zijn zonder hem. Want soms is het saai. Voorspelbaar en saai. Zie je mij nog graag? Hou je nog een beetje van me? En zijn overtuiging altijd dat ik zonder hem niet kan bestaan. Want hij stamt van Shiva af. Shiva zelf heeft een kraanvogel gestuurd om hem naar mij te brengen.

John Palstermans villa was veel mooier dan de villa waar ik de eerste negen jaar van mijn leven met mijn vader en mijn moeder had gewoond. Er was geen fontein in de tuin, maar er was een groot terras en elke slaapkamer had zijn eigen badkamer. Hij toonde me hoe ik een ei van onder het warme lijf van een kip kon halen.

'Je hebt het nu gezien,' zei John. 'Ik breng je naar huis. Denk erover na. Ik bel jou of jij belt mij.'

En omdat ik zweefde of vloog of gleed, liep ik gewillig naar zijn auto en liet me naar blok F brengen. Niets was echt. Alles was een droom, een spel, een grap. Het duurde maanden eer ik voorgoed van het koord viel en me er niet meer op kon hijsen. En al die tijd bleef John Palsterman bellen om te vragen hoe het met me ging en of ik al een besluit had genomen, want de kamer stond nog altijd voor me klaar. Ik bleef wonen naast de pedofielen. Het OCMW had besloten dat dat voor mij het beste was. Continuïteit, zeiden ze, was wat ik nu nodig had. Ik sliep nooit meer bij de doden. Ruchir kwam naar mij, wanneer hij iemand vond om hem te vervangen. Het bed van mijn moeder stond nu naast het mijne. Haar kamer bleef leeg. De foto's van de meisjes hingen in de keuken aan de muur. Ze keken me met hun grote, onschuldige ogen aan. Ze zeiden: besef jij wel hoeveel geluk je hebt? Dikwijls nam ik bus 39 naar de verpleegstersschool en zat in de cafetaria. Ik dronk een kop koffie en ik at een broodje of ik kocht een Marsbar, die ik in mijn zak stopte. Paul Devroey had nog altijd ziekteverlof en niemand kon zeggen of hij ooit nog voor een klas zou staan. En ook Aesha had ziekteverlof. Dat gebruikte ze om ander werk te zoeken. Soms belde ze me en spraken we af in de stad. Dan vertelde ze over mijn moeder en over haar nieuwe jurk en over de hoop die ze gekoesterd had en over haar verzwikte voet, waarmee ze misschien in het kanaal gesukkeld was. Want zelfmoord, daar geloofde Aescha niet in. Docenten van mijn school probeerden me tevergeefs terug te lokken. Ze zeiden dat ik met mijn toekomst speelde. Ruchir zei nooit dat ik iets met mijn leven moest aanvangen. In zijn ogen ving ik er eindelijk iets mee aan: ik was bij hem. Niet altijd, maar toch dikwijls genoeg om niet voor de verleiding van Johns villa te bezwijken.

Straks wordt de achtste verjaardag van de Witte Mars gevierd, maar ik betwijfel of buiten mezelf veel mensen dat zullen beseffen. Alles is weer echt: Ruchir, ik, het huis waar we wonen dat geen villa is, de auto waarmee ik naar mijn werk rijd. En ook de embryo in mijn buik, zegt de gynaecoloog, is echt. Anders dan mijn moeder hebben Ruchir en ik veel geluk gehad. We hebben nog iedere dag opnieuw geluk. Ruchir mist de doden en ik mis de lichtheid van mijn koorddansersbestaan. Ik zweefde, ik vloog, ik gleed. Als Ruchir mij niet goed had vastgehouden, was ik zonder enige twijfel naar Johns villa verdwenen. Ik denk dat hij dat weet.

We praten er nooit over. We zeggen tegen elkaar hoeveel we van el-kaar houden. En we houden ook veel van elkaar. Hij en ik hebben veel geluk gehad. Op de dag van de Witte Mars dacht ook mijn moeder dat het geluk haar eindelijk toelachte. Geluk is een glib-berig goed. Maar aan Ruchir en mij blijft het kleven. Nu al bijna acht jaar lang.

# 4

*Paul, eind 1997 en begin 1998*

Ze had nooit met hem naar Oostende willen gaan. Pas na haar dood was de absurditeit van die weigering tot hem doorgedrongen. Het was ook geen weigering, eerder een vaagheid die intrad zodra hij Oostende ter sprake bracht. Een oom van haar had een appartement in Oostduinkerke, waar ze gratis konden logeren. Als hij dan voorstelde om de tram naar Oostende te nemen, werd haar aandacht heel dringend door iets anders opgeëist. Wandelingen maakten ze altijd richting Frankrijk, weg van Oostende. In elke Belgische badplaats kon worden gewinkeld of mosselen met frites gegeten, behalve in Oostende. Oostende was spergebied. En toen hij haar ten einde raad met hun agenda's in de hand had willen dwingen een concrete afspraak te maken, had ze gezegd dat ze het niet zag zitten om naar Oostende te gaan.

'Oostende is jouw ding, niet het mijne.'

'Sarah, ik vraag jou niet om met mij naar Timboektoe te reizen. Ik heb het over Oostende, de Koningin der Badsteden, over de Venetiaanse Gaanderijen, het Casino en de hippodroom.'

'Dat weet ik. Het hoeft niet voor mij. Ik heb er geen zin in.'

'Maar ík heb er zin in!'

'Ga naar Oostende. Ga er wonen. Ik hou je niet tegen.'

'Ik wil naar Oostende met jou!'

'En ik niet!'

'Wil je dat ik je sla? Moet ik je bij je haar in de auto sleuren? Is dat wat je wilt?'

'Doe waar je zin in hebt, Paul. Dat doe je altijd.'

Hij had haar niet geslagen. Die triomf had hij haar niet gegund. Want hij verdacht haar ervan hem het bloed onder de nagels vandaan te pesten opdat hij haar zou slaan. Als hij zijn zelfbeheersing verloor, had zij een overwinning behaald. Of misschien liet zelfs dat haar koud. Misschien maakte het haar echt niets uit wat hij deed of dacht of zei. Ze was gewoonweg niet in hem geïnteresseerd. Ze was in niets of niemand geïnteresseerd. En hij, die over alles en iedereen zo veel mogelijk te weten wilde komen, had niet begrepen hoe iemand zonder enige nieuwsgierigheid door het leven kon gaan. Hij had geweigerd te aanvaarden dat iemand zo kil kon zijn. Alsof hij de wereld het tegendeel wilde bewijzen, was hij zelfs met haar getrouwd, terwijl zij dat eigenlijk helemaal niet wenste. Tegen beter weten in had hij in haar geloofd. Hij was als de leeuwentemmer geweest die zijn hoofd in de muil van het beest steekt en volhoudt dat het dier getemd is, terwijl de scherpe tanden in zijn hals dringen. De natuur kan niet eindeloos ongestraft worden getart en geloof verzet zelden bergen.

Sinds haar dood maakten hij en Ziggy iedere zomer een uitstapje naar Oostende. De eerste keer kon Ziggy amper lopen. Het gekrijs van de meeuwen had hem angstig gemaakt. Bij het monument voor Leopold II was hij begonnen te huilen en ook Paul had zijn tranen de vrije loop gelaten. Samen hadden ze staan huilen, de vader en zijn zoontje, terwijl de meeuwen over hun hoofd scheerden en schreeuwden. Jaar na jaar waren ze teruggekeerd. Met Allerheiligen bezochten ze Sarahs graf, in de zomer gingen ze naar Oostende. Over beide excursies had Ziggy al een spreekbeurt gehouden. Daarin blonk hij uit, zoals hij in alles uitblonk. Later wilde hij net als zijn vader geschiedenis en filosofie gaan studeren, maar zijn vader zag een advocaat of strafpleiter in hem. Ziggy had nog alle tijd om niet in zijn voetsporen te treden. Hij was nog geen tien.

Nooit vertelde hij de jongen over de botte weigering van zijn moeder. Over de doden niets dan goeds, zeker over dode mama's. Niemand nam hij erover in vertrouwen. Het was zijn geheime schande, waarover hij nog altijd liep te piekeren. Dan kwam hij tot de conclusie dat hij nooit met haar had mogen trouwen. Hij had haar moeten geven wat ze wilde: seks, zuivere, rauwe, onversneden seks. Hij had haar moeten nemen en weggooien, nemen en weggooien. En toen ze ontdekte dat ze zwanger was, had hij haar abortus moeten laten plegen. Ze was een moeras waarin hij steeds dieper was weggezakt.

Nog altijd had hij zijn oude gewoonte niet helemaal afgezworen. Dan leefde hij opnieuw in ontkenning en weigerde hij opnieuw te geloven dat ze niet van hem of van Ziggy had gehouden. Hij klampte zich vast aan zijn oude theorie: ze had zich teruggetrokken in haar schulp om niet kwetsbaar te zijn. Haar kilte was een pantser waarachter ze een warm en liefdevol hart verborg. En wat Oostende betrof, daar wilde ze niet naartoe uit angst dom en onwetend te lijken. Oostende had met zíjn studie te maken. Hij had er zijn licentiaatsverhandeling over geschreven. Zij had na de middelbare school niet verder gestudeerd. Dat was haar fout niet. Door het faillissement van haar ouders had ze moeten gaan werken. Maar toen ze kansen kreeg, had ze die niet gegrepen. Wel honderd keer had hij haar verzekerd dat hij genoeg verdiende voor hun tweeën. Ze kon haar baan opgeven, maar ze zag het niet zitten om in een klas terecht te komen met mensen die gemiddeld vijf jaar jonger waren dan zij. En zo was er altijd wel iets geweest wat Sarah niet had zien zitten.

Nog altijd dwaalden zijn gedachten naar haar af. Naar haar en naar voorvallen waarvan de precieze betekenis hem langzaam maar zeker werd ontvouwd, al kon hij nooit met absolute zekerheid weten wat haar drijfveren waren geweest. Hij stond er in zijn zoektocht naar waarheid grotendeels alleen voor. Om te beginnen wilde hij niet alle gegevens waarover hij beschikte prijsgeven. Mensen van wie hij advies inwon, hadden de neiging hem naar de mond te praten. Dat irriteerde en beledigde hem. Ze waren het met hem eens en vervolgens vonden ze dat hij het moest loslaten, zodat het leek alsof ze het met hem eens waren opdát hij het zo snel mogelijk zou loslaten. Ook de psychologe had dat gedaan. Van haar had hij de waarheid verwacht, maar ook zij noemde Sarah een bladzijde die hij moest omslaan. Het was tijd voor de toekomst. Iedereen was Sarah kotsbeu. Niemand wilde nog een woord over hun gedoemde relatie horen. Dat zeiden ze niet letterlijk, maar het bleek uit de haast waarmee op een ander gespreksonderwerp werd overgestapt. Hij vroeg hun of zij dan nooit naar scènes uit hun jeugd terugkeerden. Stonden zij nooit bij het verleden stil? Hoopten zij niet tot verborgen lagen door te dringen? Verlangden zij niet naar opheldering en licht? En er was hun zoon, Ziggy. De jongen hield de herinnering aan Sarah in stand. Hoe kon hij met de jongen leven en de moeder vergeten? Hij wilde voor hem een moeder bedenken op wie hij trots kon zijn. Ziggy mocht over haar geen kwaad woord horen.

Zijn schoonmoeder was de enige die hem iets verweet. Hoe langer haar dochter dood was, hoe meer verwijten ze aan de lange lijst toevoegde. Ze rakelde oude incidenten op en ontdekte nieuwe gebreken. Ze slaagde er zelfs in Paul verantwoordelijk te stellen voor gebeurtenissen uit de tijd vóór hij Sarah kende. Soms sprak ze alsof Paul en niet haar man de fatale beslissingen had genomen die tot het faillissement hadden geleid. Ze maakte zichzelf wijs dat Sarah zou hebben verder gestudeerd, als ze Paul niet had ontmoet. Alles wat in haar leven ooit fout was gelopen, werd Paul ten laste gelegd. Ook zij kon of wilde het verleden niet loslaten. Telkens opnieuw haalde ze het uit de kast en onderwierp het aan een grondig onderzoek. Ze bewaarde Sarahs kleren om te voorkomen dat een andere vrouw in de kleren van haar dochter zou paraderen. En toen haar man stierf, bewaarde ze ook zijn kleren met dezelfde piëteit. Ze was ervan overtuigd dat Paul gauw een ander zou hebben, want hij was de speelbal van zijn mannelijke natuur. Nu hij nog altijd geen vervangster had, was ook dat verdacht. Voor een vrouw was het natuurlijk om alleen te blijven, maar voor een man... Zij ontving nooit een man in haar huis, want ze wilde 'het niet zoeken'. Paul duldde ze omdat hij de vader van haar kleinkind was, het zoontje van haar betreurde dochter en het kleinzoontje van haar niet minder betreurde man, maar ze achtte hem in staat haar te bespringen en gebruikte haar kleinkind als schild. Had de affaire met die vrouw die zich voor hem in het kanaal had verdaan, niet bewezen dat niemand voor hem veilig was? Wat had hij die vrouw beloofd? Hoe had hij haar zo zot gekregen?

Het probleem met Paul, zo hield ze vol, was dat hij zijn verantwoordelijkheid niet nam. Hij zag er betrouwbaar uit, maar hij was het niet. Het was zijn ondergang dat mensen hem telkens opnieuw een vertrouwen schonken dat hij niet aankon. Hij zou de moed moeten hebben om te zeggen: 'Ik ben niet wie je denkt. Vertrouw mij niet.' Maar hij voelde zich gevleid. Hij was verslaafd aan het vertrouwen dat hij kreeg, maar dat hij niet verdiende. Paul, vond ze, straalde charisma uit, dat hij niet bezat. Hij had acteur moeten worden. Op het toneel zou hij niet door de mand zijn gevallen, maar in het echte leven schoot hij op cruciale momenten tekort. Híj had ervoor moeten zorgen dat Sarah haar medicijnen nam. Híj had haar bij die kwakzalver moeten weghouden. Zonder haar medicijnen was ze een vogel voor de kat geweest. Maar hij had haar aangemoedigd. Hij had haar met die kwakzalver het hoofd op hol gebracht. Hij had veel op zijn geweten.

Paul luisterde gretig naar zijn schoonmoeder. Nooit sprak hij haar tegen, nooit maakte hij haar op flagrante onwaarheden attent. Hoe had hij ervoor kunnen zorgen dat Sarah haar medicijnen nam, als hij niet eens wist dat ze die nodig had? Sterker nog: zijn schoonmoeder had haar dochter de raad gegeven haar ziekte voor hem en voor de wereld verborgen te houden. Ze had haar dochter ingepeperd dat een zieke vrouw nooit een man kon vinden. Ze had mee het complot bedacht dat hem in onwetendheid liet. Nu verweet ze hem die onwetendheid. Zijn schoonmoeder had een versie van de feiten ontworpen die haar voldoening schonk. Op veel punten was haar informatie beperkt en incoherent. Ze had weinig naar haar dochter omgekeken. Al haar energie was opgeslorpt door het faillissement en haar dwaze verlangen naar rehabilitatie. Sarah had ze pas na haar dood ontdekt. En met haar haar echtgenoot Paul, de geknipte zondebok.

De waarheid was dat niet hij, maar haar huisbaas Sarah met de 'kwakzalver' in contact had gebracht. Paul had de rol van de man pas laat ontdekt. Zoals zo vaak was hij ziende blind geweest. Maar zijn onschuld in de pillenkwestie pleitte hem niet op andere fronten vrij. De letter van haar beschuldiging klopte niet, maar wel de geest. Hij was tekortgeschoten. Hij was niet alleen zondebok, maar ook zondaar. Als enige had zijn schoonmoeder de moed hem te beschuldigen. Alle anderen waren te laf om hem wat dan ook ten laste te leggen. Ze wilden dat hij Sarah en haar bloed en de pillen die ze nam of niet nam, en de liefde die ze voelde of niet voelde, vergat. En ook zij wilden het vergeten. Hij niet. Hij wilde het niet vergeten. Hij verlangde naar een proces, een straf, boete. Hij wilde een lijvig dossier aanleggen, waarover zijn rechters zich zouden kunnen buigen. Hij wilde met hen over de minuscuulste details discussiëren tot de waarheid aan het licht kwam. Hun oordeel moest streng maar rechtvaardig zijn. Hij kon zich niet voorstellen dat ze hem zouden vrijpleiten. De jury heeft geoordeeld dat twintig procent van de schuld ten laste van Devroey Paul moet worden gelegd. Of dertig. Maar geen veertig. Hij was, zo schatte hij, voor een kwart verantwoordelijk voor alles wat er was gebeurd of niet gebeurd.

Over de meeste dingen nam hij niemand in vertrouwen uit schaamte en uit angst dat ze Ziggy ter ore zouden komen. Dikwijls observeerde hij mensen en probeerde hij hun geheimen te raden.

Hij was ervan overtuigd dat niemand ooit de hele waarheid vertelt. Op contactavonden moedigde hij de ouders van zijn leerlingen aan om zonder schroom over hun gezinsleven te praten. Die informatie was voor hem cruciaal, zei hij, om hun zoon of dochter te begrijpen. Maar eigenlijk hoopte hij zichzelf te begrijpen. Zichzelf en de vrouw van wie hij zielsveel had gehouden, maar tegenover wie hij volgens zijn schoonmoeder schromelijk tekort was geschoten. Hij was bereid te bekennen: ik schiet tekort, ik ben niet volmaakt. Ook tegenover zijn zoontje schoot hij ongetwijfeld tekort en tegenover de leerlingen van de school waar hij met hulp van zijn psychologe na zijn inzinking werk had gevonden. Hij wilde zich vooral niet uitsloven. Zijn ijver had hem telkens opnieuw de das omgedaan. Zijn drang om mensen te redden en het goede te doen. Zijn kruisvaardersmentaliteit. Een van zijn leerlingen kwam regelmatig naar school met blauwe plekken op haar armen en benen. Ze stroopte haar mouwen op, alsof ze wilde dat iedereen ze zag. Maar hij was de enige die ze zag. Of de anderen zagen ze ook, maar waren net als hij tot de conclusie gekomen dat het beter was je nek niet uit te steken. Beter en veiliger. Bemoei je niet met mij en ik zal me niet met jou bemoeien. En nu wilde de directie dat hij uitgerekend met háár klas een studiereis zou maken. Hij kon geen enkel excuus bedenken om eraan te ontsnappen. Heen en weer werd hij geslingerd tussen angst en opwinding. Zijn psychologe vond dat hij zelf moest beslissen wat hij aankon. Hij moest vooraf voor zichzelf duidelijk een grens trekken. Die grens moest hij visualiseren en voortdurend voor ogen houden. Hij kende de theorie, maar hij had twijfels over de praktijk. Nu al raasde het bloed sneller door zijn aderen bij de gedachte aan het gesprek dat hij met het meisje zou kunnen voeren, aan het vertrouwen dat ze hem zou schenken en de hoop die hij haar zou geven. Hij wilde het niet zoeken. De psychologe zei tegen hem: 'Ik heb vertrouwen in jou, Paul. Ik weet dat je het kunt.'

Alsof het volstond die woorden uit te spreken opdat hij het zou kunnen.

Onder druk van de directie had hij een voorstel voor een studiereis ingediend: een bezoek aan het Africamuseum in Tervuren en aan Oostende, met eventueel een overnachting in Oostende. Dat laatste had hij drie keer geschrapt en uiteindelijk toch laten staan. Er waren nog drie andere voorstellen ingediend. Hij hoopte dat zijn voorstel het zou halen en hij hoopte dat zijn voorstel het niet zou halen. Hoop was gif. Het was beter zonder hoop te leven. Beter en veiliger. Tegelijkertijd was het heerlijk om te hopen. Maar nog sterker was de angst dat die hoop ongeluk zou brengen. Dat de hoop zelf zou worden bestraft.

Op de vergadering vrijdag zou de knoop worden doorgehakt. Studiereis vierde klas stond als tweede punt op de agenda. Donderdag zou zijn psychologe hem bellen en vrijdag mocht híj haar bellen. Hij moest geloven dat hij het kon. Wat er ook werd beslist, hij kon het aan. Haar mantra en zijn houvast. Hij vroeg zich af of ze hem dat ook zou hebben verzekerd op de vooravond van zijn ontmoeting met Sarah. Of ze in haar kristallen bol zou hebben gekeken en gezegd: 'Ik zie een jonge, uitdagende vrouw, maar je kunt haar aan. Jij, Paul Devroey, kunt alles en iedereen aan!'

De psychologe vond dat hij het belang van zijn ontmoeting met Sarah overschatte. Misschien, zei ze, gebruikte hij Sarah om de ware wortels van het probleem af te schermen. Waarom vertelde hij zo weinig over zijn ouders? Wat maakte hem zo zeker dat Sarah hem veranderd had? Of dat alles met haar begonnen was?

De psychologe bedoelde het goed, maar ze begreep het niet altijd. Dat kwam ook omdat hij haar niet alles vertelde.

'Ik ben geboren op de dag dat ik haar heb ontmoet en ik ben samen met haar gestorven. En nee, ik heb nooit een grens willen trekken. Het was alles of het was niets.'

'Voor jou. Niet voor haar.'

*Paul*

Ze glimlachte triomfantelijk, alsof ze het winnende doelpunt had gescoord. Hij gunde haar die kleine overwinning. Toen hij uit het ziekenhuis was ontslagen, had ze hem haar privénummer gegeven. Hij mocht haar dag en nacht bellen. Ze supporterde voor hem alsof hij in zijn eentje de nationale voetbalploeg vormde.

Paul had Sarah ontmoet op het verjaardagsfeestje van zijn vriend Stephan. Omdat Paul een week eerder jarig was, hadden ze overwogen om samen een feest te geven, maar Stephans rijke ouders hadden zich ermee bemoeid, zoals ze zich uiteindelijk altijd met alles bemoeiden. Hun oudste zoon werd eenentwintig, wat in een relatief recent verleden betekende dat hij de jaren van verstand had bereikt. En al bestond het terechte vermoeden dat Stephan altijd een onbezonnen puber zou blijven, toch moesten oma's en opa's, ooms en tantes ook worden geïnviteerd. En of Paul daar begrip voor kon opbrengen. Dat kon hij.

Paul was een jaar ouder dan Stephan en zat in zijn derde jaar geschiedenis. Op de dag van het feestje had hij net met zijn promotor afgesproken dat hij zijn licentiaatsverhandeling zou schrijven over de straten en pleinen die naar Leopold II waren genoemd, en over de monumenten die voor hem waren opgericht. Waarom was er voor die naam gekozen? Van wie was het initiatief uitgegaan? Was er gelobbyd of verzet aangetekend? Welke rol speelde het Hof? In welke staat verkeerden ze? Wie was verantwoordelijk voor het onderhoud? Waren ze over het hele land gelijk verdeeld? Telden Wallonië en Vlaanderen er ongeveer evenveel? Hoe zat het met de Duitse kantons en met Brussel? Welke periode was het vruchtbaarst geweest?

Paul was zo opgetogen over het idee, dat hij er iedereen over wilde vertellen. Tegelijkertijd was hij als de dood dat iemand het zou stelen. Hij had zich voorgenomen geen druppel alcohol te drinken om niet loslippig te worden. Toen Sarah op hem afstapte, had hij er al tegen minstens vijf mensen over gelogen. Iedereen wilde het over zijn verhandeling hebben, alsof ze roken dat hij zijn onderwerp had vastgelegd. En of hij zich niet stilaan ongerust begon te maken, vroegen ze. Welnee, zei hij, hij had nog alle tijd.

Sarahs feilloze neusje had een totaal andere geur opgesnoven. Als een volleerd jager ging ze zonder aarzelen op haar prooi af. Ze had een pint in haar hand en droeg aan alle vingers een zilveren ring. Fors en nadrukkelijk lagen ze tegen het glas. Ze stond iets te dicht bij hem.

'Ik ken u. Gij komt iedere woensdag bij de Chinees aan 't pleintje ne loempia eten.'

Hij wist zeker dat hij haar nooit eerder had gezien. Grote borsten en lang kastanjebruin haar. Wit T-shirt en een spijkerbroek. Allebei strak. Niet echt knap, wel uitdagend. Ze nam een slok bier terwijl ze hem diep in de ogen keek. Of misschien keek ze hem diep in de ogen terwijl ze een slok bier nam.

'Welke Chinees? Welk pleintje?'

'Dé Chinees aan hét pleintje! Ik heb u al dikwijls iets willen vragen, maar ik durfde nie goe.'

Achter hen werd de indrukwekkende verjaardagstaart naar binnen gedragen. Er steeg gejuich op. Sarah en hij moesten schreeuwen om elkaar te verstaan.

'En wat wil je me vragen?'

Nu werd er gezongen dat Stephan lang zou leven. Paul vermoedde dat het brutale meisje een vriendin was van een van Stephans zussen. Ze was Stephans type niet. Stephan studeerde handelswetenschappen en vond dat een vrouw moest zijn zoals een belegging: discreet, solide en met potentieel. Sarah had al gepiekt. Ze was een bloem die was geplukt, een vrucht waarin was gebeten. Ze kende het klappen van de zweep. Want de truc was zo oud als de straat, waar zij blijkbaar veel tijd had gesleten: naar iemand toestappen en beweren dat je hem kende. De truc werkte. Hij werkte altijd. Dat kwam omdat de truc alleen dan uit de kast werd gehaald wanneer beide partijen bereid waren hem geen duimbreed in de weg te leggen.

'Zijt gij echt nie die gast die iedere woensdag ne loempia komt eten?'

Ze bood hem haar glas aan en hij nam een slok. Met de achterkant van zijn hand veegde hij zijn lippen schoon. In die tijd had hij geen baard of snor, en zijn hoofdhaar was gemillimeterd. Soms schoor hij zich twee keer op een dag.

'Nee, maar als je wilt, kom ik wel eens een loempia eten. Als je mij het adres geeft van die Chinees en van dat pleintje.'

Hij draaide zich om en zong de laatste maten mee. 'In de glori-a, in de glo-ri-a!' Samen met Sarah brulde hij 'hiep hiep hoera!' Ze applaudisseerden voor de jarige. Stephan blies de eenentwintig kaarsjes in één keer uit. Het zou voor hem een voorspoedig jaar worden. In het gedrang om zijn vriend te omhelzen bleef ze aan zijn zijde. 'Ik zal eens aan je loempia komen knabbelen,' schreeuwde hij in haar oor. 'Breng liever ne loempia voor mij mee,' schreeuwde ze terug. Champagne begon te stromen. Hij greep twee glazen en ging met haar zo ver mogelijk van de feestvierders aan een tafeltje zitten. Ze klonken. Sarah schoof haar stoel tegen de zijne. Haar knie raakte zijn dij. Ze sprak niet tegen hem, maar tegen zijn oor.

'Wil je mijn minnaar zijn?'

Dat was geen truc, maar een frontale aanval. Ze was van 'gij' op 'jij' overgestapt en zag er niet meer uit als het meisje uit de supermarkt. Ze werd Sarah, de vrouw die hij zou smeken met hem te trouwen.

Paul keek om zich heen. Niemand leek in hun gesprek geïnteresseerd. De jarige werd door vrienden op de schouders gehesen. Er vormde zich een hotsende kring rond hem. Champagne klotste uit de glazen.

'Je minnaar?'

Ze knikte. 'Niet mijn lief of mijn vriend, maar mijn minnaar.' Ze sprak elk woord langzaam en nadrukkelijk uit, alsof ze ze op haar tong wilde proeven.

'Je minnaar.' Dit keer zei hij het zonder vraagteken. Rondom hen stonden mensen te praten, te lachen, te dansen. Niemand lette op hen. Opnieuw zocht haar mond zijn oor. Hij voelde haar warme adem en kreeg een erectie.

'Je hoeft niet van me te houden. Het is beter als je niet van me houdt. Ik wil geen liefde en ook geen tederheid.'

'Een minnaar bemint,' fluisterde hij. 'Hij beoefent het minnespel.'

Dat woord hoorde bij de champagne. Hij vroeg zich af of hij een tweede glas kon krijgen. Sarah dronk langzamer dan hij. Ze was niet dronken. Morgen zou ze geen spijt krijgen van wat ze had gezegd en ook zou ze er zich niet over schamen. Elk woord zou ze zich herinneren. Daarnet had ze het vulgaire meisje gespeeld, maar ze was niet vulgair.

'Ik wil seks,' zei ze. Hier pauzeerde ze even, alsof ze hem de tijd wilde geven om zijn benen over elkaar te slaan en zijn erectie te verbergen. 'Ik wil klaarkomen. Ik kom graag klaar.' Hij had nog nooit iemand zo helder en eenduidig over het onderwerp horen praten. Even rustte haar hand op zijn dij. 'En ik denk dat jij dat ook wilt. Daarom vraag ik het aan jou. Je zult het je niet beklagen. Ik ben een goeie minnares.' Ze glimlachte lief, alsof ze hem een kopje koffie had aangeboden. Hij vroeg haar niet wat haar ertoe had doen besluiten dat hij meer dan andere mannen in klaarkomen was geïnteresseerd.

'Maar je zou niet van me houden?'

'Ik hou van niemand. Ook niet mezelf. Ik hou van seks. Het is een afwijking waar geen naam voor bestaat, al is ze minder uitzonderlijk dan men denkt.' Nog altijd sprak ze met duizelingwekkende duidelijkheid. 'Je hoeft niet meteen te antwoorden. Denk er rustig over na.' Ze zette haar glas op het tafeltje en maakte aanstalten op te staan. En hij, die zich nog nooit de vraag had gesteld wat liefde was en of liefde voor hem was weggelegd, greep haar bij de arm. En hij, die nog nooit over het verschil tussen liefde en seks had nagedacht, die zich zelfs nog nooit de vraag had gesteld of er tussen beide een verschil bestond, waande zich in het paradijs. Hij zei: 'Ja.' Hij zei: 'Ik wil je minnaar zijn.' Voor liefde had hij zijn ouders, een broer, een zus. Liefde, dacht hij, zou er altijd zijn, net als zuurstof of water en brood. Wist hij veel.

Een blad volle champagneglazen kwam voorbij. Opnieuw greep hij twee glazen, opnieuw klonken ze, opnieuw zocht ze zijn oor. Er was één voorwaarde aan hun afspraak verbonden. Hij mocht er met niemand over praten. Nooit zouden ze elkaar in het openbaar aanraken. Ze zaten nu al veel te lang en veel te dicht bij elkaar. Ze kende haar vriendinnen. Straks zouden ze haar uitvragen over die gast met wie ze champagne had zitten drinken.

'Ik haat het wanneer mensen over mij kletsen. Ik verdraag het echt niet.'

'Waarom?'

'Daarom. Je kunt me straks een lift geven.'

'Waarom straks?'

'Omdat ik nog nauwelijks met de jarige heb gepraat. Hij betaalt de champagne.'

'Zijn ouders betalen die. Hoe heet je?'

'Sarah. En jij bent Paul. Ik ken jou.' Ze glimlachte en herhaalde wat ze eerder had gezegd: 'Ik ken u.'

Verdwaasd bleef hij aan het tafeltje zitten. Toen dronk hij zijn glas in één teug leeg. Hij had zin om op de tafel te springen en als een huzaar het glas op de grond kapot te gooien. Hij wilde zich op de borst slaan en oorlogskreten brullen. Het liefst had hij Sarah opgetild en naar buiten gedragen. Gehoorzaam aan haar instructies ondernam hij een afleidingsmanoeuvre en nodigde een zus van de jarige ten dans. Ze vroeg waarom hij zo vrolijk was. 'Zomaar,' zei hij. Wijselijk vroeg hij haar niet of ze Sarah kende. Nu hij met zijn gat in de boter was gevallen, wilde hij zijn weldoenster niet ontstemmen.

Rond middernacht liep Sarah rakelings langs hem heen naar buiten. Een paar minuten later verliet ook hij het feest. Op straat keek hij naar links en naar rechts, maar hij zag haar niet. Zijn auto stond op het stuk braakland naast de feestzaal. Langzaam liep hij tussen de rijen geparkeerde auto's, terwijl hij haar naam fluisterde. Hij kreeg het koud en besloot dat ze zich had bedacht. Misschien wilde ze hem op de proef stellen. Misschien wilde ze weten hoe vindingrijk hij zou zijn om haar op te sporen. Tegen zijn zin stapte hij in zijn auto. Het was niet zijn auto, maar die van zijn ouders. Toen hij de sleutel in het contact stak, hoorde hij zacht gekuch. Ze lag op de achterbank. 'Niets zeggen. Rijden.' – 'Waarheen?' – 'Jij mag kiezen.' Hij parkeerde drie straten verder onder een spoorwegbrug. Een halfuur later kwam hij tussen haar borsten klaar. 'Nu weet je,' zei ze, 'waarom vrouwen een kuiltje hebben onder aan hun hals.' En dat het goed was voor deze eerste keer, maar dat hij haar de volgende keer wel wat meer mocht verwennen. Of had hij last van praecox?

'Nee, Sarah, daar heb ik geen last van. Jij wel?'

Ze lachte. Hij was bang dat zijn sperma uit het kuiltje op de bank zou lekken, maar hij durfde haar niet goed zijn zakdoek in de hand te stoppen. Hij had beter in haar mond kunnen klaarkomen, maar ook dat had hij niet gedurfd. Sarah viste een pakje Kleenex uit haar broekzak. Ze was niet onvoorbereid op pad gegaan. Geroutineerd veegde ze zich schoon.

Hij bracht haar naar huis en beloofde te wachten tot zij hem belde. En mondje dicht. Geen geklep. Niet tegen Stephan of tegen wie dan ook. En geen geflikflooi voor de deur wanneer hij haar afzette. Tot zijn verrassing bestonden het Chinese restaurant en het pleintje echt. Ze had maar een halve leugen verteld.

Nog altijd hoefde hij die scène maar opnieuw af te spelen om opgewonden te raken. Elk detail herinnerde hij zich. Haar blik, de ringen tegen het glas, haar adem in zijn oor, het zachte gekuch, het kuiltje onder aan haar hals, de loomheid waarmee ze haar beha weer aantrok, haar profiel toen ze naast hem zat en hij langzaam naar haar huis reed. Maar nu wist ze dat ze jong zou sterven. Zij wist het en hij wist het. Door die wetenschap baadde de scène in een heel ander licht. Elk gebaar en elk woord vloeiden daaruit voort. Anders was ze nooit zo brutaal geweest. Brutaal en wanhopig. Allebei wisten ze dat ze geen tijd konden verliezen. Daarom hadden ze zich zo gulzig op elkaar gestort.

Sarah woonde met haar ouders boven een Chinees restaurant. Het hele pand was van de Chinees, ook het appartement waar Sarah en haar ouders woonden. Dat maakte de locatie nog beschamender. De Chinees was zonder een frank op zak naar België gereisd om in het restaurant van een verre neef te werken. Niet alleen had hij nu zijn eigen restaurant, maar hij verleende ook onderdak aan een Belgisch gezin, dat te stom was om een eigen woning te verwerven. In de buurt werd Sarah spleetoog genoemd, maar eigenlijk waren haar ogen een beetje bol, net als de ogen van een pad. Door die bolle ogen zag ze er soms lichtjes hysterisch uit. Later, toen Paul met haar getrouwd was, verstopte ze haar ogen wanneer ze kon achter een zonnebril. Hij had een hekel aan het ding.

Sarahs ouders kampeerden in het kleine appartement als asielzoekers die nog maar net waren aangespoeld en elk ogenblik het bevel konden krijgen verder te trekken. Ze hadden bijna alles verloren bij het faillissement en durfden geen nieuwe spullen aan te schaffen uit angst dat een deurwaarder ze in beslag zou nemen. In de vrijwel lege woonkamer boven het Chinese restaurant zaten ze op plastic krukjes plannen te smeden. Over het nieuwe bedrijf, waarmee ze snel veel geld hoopten te verdienen, wisten ze voorlopig alleen dat ze het op Sarahs naam zouden zetten. Sarah was als de dood dat ook dat bedrijf failliet zou gaan. Dan zou ze haar verdere leven in een kale kamer op een dun matrasje moeten slapen. Nooit zou ze aan de Chinees ontsnappen. Altijd zou wel iemand haar spleetoog noemen.

Als ze de slaap niet kon vatten, hing ze uit het raam en observeerde de late klanten. Of ze ging bij de Chinees een biertje drinken. De Chinees bleef altijd open. 'Chinezen,' zei ze, 'slapen niet. Daarom zien ze geel.' Anders dan haar ouders had de Chinees altijd tijd voor haar. En als hij geen tijd had, hielp ze hem tot hij weer wel tijd had. Samen analyseerden ze de mysterieuze verschillen tussen de westerse en de oosterse vrouwelijke fysionomie. De Chinees had een indrukwekkende collectie naaktfoto's, waarvan hij beweerde dat hij ze voor zijn vertrek uit China van een lokale politicus had gestolen. Daarom kon hij niet naar China terug.

'Chinese vrouwen hebben geen borsten.'

'Nooit?'

'Nooit.'

'Hebben ze oren?'

'Soms.'

'Een neus?'

'Zelden. Alleen over de spleetogen hebben we zekerheid.'

De Chinees had haar duizend frank geboden om haar borsten te mogen zien. Bij elke weigering verhoogde hij het bedrag. Tegen de tijd dat Paul in de auto van zijn ouders tussen haar borsten klaarkwam, was hij bereid haar tienduizend frank te betalen. Als hij foto's van haar maakte, zou hij die aan vrienden van hem kunnen verkopen. De opbrengst was integraal voor haar.

'Chinezen zijn geiler dan blanken,' zei ze.

'Dat komt omdat ze twee penissen hebben.'

'Voor elke borst één.'

'Precies.'

Met de Chinees had Sarah nooit seks gehad. Ze had hem zelfs nog nooit haar borsten laten zien. Het was te zielig, zei ze. Ze wist vrij zeker dat hij een kleine penis had. En nee, over de verschillen tussen de westerse en de oosterse mannelijke fysionomie had ze het met de Chinees nooit gehad. En nee, ze was niet racistisch, maar realistisch. Wat ze wilde, kon de Chinees niet bieden. Hij wel.

Zo was het begonnen. Het was de eerste schakel in de ketting die van hem de weduwnaar met het zoontje had gemaakt. Alles was uit die eerste ontmoeting voortgesproten. Door haar dood had ze hem steviger aan zich geklonken. Nooit zou het hem loslaten.

Sarah en hij hadden elkaar op zaterdag 29 oktober 1983 ontmoet. In september 1987 waren ze getrouwd en op 11 februari 1989 was ze gestorven. De ketting was vijf jaar, drie maanden en twaalf dagen lang. En onverbrekelijk.

Hij was niet haar eerste minnaar. Vóór hem had ze vier jaar een geheime relatie met de vader van haar beste vriendin gehad. Nu de vader dood was, zocht ze een vervanger. Ook met de vader van haar vriendin had ze alleen seks gehad. Zuivere, rauwe, onversneden seks. Haar vriendin had haar wel eens toevertrouwd dat zij en haar moeder vermoedden dat er een ander was. 'Dat kan ik niet geloven,' zei Sarah dan. Of ze vroeg: 'Waarom denk je dat?' En wie mocht die geheime minnares wel zijn. Waren er bepaalde vrouwen die ze verdacht? Misschien waren er meerdere vrouwen in het spel.

Dat laatste bedoelde ze letterlijk. Zij, Sarah, was meerdere vrouwen. Anders had ze nooit onder de neus van haar vriendin iets met die vader kunnen hebben. En ja, het had haar een kick gegeven. Ze had zich als Repelsteeltje gevoeld, die dansend en springend zong: 'En niemand weet dat ik Repelsteeltje heet.' Alleen de Chinees had ze in vertrouwen genomen, maar de Chinees telde niet mee. In China, had hij haar gezegd, hadden alle jonge meisjes een oudere minnaar. Mao had duizenden jeugdige minnaressen gehad. Daarom had hij zo'n hoge leeftijd bereikt. Velen onder hen waren als maagd bij hem gebracht om een optimale heilzame werking te garanderen. De levenskracht van een man zit in zijn prostaat. Hoe jonger de minnares, hoe krachtiger het orgasme. Hoe krachtiger – en veelvuldiger – het orgasme, hoe gezonder de prostaat.

Desondanks had het noodlot toegeslagen. Sarahs minnaar was nog geen vijfenveertig toen hij op het tennisveld neerzeeg. Met zijn prostaat was alles in orde, maar niet met zijn hartader. Die brak. Tevergeefs probeerde zijn tegenspeler hem te reanimeren. Sarah had gehuild, maar met mate. Ook op zijn begrafenis had ze zich niet verraden, al was ze geschrokken van de kist. Ze had er haar handen overheen laten glijden. Het hout was glad en warm. De man in de kist was haar minnaar geweest, zij zijn minnares. Ze had niet van hem gehouden en hij niet van haar. Ze hadden seks met elkaar gehad, zuivere, rauwe, onversneden seks. Het was kort na haar zestiende verjaardag begonnen. Tegen Paul hield ze vol dat zij hém had verleid. Ze was in geen geval misbruikt. Paul probeerde het zich voor te stellen: het zestienjarige, vroegrijpe meisje en de vader van haar beste vriendin. Het had zich in de tennisclub voltrokken, in het hok waar de netten werden bewaard. Maar ook in het tuinhuisje van de villa achter de club. En in zijn auto, natuurlijk, maar nooit in het kantoor dat hij huurde in de stad. Daar kwam Sarah hem opzoeken in gezelschap van zijn dochter, haar vriendin. Daar verrasten de meisjes hem in de hoop hem met zijn minnares te betrappen.

Op de foto's uit die tijd die ze hem liet zien, zag hij een gewoon, jong meisje. Alleen haar borsten vielen op. Door die borsten werd ze altijd ouder geschat. Ze beweerde dat ze zich geen tijd zonder borsten kon herinneren. Ze was ermee geboren.

'Hield hij van jou of van je borsten?'

'Hij hield van zijn vrouw en zijn kinderen. Ik was er voor de seks. Hij noemde mij een natuurtalent. Hij leerde dingen van mij.'

'Gaf hij jou geld?'

'Soms. Hij wilde dat ik er lingerie van kocht. Je weet hoe sommige mannen zijn.'

'Het was eigenlijk geld voor hem?'

'In zekere zin wel. Voor zijn dochter kocht hij mooie dingen, die ze me liet zien. Haar verwende hij.'

Maar nee, ze was nooit jaloers geweest. Het bewees wat ze altijd zei: zij was er voor de seks. Waarom zou ze zich daar bitter over hebben gevoeld? Zij hield ook niet van hem. En nee, ze had zich nooit schuldig gevoeld. Ze had dat huwelijk gered.

Toen Sarah Paul vroeg of hij haar minnaar wilde zijn, had ze in drie maanden geen seks gehad. Ze werd stilaan gek.

Hij zou zot van haar worden. Op elk ogenblik van de dag en de nacht zou hij alles en iedereen voor haar laten vallen. Hij kwam niet opdagen op het feest voor zijn moeders vijftigste verjaardag omdat zij hem nodig had. Hij verpestte een reis met zijn broer omdat hij alleen maar op zoek ging naar telefoontoestellen om haar te bellen. Hij nam geen afscheid van zijn oma omdat zij hem wilde zien, hoewel zijn oma op sterven lag. Hij vergat een examen af te leggen en diende scripties veel te laat in. Mensen noemden hem veranderd. Er was iets met hem, maar niemand kon zeggen wat. Hij was vriendelijk, maar onbereikbaar. Paul had genoeg sprookjes gelezen om te weten dat de voorwaarde niet lichtvaardig mocht worden genegeerd. Hij nam niemand in vertrouwen. Nooit praatte hij zijn mond voorbij. Sarah wilde dat hij zweeg en dus zweeg hij. Opnieuw werd alleen voor de Chinees een uitzondering gemaakt. De man heette Li, maar Sarah bleef hem de Chinees noemen. Ook Paul zat vaak bij hem biertjes te drinken. Hij was hun enige vriend.

De Chinees wilde hen zien. Hij bood er geld voor, dat Sarah en Paul eenstemmig weigerden. Ze hadden zo dikwijls op zijn kosten gedronken en gegeten. Het was een kleine wederdienst. Nu Paul er was om haar te beschermen, mocht de Chinees haar borsten zien. Alles mocht hij zien. Ze hadden geen geheimen. Li zat in een hoekje van Sarahs kamer, terwijl zij elkaar kusten en likten en streelden. Soms hoorden ze hem zachtjes kreunen of hijgen. Het werd een zaak van eer hem die geluidjes te ontlokken. De jonge minnaars hoorden er applaus in, een beloning voor hun inspanningen. Ze aasden op middelen om hem te verrassen. Sarah bestudeerde pornografische publicaties en vergde het uiterste van haar fantasie. Ze voerden heftige discussies over de wenselijkheid van lingerie, zweepjes, dildo's en andere speeltjes. Sarah was bereid de aanschaf door de Chinees te laten bekostigen, maar haar plan stuitte op Pauls verzet. Niets was burgerlijker, vond hij, dan een georkestreerde poging tot decadentie of perversiteit. De lingerie die ze voor haar vorige minnaar had gekocht, noemde hij belachelijk. Wel voelde hij er iets voor om een anonieme derde partner uit te nodigen, van het mannelijke of het vrouwelijke geslacht, en ook Sarah hield die mogelijkheid achter de hand, maar de Chinees was niet voor het idee te vinden. Met hun drieën waren ze volmaakt gelukkig.

Intussen zwierven Sarahs ouders door de stad op zoek naar een geschikt pand om een nieuwe zaak in te vestigen en stonden Li's klanten voor een gesloten deur. Als het raam van Sarahs kamer openstond, hoorden ze de gefrustreerde klanten beneden kloppen. Er werd gevloekt in verschillende talen. De Chinees schonk hun niet de minste aandacht. Wat hem betrof konden ze doodvallen van de honger. Soms zat hij nootjes te eten, soms rukte hij zich af. Dan zag Paul dat Sarah zich niet had vergist: Li was inderdaad klein geschapen en het intrigeerde Paul dat uit dat nietige orgaan niet minder sperma spoot dan uit het zijne. Achteraf mochten ze gratis bij hem eten en drinken. Li zette Paul grote porties voor alsof hij een prijsstier was, een fokhengst die moest aansterken. Paul at gretig en snel. In die tijd had hij altijd honger. Sarah at als een vogeltje. Ze slikte haar medicijnen in het geheim en hield haar ziekte voor haar minnaar verborgen, zoals ze zoveel verborgen hield. Angstvallig stopte ze het weg in de wirwar van kamers, lades en kasten in haar hoofd. Propvol was het daar, zodat er soms een lade openviel of een kastdeur uit zijn hengsels hing. Dan schrok de toevallige passant en liep gauw verder, omdat hij niet wilde zien wat hij had gezien. Wie oud, gelovig en teerhartig was, sloeg een kruis. Een enkeling rook sensatie en grabbelde in de schat tot zijn nieuwsgierigheid bevredigd was.

Sarah bestond bij de gratie van geheimen. Ze ontleende er geborgenheid en kracht aan. Zolang niemand alles over haar wist, had niemand macht over haar. Alleen voor de Chinees opende ze alle kamers en lades en kasten. Hij was haar oppereunuch, wiens tong ze had uitgerukt opdat hij haar niet zou verraden. Voor haar zocht Li opnieuw contact met de dorpelingen van wie hij jaren geleden onbewogen afscheid had genomen. Voor haar trotseerde hij de toorn van de politicus wiens naaktfoto's hij had ontvreemd. Niet de dorpelingen of de politicus interesseerden hem. Hij correspondeerde met een kruidendokter die het leven van een buurvrouw, een groottante en zijn halfbroer had gered. In lange, onleesbare brieven stuurde hij nauwkeurige beschrijvingen van Sarahs symptomen. De dokter beantwoordde zijn epistels met hongerige verzoeken om meer details. Een staaltje van Sarahs zieke bloed werd naar de andere kant van de wereld gestuurd. Later volgde ander lichaamsvocht: speeksel, urine, menstrueel bloed. Ook een haar en een nagel maakten de verre tocht. Sarahs geval bezorgde de geleerde dokter hoofdbrekens, maar hij had goede hoop zijn vroegere dorpsgenoot binnen afzienbare tijd een paar zakjes geneeskrachtige kruiden voor zijn protegee te kunnen sturen. Mocht hij in ruil een foto van zijn verre patiënte ontvangen?

Twee jaar leefden Paul, Sarah en Li in het paradijs. Paul wist dat de toestand van gelukzaligheid niet kon blijven duren. Niets blijft ooit duren. Maar over de aard van de verandering die noodzakelijkerwijs zou optreden, dacht hij niet na. En ook Sarah dacht er niet over na. Zij dacht aan haar bloed en aan de kruiden uit het verre China, die het weer gezond zouden maken. Die verandering zou alle andere overschaduwen. Een nieuwe Sarah zou het levenslicht zien. De befaamde arts had haar de opdracht gegeven de westerse behandeling te staken. In de staaltjes lichaamsvocht die Li op zijn verzoek had opgestuurd, had hij sporen van vergiftiging ontdekt. Vergiftiging door onnatuurlijke medicijnen. Eerst moest dat gif uit haar lijf en pas daarna kon ze met zíjn behandeling beginnen. Hij gaf haar de raad veel Chinese thee te drinken en iedere dag een citroen leeg te zuigen. Sarah dronk de thee en het citroensap, maar bleef voorlopig haar medicijnen slikken. Als ze de kruiden eenmaal had, kon ze nog altijd de oude behandeling staken.

Paul en Sarah praatten nooit over de toekomst. Elk gesprek over de toekomst zou een affront zijn geweest aan hun geluk. Op een dag sleepte Li een matras uit zijn slaapkamer naar die van Sarah. Vanaf die dag sliep hij op de matras die altijd in Sarahs kamer had gelegen en die maar negentig centimeter breed was. Sarah en Paul bedreven nu de liefde op een kingsize matras. Een andere verandering maakten ze in die periode niet mee. Nooit zei Sarah tegen Paul dat ze van hem hield en ook hij verklaarde haar zijn liefde niet. Hij was haar woorden niet vergeten, maar hij kon zich niet voorstellen dat ze in hem nog altijd louter een minnaar zag, iemand met wie ze vrijde en bij wie ze klaarkwam, maar van wie ze niet hield en ook niet van plan was ooit te houden. Zijn liefde voor haar was krachtig als de golfstroom die warm water aanvoert. Elke vezel van zijn lichaam werd erdoor gevoed. Hij ademde liefde en leefde in harmonie met de sterren, de wind, de kosmos.

Zijn zwijgplicht viel hem niet zwaar. Hij wilde hun heilig verbond niet verbreken: hij, Sarah en de Chinees Li. Niemand kon iets aan hun liefde of geluk toevoegen. Niemand had hun wat dan ook te bieden. Ze waren een drievuldigheid. Nooit vroeg hij zich af wat Sarah voor de Chinees voelde en de Chinees voor Sarah. Of wat hij voor de man voelde en de man voor hem. De Chinees was de Chinees. Hij was een goed mens, die lekker kon koken en zich nooit opdrong. Paul was ervan overtuigd dat ze in nood onvoorwaardelijk op hem zouden kunnen rekenen.

Twee jaar lang praatte hij zijn mond niet voorbij. Toen vroeg een mollig meisje of hij ook eens met haar wilde komen vrijen. Ze had gehoord dat hij vrouwen graag verwende. En nee, ze herinnerde zich niet van wie, maar het was iets wat de ronde deed. Hij was toch die Paul, die minnaar van Sarah?

Dat was hij.

En hij schrok ervan hoe droog zijn mond plotseling was en hoe klam zijn handen werden. Hij schrok van de schok. Iemand had de deur van Sarahs kamer opengetrokken en een stoet mensen binnengelaten. Niemand had vergeefs op het raam van de Chinees geklopt.

Stephan was opnieuw jarig en opnieuw gaf Stephan een feest. Hij was nu drieëntwintig en werkte bij de NMBS. Paul had zijn vierentwintigste verjaardag gevierd en mocht zich licentiaat in de geschiedenis noemen. Hij had met zijn verhandeling veel lof geoogst en volgde nu het baccalaureaat filosofie. Met Sarah had hij afgesproken dat hij alleen naar Stephans feestje zou gaan. Zo liepen ze niet in de kijker en kon Sarah Li helpen. Hun Chinese vriend kreeg die avond de lokale volleybalploeg over de vloer. De aanleiding was hem ontschoten.

Het mollige meisje haalde twee pilsjes en kwam bij hem zitten. Glunderend nam ze hem op. Hij was bang dat ze haar tanden in hem zou zetten. Net als Sarah twee jaar geleden op het feestje van dezelfde jarige had gedaan, keek ze hem brutaal in de ogen, terwijl ze een slok nam van haar glas. Of misschien nam ze een slok van haar glas, terwijl ze hem brutaal in de ogen keek. Kende iedereen op het feest zijn geheim? En waarom was het dan een geheim?

'Ik ben zo blij dat ik je eindelijk ontmoet.'

Het genoegen was niet wederzijds. Maar het was te laat. Hij had a gehoord en wilde nu ook b vernemen. Hij had een ingeving.

'Heeft Sarah jou gestuurd?'

'Nee, nee. Is Sarah hier?'

Hij schudde zijn hoofd.

'Ik wil je niet lastigvallen,' zei ze. 'Ik ben geen stalkster. Als ik je af en toe mag bellen, ben ik al blij.'

'Bellen?'

'Om af te spreken.'

'Zoals je een pizza bestelt.'

Ze glimlachte. Ze was mooier dan Sarah. Als hij twee jaar geleden had kunnen kiezen, was hij misschien met haar meegegaan. Ze zei dat ze een aantal korte relaties achter de rug had en niet meer in de ware Jacob geloofde. Ze was zesentwintig, maar ze voelde zich oud. De meeste mannen beften niet graag. Ze beften uit plichtsbesef. Ze had gehoord dat hij met overgave befte. Hij befte liever dan dat hij neukte. Zulke mannen waren goud waard.

'Van wie?'

'Van wie wat?'

'Van wie heb je dat gehoord?'

Dat herinnerde ze zich niet. Ze was bevriend met een van Stephans zussen en die kende Sarah goed. Misschien had ze het van haar. Of van iemand anders. Ze herhaalde wat ze eerder had gezegd: het was iets wat de ronde deed.

Opnieuw had hij een ingeving. Kwam ze soms in het restaurant?

'Welk restaurant?'

'Het restaurant van de Chinees bij het pleintje.'

'Welke Chinees?'

'Laat maar.'

Hij, Paul Devroey, was een domme, naïeve kloot. Hij had zijn oma, zijn vader, zijn moeder, zijn zus en zijn broer zonder verklaring in de steek gelaten omdat Sarah discretie eiste. Hij had vrienden verloren omdat ze hem zo weinig zagen en niets meer over hem wisten. Hij was een enigma geworden. En intussen had Sarah met hem uitgepakt. Ze had hem afgeschilderd als kampioen beffer. Hij was haar trofee, die ze hoog in de lucht had getild.

Het meisje vroeg of hij zin had om te dansen. En daarna konden ze misschien naar haar huis gaan. Ze woonde samen met een vriendin, maar die vriendin bracht het weekend bij haar ouders door.

'Ik ben wel heel erg duur,' zei hij. 'Dat moeten jullie er in het vervolg bij vertellen. Paul Devroey is duur. Vooral als hij beft.'

Te huur: minnaar met lekker lijf en bedreven in orale seks.

'Ik heb geld.'

Langzaam nam hij haar op van top tot teen. 'Geloof me,' zei hij, 'niet genoeg voor mij.'

'Je bent niet zoals ik had verwacht.' Ze zette haar glas neer en stond op. Ze had een gul lichaam. Hij voelde zich een hond.

Onderweg naar huis zei hij tegen zichzelf dat er niets was veranderd. Misschien was het een goede zaak: eindelijk zouden ze als volwassen mensen naar buiten treden. In juni studeerde hij af. Als hij werk vond, konden ze samen iets huren. Hij zou de raad van zijn moeder opvolgen en werk maken van solliciteren. De ene periode was afgerond en de volgende brak aan. Niets was natuurlijker dan dat. Maar zijn hand trilde op het stuur. Het schaamteloze meisje had hem met haar confidenties aangerand. Hij herinnerde zich Sarahs woorden: dat ze het haatte als er over haar werd gekletst. Ze verdroeg het echt niet. Hij ook niet. Hij verdroeg het ook echt niet. Hij zon op wraak en zocht naar woorden om het meisje nog onherstelbaarder te kwetsen. Zo diep moest ze worden vernederd dat ze nooit meer een man zou durven aanspreken. Ze moest monddood worden gemaakt. Lange tijd reed hij rond zonder te weten waar hij was. Lukraak sloeg hij straten in tot hij moest toegeven dat hij was verdwaald.

Als Sarah hun seksleven niet had rondgebazuind, had dat meisje hem niet beledigd. Het was niet haar, maar Sarahs fout. Ze had hem precies hetzelfde gevraagd als Sarah: 'Wil je mijn minnaar zijn?' En ze heette Saartje. Dat vond ze ook zelf een raar toeval.

Hij keek naar de gevels van de huizen en dacht aan alles wat er zich achter afspeelde of niet afspeelde. Het was zelfs niet waar wat ze had rondgestrooid. Hij neukte liever dan dat hij befte. En nog altijd kwam hij het liefst tussen haar borsten klaar.

Sarah ontkende alles. Misschien had iemand hen bespied, iemand in een huis aan de overkant. Of misschien hadden ze zich verraden. Ze waren een paar keer samen op een feestje verschenen en samen naar huis gegaan. Mensen hadden geen stront in hun ogen. Ze had het over lichaamstaal en uitstraling. Misschien hadden haar ouders gebabbeld?

Welnee, zei hij, want die waren bijna nooit thuis. Sinds haar tante die schoenwinkel had, woonden ze praktisch daar.

Dan had de Chinees gebabbeld. Wat wisten ze tenslotte over hem?

En misschien, zei hij, had iemand een ladder tegen het huis gezet en mensen erop laten klauteren om naar binnen te gluren.

Dat kon, zei ze met aplomb. Alles was mogelijk. Ze had Li nooit gevraagd zijn mond te houden. Hij was en bleef een Chinees.

'Waarom lieg je, Sarah?'

'Ik lieg niet, maar als je een excuus zoekt om er een eind aan te maken, dan...'

Hij gaf haar een mep. Niet híj deed dat, maar zijn hand. Hij was te moe om haar te meppen. Hij had uren rondgezwalkt terwijl zijn Penelope bronstige volleybalspelers entertainde. Hij had honger, maar er waren alleen de eeuwige loempia's.

'Zeg de waarheid.'

'Ik zeg de waarheid.'

En opnieuw schoot zijn hand uit. Moegetergd was die hand.

'Lieg niet, Sarah.'

'Ik lieg niet.'

'Zeg de waarheid. Alsjeblieft. Ik vergeef je alles, maar lieg niet.'

'Ik lieg niet.'

Hij trok haar op de grond en nam bezit van haar. Alsof dat kon. Alsof iemand ooit van Sarah bezit had genomen of zou nemen.

Achteraf lagen ze uitgeput naast elkaar.

'Ga je wassen,' zei hij. En hij bedoelde: je bent vies. Ik vind jou vies. En hij bedoelde: ik beledig jou, zoals jij mij hebt beledigd. Ik wil dat je voelt hoe er door jouw schuld op mij is gespuwd.

Ze stond op en ging zich wassen. Zijn familie had gelijk. Hij was veranderd. Sarah had hem veranderd. Er was geen weg terug.

'Wat wil je?' vroeg ze. Ze had iets anders aangetrokken, iets waarvan ze wist dat hij het mooi vond.

'Ik wil dat je de waarheid zegt. Dat meisje, Saartje...'

'Ik ken geen Saartje.'

'En zij kent jou niet. Ze kent een van Stephans zussen. Marie. Jij bent toch bevriend met Marie?'

'Ik heb Marie in geen eeuwen gezien. Ik zie niemand. Ik zie jou, Li en de vijf mensen van mijn werk.'

'Het maakt niet uit van wie ze het weet. Maar ze weet alles over ons. Iedereen weet alles over ons en over de afspraak die wij ooit hebben gemaakt. Wij zijn een gerucht dat de ronde doet. We hadden onze matras net zo goed op de markt kunnen leggen. Maar er was een tweede afspraak. Herinner je je de tweede afspraak?'

Ze zweeg.

'Het was geen afspraak, maar een voorwaarde. Een voorwaarde die jij hebt gesteld.' Hij dacht aan Assepoester, die vóór middernacht weer thuis moest zijn en aan de koets die een pompoen werd en aan de schitterende jurk waarvan niets dan lompen overbleven. Maar het glazen muiltje was een glazen muiltje gebleven, anders had de prins haar nooit gevonden. Het intrigeerde hem hoe het kon dat het glazen muiltje een glazen muiltje bleef. 'Zeg het, Sarah. Zeg me wat de voorwaarde was.'

'Ik heb me aan de voorwaarde gehouden. Je weet dat ik het niet verdraag als er over mij wordt gekletst.'

'Ik ook niet, Sarah. Ik verdraag het ook niet. Echt niet.'

Hij wilde de Paul van vroeger worden. De Paul die liever zijn hand had afgehakt dan er een vrouw mee te slaan.

'Ik heb honger,' zei ze.

'Ik ook.'

'Die volleybalspelers aten als varkens.'

'Vielen ze je lastig?'

Ze antwoordde niet. Hij had haar geslagen en verkracht, maar hij wilde weten of de volleybalspelers haar hadden lastiggevallen. Waarom spuwde ze niet op hem? Waarom schopte ze hem niet in de ballen? Zou ze aangifte bij de politie doen? Zou ze bij Li zijn boekje opendoen? Of bij haar ouders, die schimmige figuren die hij zelden of nooit zag?

*Paul*

Hij zei: 'We zullen morgen eten kopen en samen koken. We eten te vaak bij Li.'

Ze aten altijd bij Li.

Hij had zin haar te vragen of ze boos op hem was. Het was een belachelijke, kinderachtige vraag. Hij wilde worden vergeven. Echt berouw kon op vergiffenis rekenen.

'Bef ik echt beter dan andere mannen?'

'Dat weet ik niet, Paul. Hoe zou ik dat moeten weten?'

'Saartje zei dat...'

'Ik ken geen Saartje.'

Hij zuchtte. Hij kon haar dwingen in zijn auto te stappen, die niet zijn auto was, maar die van zijn ouders, en met hem naar Stephans zus te rijden. Maar wat als die twee vrouwen elkaar voor leugenaar uitmaakten? Als ze scholden en elkaar aan de haren trokken? Misschien was mollige Saartje helderziend. Misschien had ze het domweg geraden of aangevoeld. Wat maakte het allemaal uit? Hij had Sarah en zij had hem. Ze hadden de beste seks op aarde.

'Heb ik jou pijn gedaan?'

Ze haalde haar schouders op. Nooit eerder had ze hem zo vertederd. Na regen komt zonneschijn, na woede tederheid.

'Ben ik nu een echte man? Hou je van me? Kom bij me liggen en zeg me of je van me houdt.'

'Je weet dat ik niet van je hou.'

'Maar je zou ook niemand over ons vertellen.'

'Ik heb niemand over ons verteld.'

'Oké, je hebt niemand over ons verteld en je houdt niet van me. Al onze seks betekent niets. Je hebt me niet nodig. Ik ben volstrekt inwisselbaar. Elke man is prima, als het maar geen Chinees is. Penis bij voorkeur aan de forse kant. Een voorliefde voor beffen wordt op prijs gesteld. Je hebt me wel nodig, Saar.'

'Ik heet niet Saar.'

'Je hebt me nodig, Sarah. Met wie zou je vrijen, als ik er niet was? Het is niet netjes om uit bed te kletsen.'

'Ik heb niet uit bed gekletst.'

'Oké, Li heeft jouw adresboekje gestolen en een brief naar al je vriendinnen gestuurd. Wie had dat ooit van Li verwacht?'

'Ik niet.'

'Ik ook niet. Zullen we hem zeggen dat hij ontmaskerd is?'

'Paul.'

'Ja?'

'Ik hou echt niet van jou.'

'Goed,' zei hij. 'Je houdt niet van mij en ik hou ook niet van jou. Ik hou van Saartje. Ik ga haar bellen om een afspraak te maken. Ik ga zeggen: Saartje, jij bent de vrouw...'

'Saartje is een koe!'

'Maar je kent haar niet.'

'En toch is ze een koe.'

'Een koe die van me houdt.'

'Je hebt haar één keer ontmoet.'

'Wat niet is, kan nog komen.'

'Ga maar. Ga naar Saartje. Ik heb honger. Ik ben moe. Ik ga slapen.'

Hij was gebleven.


Niet lang nadien waren ze hand in hand op een feestje verschenen. Niemand leek verbaasd, maar ook zei niemand: eindelijk. Het leek iedereen vooral onverschillig te laten. Paul combineerde het baccalaureaat nu met een halftijdse baan bij een kleine uitgeverij van toeristische gidsen. Uit zijn verhandeling sprak een verrassend talent om monumenten te beschrijven, vond zijn baas. Het was een zin die Paul graag citeerde 's avonds in de kroeg. En dat hij de baan dus aan Leopold II te danken had, en aan diens grootheidswaan. Dankzij de Belgische vorst en zijn vele monumenten verdienden hij en Sarah nu genoeg om een huisje te huren. Haar ouders verhuisden definitief naar de flat boven de schoenwinkel in Lier die Sarahs moeder samen met haar zus runde. Haar vader zag zichzelf tot huisman gedegradeerd. Li kwam nooit bij Sarah en Paul op bezoek, al had het jonge stel hem bij hun vertrek verzekerd dat hij altijd welkom was. Nieuwe huurders zouden hun intrek nemen in het appartement boven het restaurant. Ze zouden de zoetzure geuren opsnuiven en het belletje horen rinkelen, wanneer een klant de deur openduwde. De kans was klein dat ook zij het appartement ongemeubileerd zouden laten. Li sliep opnieuw op zijn kingsize matras, die hij een tijdlang aan zijn vrienden in bruikleen had gegeven. Hij was iemand van vroeger. Hij behoorde tot de periode die Paul en Sarah achter zich hadden gelaten.

Paul beeldde zich in dat hij Sarah had getemd. Soms gaf hij haar bevelen. 'Ga iets anders aantrekken.' 'Breng me een biertje.' 'Ga eten maken.' Sinds zijn ontmoeting met Saartje had hij haar niet meer gebeft. Soms neukte hij haar in de mond. Sarah nam wraak en stak een vinger in zijn kont.

Op een nacht bond ze hem vast aan de spijlen van hun bed. Ze gebruikte er vier Indiase sjaaltjes voor die ze die middag had gekocht. Met een vijfde sjaal blinddoekte ze hem. Toen ging ze de kamer uit en bleef een hele tijd weg. Hij kreeg het koud en vroeg zich af welk spel ze met hem speelde. Eindelijk ging de deur open. 'Sarah?' Er kwam geen antwoord. Een vrouw – dat wist hij meteen, het was een vrouw – gaf hem een tik. Ze greep zijn penis en neukte hem, maar nog altijd kon hij niet zeggen of het Sarah was. Nu eens wist hij zeker dat zij het niet was, dan weer herkende hij haar geur. Ze leek hem zwaarder dan Sarah, of lichter. Ze zweette meer of minder. De tepel die in zijn mond werd gestopt, was groter of kleiner. Hoe langer hij geblinddoekt was, hoe minder hij iets met zekerheid wist. Werd hij gebruikt of verwend? Was dit de gelijke munt waarmee hij eindelijk werd betaald? Sarah schreeuwde het niet uit als ze klaarkwam en ook deze vrouw was stil. Hij begon zich af te vragen of Sarah toekeek, terwijl een vreemde vrouw hem bereed. Misschien zou ze zo meteen haar plaats innemen. Was ze in de kamer?

Toen hij klaarkwam kreeg hij een mep. En nog één. De vrouw stapte van hem af als van een fiets. De deur van de kamer ging open en weer dicht. Hij fluisterde Sarahs naam. Was hij alleen of was hij niet alleen? Het zweet, haar sap en zijn sperma koelden af. Hij kreeg pijn in zijn rechterlies. Opnieuw kwam iemand de kamer binnen. Dit keer herkende hij zonder enige twijfel Sarahs voetstappen. Ze had hem op de lippen gekust en met een laken toegedekt. Een voor een had ze de sjaaltjes losgeknoopt.

'Ga je maar wassen,' zei ze. Ze rook alsof ze net van onder de douche kwam. Misschien was ze de mysterieuze vrouw, misschien ook niet. Hij was te trots om haar wat dan ook te vragen. De stand was 1-1. Hij had zich bevrijd moeten voelen, maar hij voelde zich niet bevrijd. Hij voelde zich vuil, vernederd, leeg.

'Je bent een slet,' zei hij. Ze reageerde niet. Slecht gedrag moest worden genegeerd. Opnieuw zette hij de aanval in. 'Je bent minder dan een slet. Een slet neukt voor het geld.' Maar het vuil bleef aan hem kleven, hoe hard hij ook probeerde het naar haar te gooien.

'Ga je wassen,' herhaalde ze. 'Trek schone kleren aan.'

Twee dagen en nachten bleef hij weg. Hij zocht troost bij een vriendin, maar kreeg bij haar geen erectie. 'Je bent moe,' zei ze. 'Je moet slapen. Slaap.' Zij viel in slaap en hij ging in haar keuken zitten drinken. Aan de muur hing een ingelijste reproductie van Van Goghs *Zonnebloemen*. Hij keek naar het blok met keukenmessen en overwoog om net als die lieve gek van Arles zijn oorlelletje af te snijden. Daarna zou hij het per koerier bij Sarah laten bezorgen. Hij ontkurkte een tweede fles en terwijl hij naar de zonnebloemen bleef staren, begon hij zich af te vragen of hij Sarah niet dankbaar moest zijn. Ze had hem ontgroend, ze had hem in het vuil ondergedompeld. Het vuil was het leven, zonder het vuil was er geen leven en wie het vuil angstvallig vermeed, had niet geleefd. Zonder het vuil had Van Gogh nooit die gouden bloemen kunnen schilderen. We zijn bang van het vuil, maar het vuil is goed voor ons. Het vuil is energie en inspiratie, het is de val die de opstand en wedergeboorte mogelijk maakt. Sarah had hem uitgedaagd en uitgedaagd tot hij op haar spuwde, en nu had ze krachtig en welgemikt teruggespuwd. Ze waren nu allebei vuil, ze stonden midden in het leven, ze leefden. Dit was dag één. Day one. Hij duwde zich overeind en kuste met volle lippen de zonnebloemen. Toen belde hij een taxi en ging naar huis. Na een eeuwigheid kreeg hij de sleutel in het slot. Alles stond en lag er nog zoals hij het had achtergelaten. Ze had van zijn vertrek geen gebruik of misbruik gemaakt. Hij waggelde de slaapkamer binnen.

'Sarah.' Zijn tong wilde niet mee. Het kostte hem een bovenmenselijke inspanning om die twee eenvoudige lettergrepen gezegd te krijgen. 'Sarah,' probeerde hij opnieuw. Ze werd niet wakker. Zonder zijn kleren uit te trekken liet hij zich naast haar vallen. Hij snurkte.

Hij had met haar een prinsheerlijk bestaan kunnen leiden. Zijn vriend Stephan was intussen getrouwd met een vrouw die sinds ze een miskraam had gehad eigenlijk geen seks meer wilde. Hij moest haar rouwproces respecteren, zei ze, en hoe was het mogelijk dat híj niet om hun kind treurde. Hun kind?! Een hoopje cellen niet groter dan een pink? Ze wilde het een naam geven en een begrafenis, maar er was niets om te begraven! Stephan werd harteloosheid verweten omdat hij haar plan niet steunde. Blijkbaar had hij geen greintje empathie. En als ze al seks hadden, dan was het op haar vruchtbare dagen. 'Ik ben,' zei Stephan tegen zijn vriend, 'een spermabank.' Stephan was niet de enige. Paul had het grote lot gewonnen: hij woonde samen met de enige vrouw van het land die graag neukte. Maar hij wilde dat ze van hem hield. Nooit zou ze hem zeggen dat ze van hem hield. Altijd zou ze volhouden dat zij niet kon liefhebben, zoals een blinde niet kon zien en een dove niet kon horen. Ze hield van seks, van seks met hem, ze kon zich geen betere minnaar dromen, maar ze hield niet van hem. Ze hield van niemand.

'Jij houdt wel van mij.'

'Ik hou niet van jou.'

Het was een spel dat ze speelden. Wat maakten die woorden uit? Hij wist dat ze van hem hield. Ze kon geen dag zonder hem. Zonder hem stortte ze in. Hij was het touwtje dat haar bij elkaar hield.

Maar het was geen spel. Ze hield echt niet van hem. Ze hield van niemand. Nooit kocht ze een cadeautje voor hem of voor iemand anders. Alles wat ze verdiende gaf ze uit aan spullen voor zichzelf. Soms verdween ze zonder te zeggen waarheen of voor hoe lang. Ze zette haar zonnebril op en ging naar de bioscoop zonder te vragen of hij zin had mee te gaan. Ze maakte plannen om alleen op reis te gaan en leek verbaasd toen hij eiste dat ze samen zouden gaan. Ze nam het laatste stuk taart zonder te vragen of hij trek had. Ze gebruikte al het warme water zonder zich daar ooit voor te excuseren. Ze pompte haar fietsbanden op, maar niet de zijne. Nooit toonde ze enige interesse voor zijn studie of zijn werk. Ze weigerde met hem naar Oostende te gaan. Ze slaagde er niet in te onthouden wanneer hij geboren was. Nooit vroeg ze of hij een goeie dag had gehad. Ze miste zijn proclamatie omdat ze een afspraak met de kapper had. Seks was haar drug. Ze was verslaafd aan de endorfine die vrijkwam. Het was een chemische reactie, niet minder, niet meer. Ze had er artikels en boeken over, die hij ook maar eens moest lezen. Geïrriteerd duwde hij ze opzij. Hij was er niet in geïnteresseerd. Dat was dan zijn probleem, zei ze. Zelfs op haar sterfbed hield ze vol dat ze niet van hem hield. Ze was met hem getrouwd om van zijn gezeur verlost te zijn. Hij was een goede minnaar en een gewetensvolle echtgenoot, die haar niet gelukkig of ongelukkig maakte. Van hun huwelijk had ze geen seconde spijt gehad.

Hij was ervan overtuigd dat ze met andere mannen ging neuken wanneer ze verdween zonder te zeggen waarheen. Waarom zou ze hem trouw zijn, als ze niet van hem hield? En waarom zou ze niet tegen hem liegen? Het liegen was haar ingebakken, wat misschien betekende dat ze loog wanneer ze zei dat ze niet van hem hield. Alles was mogelijk, niets was zeker. Had ze hem niet zelf verteld dat ze meerdere vrouwen was en dat de ene vrouw precies het tegenovergestelde van de andere kon beweren en doen? Met vage, gemompelde antwoorden trok ze een rookgordijn op. Sinds het Saartje-debacle was ze op haar hoede. Zelden of nooit belde ze met vriendinnen. Ze hield geen dagboek bij en schreef nooit brieven. Hij moest zich behelpen met haar ondergoed. Iedere ochtend viste hij haar slipje van de dag voordien uit de wasmand en rook eraan. Daarna controleerde hij het op sporen van sperma. De mogelijkheid dat ze met sperma van een ander hun huis binnenwandelde, maakte hem uitzinnig. Maar nooit leverde zijn zoektocht iets op. Hij trof een wirwar van sporen in haar slipjes aan: bloed, slijm, soms zelfs iets wat op urine leek. Hij masturbeerde boven een slipje om te kijken welke vlek sperma nu eigenlijk maakte. Hij probeerde te achterhalen hoe lang zijn sperma in haar bleef en hoe lang dus het sperma van een andere man in haar zou blijven. Hij stelde vragen zonder te weten of ze vermoedde wat hij eigenlijk wilde weten. Sarah mompelde haar onverstaanbare antwoorden. Eén keer vroeg ze of hij plannen met zijn sperma had. Een vriendin van haar moest van haar man na de seks minstens een uur met een kussen onder haar bekken blijven liggen om de bevruchtingskansen van zijn sperma te vergroten.

Volgens die vriendin was haar man bijzonder trots op zijn sperma. Hij liet het geregeld onderzoeken. En of Paul dus ook zulke plannen had.

'Zou jij een kind van me willen?' vroeg hij. Een kind zou alles oplossen. Zelfs Sarah zou onmogelijk niet van een kind kunnen houden. En vervolgens zou ze van hem houden, de vader van haar kind.

'Natuurlijk wil ik geen kind. Jij en ik mogen nooit een kind krijgen. Begrijp je dat?'

'Waarom niet?'

'Sommige mensen kunnen zich beter niet voortplanten, Paul.'

'Waarom zou ik me niet mogen voortplanten?'

'Ik heb het niet over jou.' Tranen sprongen in haar ogen. 'Jij weet niet wat het is om te zijn zoals ik. Ik heb jou nooit gevraagd van mij te houden. Heb ik je ooit gevraagd van mij te houden? Je moet je laten opereren, Paul. Als je echt van me houdt, dan moet je je zaadleiders...'

Het volgende moment lag hij naast haar in bed. Ze waren naakt en zij sliep. Hij wist niet hoe ze daar terecht waren gekomen. Hij keek op de radiowekker. Kwart over drie. Hoe lang had hij geslapen? En Sarah, wanneer was zij in slaap gevallen? Wat was er gebeurd? Was er iets bijzonders gebeurd? Ze had hem gezegd dat hij zich moest laten opereren. Daarna herinnerde hij zich niets meer. Hadden ze gevrijd? En zo ja, hoe? Hadden ze gedronken? Hij stond op en stommelde de kamer uit. Nergens vond hij glazen of flessen. De tafel en het aanrecht waren afgeruimd. Zelfs de krant was netjes bij het oud papier gelegd en de deuren waren afgesloten. Wie had daarvoor gezorgd? Hij? Zij? In de badkamer bestudeerde hij zijn gezicht. Hij zag er niet anders uit dan anders. Hij probeerde Sarah te wekken, maar ze kreunde alleen maar in haar diepe slaap. Naast haar hoofdkussen lagen gebruikte Kleenexjes. Ze hadden gevrijd. Hoe?

'Hou van mij!' fluisterde hij in haar oor. 'Sarah houdt van Paul! Ze houdt heel veel van hem. Zoveel dat ze bang is het toe te geven. Zoveel dat ze zijn kind wil dragen.'

Waarom liet zij zich niet opereren als ze echt geen kinderen wilde? Betekende het dat ze wél een kind wilde? Dat ze hoopte dat hij die beslissing zou nemen? Of was ze domweg bang? Maar hij was ook bang. Hij wilde ook niet onder het mes. Van zijn ballen moesten ze afblijven.

'Wat wil je?' fluisterde hij. 'Wil je een kind? Is dat wat je wilt?'

Hij wist niets meer, helemaal niets. Hij was als een pasgeboren kind, met dit verschil dat het kind het allemaal kon gaan leren, terwijl er voor hem geen hoop meer was. Er kwam geen tweede kans. Hij moest zonder kennis verder leven. Hij moest leven in duisternis. Zijn hoofd was een ei dat zij had leeggezogen. Hij had het laten leegzuigen. Nu moest hij zich aan het duister overgeven, maar hij was bang. Hij dacht aan Plato en aan zijn grot, en aan de wijze woorden van de filosoof: we leven in duisternis, maar we beseffen het niet.

Black-outs, zo las hij in een medische encyclopedie, mochten niet worden verward met bewusteloosheid. Tijdens een black-out bleef de patiënt functioneren. Soms was hij zelfs tot meer in staat, omdat remmingen wegvielen. Er waren gevallen bekend van patiënten die tijdens een black-out levens hadden gered. De ene was achter een drenkeling aan gedoken, de andere had een kind uit een brandend huis gedragen. Acteurs hadden met glans een rol neergezet, schilders hadden eindelijk een meesterwerk op het doek gekregen. Achteraf herinnerde de patiënt zich niets van wat hij had gezegd of gedaan. Door die amnesie ervoer hij acute angst en zelftwijfel. Dikwijls durfde hij uit schaamte geen informatie over de verloren uren in te winnen. Nochtans kon het iedereen overkomen. Black-outs werden over het algemeen veroorzaakt door alcohol of door stress. Ze konden een belangrijk signaal zijn dat de patiënt aan rust toe was. Verbijsterd klapte Paul de encyclopedie dicht. Sarah had van hem een patiënt gemaakt.

Wat was er die avond gezegd dat hij zich in een zwart gat had teruggetrokken? Waarom was zijn geheugen in staking gegaan? Had ze hem opnieuw aan het bed vastgebonden? Had hij haar verkracht? Of hadden ze domweg samen televisiegekeken? Met listige opmerkingen probeerde hij het te weten te komen.

'Wat is er met jou?' vroeg Sarah. Toen begon hij zich echt zorgen te maken. Nooit eerder had Sarah zich over hem bezorgd getoond.

Hij sloot niet uit dat hij haar had beloofd een vasectomie te ondergaan. Maar zo'n belofte wilde hij niet houden. Zelfs voor Sarah wilde hij dat niet. Iedere morgen checkte hij nu niet alleen haar slipje, maar ook haar pil. Zolang ze die trouw slikte, was er niets aan de hand. Maar ze slikte haar pil niet trouw. Soms zat het pilletje er nog dat ze de avond voordien had moeten nemen. De dag daarop was het weg, samen met het volgende. Had ze die dan allebei geslikt of had ze er eentje weggegooid? Was dat gevaarlijk? Ongezond? Gebruikelijk? Hoe meer hij over zijn vrouw te weten kwam, hoe minder hij over haar wist. Wilde ze een kind of wilde ze geen kind? Hij controleerde nu ook de zakken van haar jas, haar portefeuille, haar tas. Hij vond bus- en bioscoopkaartjes, die hem hielpen bij de reconstructie van haar doen en laten. Iedere woensdagmiddag, wanneer ze zogezegd haar moeder in de schoenwinkel ging helpen, nam ze de bus naar de bioscoop. Nooit sprak ze met een woord over de films die ze dan zag en waarvan de titels veelal afgekort op de kaartjes stonden gedrukt. Ze zag tekenfilms, spektakelfilms, horror, musicals. Schaamde ze zich over haar smaak? En waarom hield ook de moeder de mythe in stand dat haar dochter haar iedere woensdagmiddag in de winkel kwam helpen? Wat voerden die twee in hun schild?

Hij verlangde niet langer naar een bekentenis. De leugen was voor haar even noodzakelijk als zuurstof. Hij had een lange en moeizame weg afgelegd om dat in te zien en te aanvaarden. Nu kende hij de waarheid. Dat volstond. Als haar partner had hij het recht die te kennen. Het was zelfs zijn plicht. En ook haar spullen mocht hij aanraken. Desondanks was hij als de dood dat ze hem zou betrappen, maar er was geen weg terug. Zonder dat hij de wekker zette, schrok hij iedere morgen om halfzeven wakker. Terwijl Sarah verder sliep, ging hij ongehinderd zijn gang. Hij ontdekte dat zijn vrouw van chocolade hield. De proppen zilverpapier die hij uit haar jaszak of tas viste, streek hij glad. Hij bevochtigde de top van zijn wijsvinger en bracht ermee de schilfertjes chocolade die aan het papier waren blijven kleven naar zijn mond. Op die manier aten ze van dezelfde chocolade. Thuis at ze nooit chocolade. Zelfs wanneer hij een reep in de koelkast legde, raakte ze die niet aan. Hij kende nu twee van haar geheime zonden. Het was een begin.

Hij was nu twee mannen: de man die wist en die man die deed alsof hij niets wist. De man die met haar praatte en haar vroeg of ze veel schoenen had verkocht, en de man die haar observeerde en wist dat ze naar de bioscoop was geweest. De man die haar zelfbeheersing bewonderde en de man die hoopte dat ze zich zou verraden. Nooit kwam het bij hem op dat zij wist wat hij wist, maar deed alsof ze het niet wist. Of de mogelijkheid kwam wel bij hem op, maar werd meteen weer verworpen. Ze werd te veel door zichzelf in beslag genomen. Hij interesseerde haar niet.

Soms was hij bang dat zijn vingerafdrukken op haar spullen zichtbaar zouden worden. Hij beeldde zich in dat ze met een gil haar handtas liet vallen omdat die vol afdrukken stond. Iedere nacht legde hij zijn portefeuille onder zijn hoofdkussen. Als hij opstond om naar het toilet te gaan, nam hij hem mee. Portefeuilles staken als zwarte dozen tjokvol informatie. Hij kon niet zeggen wat het was dat Sarah niet mocht vinden, maar nooit liet hij zijn portefeuille nog slingeren. Hij probeerde zo weinig mogelijk sporen achter te laten.

Zijn dagelijkse routine was zijn laatste houvast. Het was geen routine, maar een ritueel. Een taak die hij zichzelf had opgelegd om hun relatie te redden. Hij wilde niet in onwetendheid leven. Hij wist niets, maar hij wist alles wat hij kon weten. Hem kon niets worden verweten. Zijn vrouw hield van chocolade; ze ging ieder woensdagmiddag naar de bioscoop; soms vergat ze haar pil. Niemand kon beweren dat hij niet had gevochten om uit de grot te ontsnappen.

Op een dag kwam hij thuis en zag hij Li op de bank zitten. Het was woensdag en hij was van plan haar de gebruikelijke listige onschuldige vragen over de schoenwinkel te stellen, in de wetenschap dat ze daar niet was geweest. Hij kon naar de leugen luisteren, omdat hij de waarheid kende. De leugen maakte hem zelfs rustig. Hij kende haar, ze was een oude, vertrouwde vriend. Zelf had hij goed nieuws: de uitgeverij wilde zijn verhandeling uitgeven op voorwaarde dat hij haar grondig herschreef. Met mooie foto's erbij was er een fraai boek van te maken. Toen zag hij Li.

'Wat doet Li hier?' vroeg hij.

'Wat doet Li waar?'

'Daar.' Hij wees naar de plek waar hij de Chinees zag zitten. Met zijn kleine, uitdrukkingsloze ogen nam Li zijn vrienden op. Er speelde een glimlach om zijn lippen.

'Paul, daar zit niemand.'

'Li?'

De Chinees stak zijn hand op en Paul beantwoordde zijn groet.

'Naar wie steek je je hand op?'

'Naar Li. Heb jij hem uitgenodigd? Of is hij toevallig langsgekomen?'

'Li is niet hier, Paul. Er is hier helemaal niemand.' Ze liep naar de bank en ging op Li zitten. 'Kom bij me zitten.' Ze sloeg met haar hand op de bank. 'Kom.'

'Hij is weg.'

'Hij is hier nooit geweest, Paul. We hebben hem nooit uitgenodigd. Zou je hem graag uitnodigen?'

'Hij was hier, Sarah. Ik verzin het niet.' Hij liet zich naast haar op de bank vallen. 'Hij zat er. Hij zat er echt.'

Ze trok zijn hoofd op haar schoot en streelde zijn haar.

'Je slaapt te weinig. Waarom sta je altijd zo vroeg op?'

'Omdat ik wakker ben.'

'Je moet blijven liggen. Je moet met gesloten ogen blijven liggen. Dan val je weer in slaap.'

'Hoor je me opstaan?'

'Soms. Of ik word wakker en je bent er niet. Mis je Li?'

'Nee. Ik denk zelfs nooit aan hem. Jij wel?'

'Ik moet je iets zeggen. Ik ben zwanger.'

Nu zat Li aan de tafel in de woonkamer.

'Li?'

De Chinees glimlachte breed en stak opnieuw zijn hand op.

'Paul, heb je gehoord wat ik zei? Ik zei dat ik zwanger ben.'

Hij stond op en liep naar de Chinees. Hij moest weten wat hij in hun woonkamer deed.

'Paul, alsjeblieft, Li is niet hier. Er is hier niemand.'

Hij keek naar haar.

'Wat heb je gezegd?'

'Niets.'

'Jawel. Je hebt gezegd dat je zwanger bent. Ik heb het gehoord. Ik ben niet gek.' Hij keek naar de Chinees, die nog altijd zat te glimlachen. Had hij al die tijd in hun huis gewoond? Liet hij zich nu voor het eerst zien? Had hij Paul bespied terwijl die de spullen van Sarah doorzocht? Had hij het haar verteld?

'Ik wil niet dat je abortus pleegt. Heb je dat begrepen?' Want in de helderziendheid waarin de aanwezigheid van de Chinees aan hem werd geopenbaard, begreep hij dat ze van plan was het kind te aborteren. Ze wilde geen kind. Ze wilde geen ander wezen met haar liefdeloosheid infecteren. Tegelijkertijd vergat ze af en toe haar pil. Dat kwam omdat ze meerdere vrouwen was, van wie sommige een kind wilden en andere niet. Ze had het hem allemaal zelf verteld. Hij had alleen maar hoeven te luisteren.

'Kun jij een kind opvoeden, Paul?'

'Natuurlijk kan ik een kind opvoeden.'

Hij keek naar de tafel. Li was weg. Hij liep naar de keuken, hij keek in de gang, hij trok de voordeur open, hij liep naar de kelder.

'Li is weg. Hij is zonder een woord verdwenen. Waarom heb je niets tegen hem gezegd?'

'Paul, alsjeblieft.'

'Je hoeft niet bang te zijn. Ik heb liefde voor twee. Je kunt het niet helpen. Ik weet dat je het niet kunt helpen. Ik zal als een vader en een moeder zijn. Of als twee vaders, het maakt niet uit.' Hij viel op zijn knieën voor haar. 'Je hoeft nooit van wat dan ook bang te zijn. Ik zal voor je zorgen, voor jou en voor de baby en voor alle baby's die je nog zult krijgen!'

Maar ze bedoelde natuurlijk iets anders. Ze wilde weten of hij het kind zou kunnen opvoeden wanneer zij er niet meer was. Ze wilde weten of ze het recht had een kind op de wereld te zetten dat zijn moeder misschien jong zou verliezen. De dokter had haar gezegd dat ze het met de vader moest bespreken. De zwangerschap zou hoe dan ook belastend zijn. Maar Sarah had haar ziekte altijd voor die vader verborgen gehouden en ook haar ouders hadden hem er niets over gezegd uit angst dat hij hun dochter zou verstoten. Haar moeder had haar het perfecte alibi voor het wekelijkse ziekenhuisbezoek bezorgd. Zo hoefde haar schoonzoon niets te weten. Eerst naar het ziekenhuis, dan naar de bioscoop. Ook Sarah had al die tijd haar rituele routine gehad. 'Bespreek het met de vader,' had de dokter gezegd, maar die vader wist niet wat er besproken moest worden. Hij wist helemaal niets. Dat was haar fout. Ze had hem niets verteld. Ze had alles zo goed verborgen gehouden, dat hij het ook niet had geraden of ontdekt, hoe hard hij zich ook inspande om alle sporen te onderzoeken en te interpreteren. Als hij het had geraden, had ze het ontkend of niet ontkend. Maar hoe had hij het kunnen raden? 'Ik hou van niemand,' had ze altijd tegen hem gezegd. 'Ik zal nooit van iemand houden.' Was dat waar? Nu kwam er een kind. Hij werd vader.

'Ben je blij?'

'Ja. En jij?'

'Ja.'

Het was geen leugen, het was waar. Ook zij had nieuwe moed. Het kind zou haar bloed misschien genezen. Nu al voelde ze zich sterker, hoopvoller. Ze was nog maar zes weken ver. Er moesten nog vele weken komen. De baby had alle tijd.

Strakker trok hij zijn strop. Hij bood haar nog meer liefde. Liefde voor haar én voor het kind, dat ook zijn kind was, tenzij het het kind van een ander was. Die gedachte duwde hij weg. Hij wilde het niet weten. Hij wist genoeg, hij wist niets. Het was een liefdeloze gedachte en Sarah had nu liefde nodig voor twee. Hij vroeg haar ten huwelijk. Opnieuw knielde hij voor haar neer. Hij schoof een verlovingsring aan haar vinger. Hij kon niet geloven dat hij dit deed, maar hij deed het. Niemand kon ontkennen dat hij het deed.

In haar slipjes ging hij nu op zoek naar tekenen van haar zwangerschap. In haar handtas zocht hij sporen van haar bezoek aan de gynaecoloog. Nog altijd schrok hij om halfzeven wakker. Hij liet de uitgeverij weten dat hij zijn verhandeling niet zou herschrijven. Hij was niet langer in de publicatie ervan geïnteresseerd. Leopold II en zijn monumenten konden hem gestolen worden. Hij werkte nu aan zijn eigen monument. Sarah zag er soms haast doorzichtig uit van vermoeidheid. Hij wist niet beter of het verging alle zwangere vrouwen zo.

Op een avond zag hij de Chinees opnieuw op de bank zitten, maar dit keer was hij het echt. Hij zat precies op dezelfde plek, maar nu zat Sarah naast en niet op hem.

'We hebben bezoek,' riep ze vrolijk. 'Li is hier. Echt.' Ze knipoogde naar hem.

Hij sloot zijn ogen en kneep zich in de arm. Toen hij ze opende, zat Li er nog altijd. Hij ging aan de andere kant van hem zitten.

'Li!' zei hij verheugd. Hij sloeg een arm om de Chinees, met wie hij en Sarah zoveel uren gesleten hadden. 'Je had veel eerder moeten komen.'

Zijn vriend glimlachte tevreden. Sarah had haar hoofd op zijn schouder gelegd. Dit was wat ze al die tijd hadden gemist: een bezoek van hun trouwe vriend.

'Heb je gegeten? Eet je met ons mee? Of zullen we ergens gaan eten? Wat zit daarin?'

Hij wees naar de bruine papieren zakjes die op de salontafel lagen.

'Li heeft kruiden voor me meegebracht! Toen hij hoorde dat ik zwanger was, heeft hij naar zijn familie in China geschreven. Om de veertien dagen zullen ze kruiden sturen. Chinese kruiden voor een gezonde Belgische baby.'

Glunderend zat Li tussen de toekomstige ouders. Paul rook aan de zakjes, maar herkende de geuren niet.

'Komen ze uit China?'

'Ja,' antwoordde Sarah. 'Zijn familie heeft ze voor ons gekocht. We mogen hun er zelfs niet voor betalen!'

Nog altijd lag haar hoofd op zijn schouder.

'In China,' zei ze, 'worden alleen gezonde baby's geboren.' Nooit eerder had hij haar zo uitgelaten gezien. Haar stem klonk als een klaterende waterval. Opnieuw rook hij aan de kruiden.

'Moeten vaders ze ook nemen?' vroeg hij met een lach. En ook Li lachte. Zijn buik schudde van plezier.

Dat zijn vrouw aan een ernstige bloedziekte leed, vernam Paul pas toen ze het niet langer kon verbergen. Sarah had verkeerd gegokt. Ziggy noch de kruiden hadden haar gered. Ze verstootte de baby, die zijn belofte niet had waargemaakt. Ziggy had haar bloed niet gezuiverd maar vergiftigd, zo hield ze vol. Li had proberen te redden wat er te redden viel, maar uiteindelijk stond hij machteloos. Dat kwam omdat ze tegen de instructies van de kruidendokter in de westerse behandeling lange tijd niet had gestaakt. Ze was dom, angstig en kortzichtig geweest. Tot het einde toe bleef ze Li trouw en Li bleef haar trouw bezoeken. Als Sarah ooit iemand had liefgehad, dan was het de Chinees. Paul had zich niet vergist toen hij hem in hun woonkamer had zien zitten. De Chinees was al die tijd bij hen geweest. Als Sarah verdween zonder te zeggen waarheen, ging ze naar hem. Aan hem vertelde ze alles over haar ziekte; met hem smeedde ze het plan haar bloed door een baby te laten zuiveren; bij hem kon ze zich laten gaan.

Na haar dood vroeg hij zich af of liefde altijd inhield dat je jezelf verloor. Toen de psychologe wilde weten of hij zijn relatie met Sarah als destructief zou omschrijven, had hij gevraagd of dat niet van elke relatie kon worden gezegd. Moest je niet altijd een stuk van jezelf verloochenen? En of zij dan nooit alles voor iemand op het spel had gezet?

Hij vertelde haar niet hoe onvolmaakt zijn zogezegde liefde was geweest. Omdat hij van Sarah hield, had hij gedacht recht op haar liefde te hebben. Hij had zich aangesteld als een despoot. Hij schaamde zich diep als hij zich zijn ochtendlijke inspectietochten herinnerde. Hij had inderdaad in de duisternis van de grot geleefd.

Paul wilde uniek zijn, maar hij was niet uniek. Het ziekenhuis was een kerkhof voor gebroken harten.

Het ergste was hoe zij niet had gezien dat hij van haar hield. Of ze had het gezien, maar het interesseerde haar niet. Dus hield hij nog meer van haar, opdat ze het zou zien. Hij wist niet of de een altijd gedoemd was meer van de ander te houden dan de ander van de een. Hij wist alleen dat hij nooit de ander wilde zijn. Het liefst was hij de minnaar van vrouwen die zich perfect gelukkig in hun huwelijk noemden, maar zin hadden in avontuur. Hij rook hun verlangen en zij roken zijn beschikbaarheid. Verder wist hij nog altijd niet veel. Hij wist dat hij had liefgehad, hoe onvolmaakt ook, maar niet was liefgehad, wel door zijn vader en zijn moeder en zijn broer en zijn zus, maar niet door de vrouw die hem gevraagd had of hij haar minnaar wilde zijn. Zij had niemand liefgehad, zelfs niet haar eigen kind en ook niet zichzelf.

Nog altijd hoopte hij dat ze op een avond zou terugkeren. Daarna zou ze voorgoed verdwijnen. Hoe langer ze dood was, hoe sterker zijn overtuiging. Ze zou aanbellen en zeggen: 'Mag ik binnenkomen?' Ze zou aanbellen en zeggen: 'Ben je alleen thuis?' Hij zou haar binnenlaten en tegelijkertijd zou hij haar niet binnenlaten. Hij zou opnieuw twee mensen worden: iemand die haar binnenliet en iemand die haar niet binnenliet. Iemand die als een dwaas naar haar lachte of in tranen uitbarstte, en iemand die onbewogen verder ging met wat hij deed. Iemand die haar omhelsde en iemand die hoofdschuddend toekeek. Iemand die zich verloor en iemand die aan de grens dacht die niet mag worden overschreden.

Hij wist niet of Ziggy net als zijn moeder was. Of hij de een zou zijn, of de ander. Degene die liefhad of die werd liefgehad. Maar hij was een lieve jongen met veel vrienden en vriendinnen, en met gezond bloed. Van zijn vader leek hij te houden. Hij vertelde honderduit en volgde hem als een hondje. Over zijn moeder wist hij dat ze vlak voor zijn eerste verjaardag was gestorven en dat zijn vader heel veel van haar had gehouden. In zijn kamer stond een foto die de Chinees van haar had gemaakt. Ze zag er jong en gelukkig uit. Van de brieven die ze voor haar zoon had nagelaten, had hij nog geen weet. Paul bewaarde ze in een kluis waarvan hij de jongen op zijn achttiende verjaardag de sleutel zou geven.

Er werd gebeld. Wie het ook was, kon hem met zijn rug naar het raam aan zijn ontbijttafel zien zitten. Hij had een hekel aan vitrage. Iedereen kon bij hem naar binnen kijken. Bij hem en bij Ziggy. Vader en zoon Devroey hadden niets te verbergen. Voorbijgangers kéken ook naar binnen. Telkens opnieuw verbaasde het hem hoe mensen ongegeneerd naar binnen keken. Soms had hij zin om te wuiven. Of om een bord aan de gevel te hangen: HOMO SAPIENS. VERBODEN TE VOEDEN. Je moest iets tentoonstellen opdat mensen het zouden zien. Je moest het in een lijst of een vitrinekast of een raam stoppen. Of er foto's van maken en die in een galerie ophangen. Of op de locatie zelf. Maar hij wilde niets of niemand tentoonstellen. Hij wilde wonen in een huis met licht.

'Jij leeft,' zei zijn buurman, 'alsof je huis een podium is.'

Die buurman gaf stemtraining aan acteurs en actrices, en zag de wereld in termen van theater. Het theater bestond niet voor de wereld, maar de wereld voor het theater. Het is allemaal materiaal, zei hij. Hij bukte zich en raapte een kluit aarde op. 'Klei,' zei hij, 'waarmee God Adam boetseerde.'

Van de weeromstuit voelde Paul zich een acteur. Iemand die iedere ochtend een kostuum uitkoos en grime aanbracht om zijn rol te spelen. 'Zichzelf' was een rol waarin hij zich zo overtuigend mogelijk probeerde in te leven. Hij leefde zich in zichzelf in. Hij was niet Paul Devroey, hij speelde Paul Devroey, weduwnaar met zoontje, dat zijn moeder zo tragisch vroeg had verloren. Barmhartige Samaritaan, die mensen en dieren wilde redden, maar op cruciale momenten tekortschoot. Zot, die al twee keer in een psychiatrische inrichting was opgenomen. Charismatische leraar, die zijn leerlingen, studenten en collega's begeesterde en vervolgens in de steek liet. Ex-beschrijver van monumenten en andere toeristische bezienswaardigheden. Ex-docent. Hoofdverdachte in een nooit opgehelderde zaak. Bedreven minnaar van gefrustreerde vrouwen. Toegewijde vader. Vooral dat.

Tegenover Ziggy had hij altijd zijn verantwoordelijkheid genomen. Nooit was hij naar een stiefmoeder voor zijn zoontje op zoek gegaan, nooit had hij aan de druk van oma's en tantes toegegeven. Allemaal hadden ze klaargestaan om hem zijn zoontje uit handen te nemen. Ze wisten niet wat hij Sarah had verzekerd, die avond toen ze hem verteld had dat ze zwanger was. 'Ik heb liefde voor twee.' En zelfs als ze het geweten hadden, dan waren ze het er niet mee eens geweest. Een man alleen kon geen kind opvoeden, verklaarden ze beslist, zeker niet een man met zijn problematiek.

Over welke 'problematiek' hadden ze het?

Zijn problematiek.

En dan moest hij hen dwingen het in zijn gezicht te zeggen: hij had een inzinking gehad en daarna had hij nog een inzinking gehad; hij had twee keer 'binnen' gezeten – dat zeiden ze alsof er geen noemenswaardig verschil tussen een psychiatrisch ziekenhuis en een gevangenis bestond. Sarahs tante, de tante van de schoenwinkel, beschouwde iedereen die ooit met psychiatrie in aanraking was geweest, als een psychopaat. En met psychopaten kunt ge niet voorzichtig genoeg zijn. Want ge ziet wat daarvan komt, met mensen als Dutroux, als ze die niet hadden vrijgelaten, dan leefden die arme kinderen nu nog. Aldus Sarahs tante, de heilige vrouw die haar zus en schoonbroer na het faillissement geheel onbaatzuchtig had opgevangen en die zich nog altijd verweet dat ze Sarah daar alleen boven de Chinees had achtergelaten. Als ze het had geweten, dan had ze ook dat kind bij zich in huis genomen. Een mens kon niet alles weten, maar ze wist één ding: met psychopaten kunt ge niet voorzichtig genoeg zijn.

Dat was dus zijn problematiek.

'Niet naar luisteren,' zei de psychologe. 'Jij beslist bij wie je zoontje woont. Jij bewijst met je daden wat je kunt. Je kunt een vader voor Ziggy zijn. Natuurlijk kun je dat.'

Was hij Ziggy's vader of speelde hij Ziggy's vader? Dat was de vraag.

Uit trots, uit balorigheid, uit trouw aan de overleden moeder van wie hij zielsveel had gehouden, uit vertedering voor dat hulpeloze ventje had hij, Paul Devroey, besloten een goede vader te zijn. Of te spelen. Wat maakte het uit? Moest een acteur die een moordenaar speelde, ook niet een beetje een moordenaar zíjn? En was alle gedrag uiteindelijk niet aangeleerd? Hij hing toch ook maar een beetje de leraar uit? Stel dat Sarah had besloten van hem te houden. Zou ze dan op den duur niet echt van hem zijn gaan houden? En wat was het precieze verschil tussen zijn en schijn? Was een rol noodzakelijkerwijs schijn? Betekende komedie spelen per definitie dat je loog? De mens werd naakt geboren en koos een kostuum dat hem paste. En vervolgens zag de wereld alleen het kostuum. De mens was het kostuum dat hij droeg. Wat als het kostuum de enige werkelijkheid was? Waarom gingen we ervan uit dat het masker iets verborg?

Ondanks zijn 'problematiek' en de vrees voor een nieuwe inzinking had hij ervoor gekozen een vader te zijn. Dat kostuum lag voor hem klaar en hij had het aangetrokken. Het paste hem als een tweede huid, het was een tweede huid gewórden. Er was geen waarheid en ook geen licht, die na een moeizame zoektocht konden worden gevonden. We maakten zelf onze waarheid en ons licht. Dát was de waarheid die we moesten ontdekken en die hij had ontdekt. Sarah had de grot nooit verlaten. Ze had de waarheid verborgen gehouden in plaats van gemaakt. Als zij niet was gestorven, als hij niet op zijn bek was gegaan, één keer en daarna nog een keer, dan had ook hij het licht niet gezien, het licht dat ieder van ons zelf moet maken, het licht dat voor niemand ergens kant-en-klaar brandt.

'Zo is dat, Paul,' zei zijn buurman, die Nico heette en net als hij door een diep dal was gegaan, maar nu het licht had gezien.

Nico had het nooit over zijn 'problematiek', maar anders dan Sarahs tante had hij hem wel in het ziekenhuis bezocht. Hij kon ze net niet op één hand tellen, de mensen van wie hij bezoek had gekregen tijdens zijn tweede inzinking, de inzinking die door de verdachtmakingen na Francines dood veroorzaakt was. Het was een andere inzinking dan de eerste, die grote dosissen mededogen en medelijden in de mensen had opgewekt, en energie om hem te troosten en te steunen, en opluchting dat het lot niet op hen zijn pijl had gericht, en bezorgdheid om Ziggy, die zijn eerste verjaardag nog moest vieren en zonder moeder door het leven zou moeten gaan. Gelukkig kon die kleine bij Sarahs moeder terecht, terwijl Paul in het ziekenhuis herstelde, terwijl hij vocht om weer sterk en gezond te worden. Allemaal moesten en wilden ze hem daarbij helpen.

De tweede inzinking werd algemeen gezien als een schuldbekentenis, een erkenning van de fouten die hij had gemaakt. Hij verstopte zich omdat hij zich terecht over zijn daden schaamde. Het krediet dat hij met Sarahs dood had opgebouwd, was uitgeput. Hij was tot een schoft verworden. Een ploert. Iemand met wie mensen zich niet wensten te compromitteren.

Net als na Sarahs dood stuurde Stephan zijn zus Marie omdat hij zelf niet durfde te komen. Stephan had een panische angst voor ziekte en ziekenhuizen en had zelfs de geboorte van zijn dochters niet bijgewoond, een onvergeeflijk feit dat mede tot de scheiding had geleid. Sarahs moeder was gekomen om haar schoonzoon haarfijn uit te leggen hoe ze over hem dacht. En Francines dochter, die hem aan Sarah had doen denken, zoals alle vrouwen die hij aantrekkelijk vond hem aan Sarah deden denken. Voor haar had hij zijn uiterste best gedaan. En de directeur van de verpleegstersschool was gekomen, die tot zijn opluchting van Paul had vernomen dat hij niet van plan was ooit nog een stap in zijn school te zetten. En zijn moeder, die stilletjes had gehuild en hem de anonieme brieven had laten zien over haar smeerlap van een zoon die ze wel eens een lesje zouden komen leren. Ze had hem gesmeekt haar te zeggen wat er was gebeurd. Ze was zijn moeder. Haar kon hij vertrouwen. Wat was een mens als hij zijn moeder niet meer vertrouwde?

Allemaal hadden ze de waarheid willen weten. Witte ridders waren het, die tegen leugens en bedrog ten strijde trokken. Wat was er tussen hem en die vrouw echt gebeurd? Wat had hij haar beloofd? Waarom was ze voor hem in het kanaal gesprongen? En als ze niet was gesprongen, maar was gevallen of geduwd of gedumpt, waarom had ze zich zo opgedirkt? Alleen het meisje had hij een antwoord proberen te geven. Het was het laatste wat hij voor Francine kon doen: haar dochter uit de duisternis leiden. Li was niet gekomen, maar Li had hij sinds Sarahs begrafenis niet meer gezien. Toch had Paul in de slapeloze uren van de eindeloze nachten vaak aan de Chinees gedacht en aan de rechtlijnigheid van zijn levenswandel. Nooit had hij een man ontmoet die zich zo weinig aan de mening van anderen gelegen liet liggen. Li zou gekomen zijn als hij hem dat had gevraagd. Hij was de enige echte vriend die hij ooit had gehad, maar ook Nico was intussen een vriend. Nico was de zesde en laatste bezoeker. Hij had het niet over de waarheid gehad, maar wel over Ziggy, die bij zijn oma in Lier logeerde en van wie Nico zich afvroeg of hij niet beter voorlopig bij hem kon wonen, want dan kon hij gewoon naar zijn oude, vertrouwde school. De logeerkamer stond voor hem klaar. De jongen was meer dan welkom. Nico had geprobeerd Ziggy mee te brengen. Hij was naar Lier gereden om hem bij zijn oma op te halen, hij had zelfs een paar schoenen gekocht om de vrouw te paaien, maar Sarahs moeder had geweigerd Ziggy mee te geven. Ze was niet op haar achterhoofd gevallen, ze wist alles over Nico en over zijn vriend, die zich voor de mensen verstopte. Zíj zou niet naast twee homo's willen wonen, zeker niet met een kind, en nee, ze vond niet dat Paul het recht had de jongen te zien. Wie werd daar beter van? Wat had zo'n kind in een zothuis te zoeken? Had dat ventje in zijn jonge leven al niet genoeg meegemaakt?

'Jezus,' zei Nico. 'In jouw plaats had ik haar allang vermoord.'

'Ze houdt van Ziggy. En Ziggy houdt van haar. Ze is de moeder van zijn moeder.'

Als Paul Ziggy wilde zien, moest hij genezen. Maar hij wilde Ziggy niet zien. Hij was te ziek om zijn rol van vader te spelen.

'Geef jezelf de tijd,' zei Nico.

Samen waren ze bij de Lourdesgrot gaan bidden. 'Want je weet nooit,' zei Nico, 'waar het goed voor is.'

Hij had geen mirakel nodig om te genezen. Hij was geen lamme die opnieuw moest lopen, of een dode die moest verrijzen. En ook was hij geen water dat in wijn diende te worden veranderd. Alles wat hij nodig had, was tijd.

Hij had zichzelf drie maanden gegund. Toen had hij Nico gebeld en gevraagd of hij hem kon komen halen. Van het ziekenhuis waren ze rechtstreeks naar Lier gereden. Diezelfde avond nog had Paul zijn zoontje de waarheid over zijn afwezigheid verteld. Hij had hem verzekerd dat hij nooit meer ziek zou worden. Voortaan bleven ze altijd bij elkaar.

Iedereen wilde van hem de waarheid horen, maar vertelde zelf leugen na leugen. De waarheid was dat hij die domweg zelf niet kende. Hij wist dat hij Francine niets had beloofd en hij wist dat hij tegen haar had gezegd dat hij waarschijnlijk met de trein zou komen. Hij zou Ziggy naar zijn oma brengen, zijn auto in Lier laten staan en naar Brussel sporen. En na de mars zou hij met de trein naar Lier zijn teruggekeerd. Dat was vaagweg het plan, waar Francine blijkbaar al haar hoop op had gevestigd. Ze zou Paul voor zich alleen hebben. Samen met hem zou ze achter witte vlaggen en spandoeken door Brussel marcheren. Ze had er zelfs een nieuwe jurk voor gekocht. Die was speciaal voor hem, had hij in alle kranten gelezen. Wat had ze verwacht? Hij had haar valse hoop gegeven. Dat was de zonde waarvoor hij moest boeten, het misdrijf waarvoor iedereen hem terecht met de vinger nawees en op het schavot plaatste, waar van hem de waarheid en niets dan de waarheid werd geëist. Hij herinnerde zich niet wanneer en waarom hij van het plan had afgezien. Hij herinnerde zich alleen walging. Hij walgde van Dutroux en hij walgde van de mars en hij walgde van de rol die hij de afgelopen weken had gespeeld. Onderweg naar Lier had hij af en toe over zijn schouder naar Ziggy gekeken, die op de achterbank met zijn autootjes speelde. Op Ziggy's school hadden ze een 'witte dag' gehouden ter nagedachtenis van de slachtoffers van Dutroux, maar ook om de kinderen in te hameren dat ze nooit met een vreemde mochten meegaan, dat ze nooit in een auto mochten stappen, zelfs niet van iemand die beweerde een buurman of een vriend van hun ouders te zijn. Alle kinderen hadden een formulier mee naar huis gekregen waarmee ze zich konden inschrijven voor een cursus zelfverdediging, 'want, papa', had Ziggy gezegd, 'het is niet omdat je klein bent, dat je zwak bent'. Paul had het formulier ingevuld en ondertekend en samen met het inschrijvingsgeld in een envelop gestopt. Die lag klaar op de keukentafel. Bijna alle kinderen van Ziggy's klas gingen met hun ouders naar de mars. Het was een mars voor kinderen en voor onnozelen van hart en voor hen die niet aan hun eigen goedheid twijfelden. Hij, Paul Devroey, was niet goed. Er kleefde vuil aan hem. Met welk recht zou hij als onschuldig lam door de hoofdstad paraderen? Hij was blij dat zijn zoon met zijn oma naar het voetbal ging, en niet naar de mars. Hoe vaker hij naar het tengere lichaam van de jongen keek, hoe minder zin hij had om aan de mars deel te nemen. Hij had achteraf zelfs nauwelijks naar het televisieverslag gekeken. Hij wilde er niets meer mee te maken hebben. Maar plotseling had hij er alles mee te maken gehad.

'België moet Dutroux dankbaar zijn,' zei Nico. 'Dankzij hem kan iedereen een wit gewaad aantrekken dat de witte staat van zijn ziel weerspiegelt.'

Nico was wel naar Brussel getrokken. De mars was een te interessant fenomeen, vond hij, om ervan weg te blijven. Het was theater, spektakel.

Nico en hij voerden hun gesprekken meestal in de tuin aan weerszijden van de omheining. Die stond er al toen hij en Ziggy er zeven jaar geleden kwamen wonen en ook de buurman woonde al in het huis naast het hunne samen met zijn partner, een ijdele man, die Paul hautaine blikken toewierp, maar met engelengeduld Ziggy's speelgoed dat in hun tuin terechtkwam, teruggooide of terugbracht, en aanbood om te babysitten, of Ziggy van school te halen, als Paul dat niet kon doen.

Af en toe hoorde hij die twee ruziemaken. Dan beeldde hij zich in dat ze over hem kibbelden en dat de ijdele man Nico van de omheining wilde weghouden. Maar het buurhuis gaf zijn geheimen niet prijs, zelfs niet wanneer hij zijn oor tegen de muur drukte. Daarvoor moest hij wachten tot het avond was en de gordijnen eindelijk met goed fatsoen dichtgetrokken konden worden. Alles heeft zijn prijs, ook een hekel aan vitrage. Hij kon zich overdag niet op de bank afrukken, tenzij hij eerst de gordijnen dichttrok, maar dat zou argwaan wekken. En hij wilde geen argwaan wekken.

'Indrukken, meneer Devroey, zijn belangrijk. We leven niet alleen.' Zo klonk de wijze raad van zijn wijze psychologe. 'U moet zich bewust zijn van de indruk die u maakt. Hoe zou u uw imago zelf omschrijven? Waarom laat u uw baard bijvoorbeeld groeien en draagt u uw haar lang? Of wilt u ontkennen dat u graag opvalt? Hield uw vrouw van uw baard?'

'Sarah heeft me nooit met een baard gezien. Of met lang haar. Al dit haar is mijn teken van opstand en van rouw. De een knipt het af, de ander laat het staan.'

Ze had naar hem geglimlacht en ook hij had geglimlacht. Ze had hem gezegd hoe jammer het was dat hij dat niet vaker deed. Een week later zat hij opnieuw tegenover haar. Met kortgeknipt haar en een kortgeknipte baard. Ze had hem een knappe man genoemd. 'Als je me zo knap vindt,' had hij gezegd, 'waarom wil je dan niet met mij uit eten gaan?' Ze had iets gemompeld over grenzen die gerespecteerd moesten worden. Hij had gevraagd of ze naar al haar patiënten zo lief glimlachte en of ze hen allemaal knap noemde. Was het een vast onderdeel van de therapie?

'Nee, maar ik ga niet met u eten.'

'En je blijft "u" zeggen?'

'Ja.'

De psychologe was lief én voorspelbaar. Ze had hem goesting gegeven. Goesting om te leven. Samen hadden ze besloten dat hij beter niet naar de verpleegstersschool kon terugkeren. Elk moment zou hij worden herinnerd aan het incident. Hij moest begrijpen dat hij in de ogen van sommige mensen schuldig was, al was zijn onschuld bewezen. Zijn schuld bestond erin dat hij beschuldigd was geweest. Hij was schuldig aan het oproepen van een beschuldiging. Misschien kon hij opnieuw bij een uitgeverij gaan werken. Was hij daar gelukkig geweest? Of gaf hij liever les?

Hij gaf liever les.

Samen hadden ze een sollicitatiebrief opgesteld en adressen opgezocht van scholen die in aanmerking kwamen. Ze hadden het sollicitatiegesprek geoefend en ze had hem advies gegeven over wat hij het beste kon aantrekken. Ze had hem een das van haar man geleend, die ze vervolgens voor hem had geknoopt. Toen ze hoorde dat een middelbare school in Brussel hem had aangenomen, juichte ze alsof ze zelf een belangrijke prijs had gewonnen. Misschien wilden al haar patiënten vroeg of laat met haar gaan eten. Ze zou er een indigestie aan overhouden.

De omheining tussen de twee tuinen was een grens. In zijn jonge, overmoedige jaren zou hij na een week hebben voorgesteld haar weg te halen, maar nu wist hij beter. Of zijn psychologe wist beter. Mensen hadden grenzen nodig om niet te verdwalen of te dolen. De vriend van zijn buurman speelde mee in een soap. Vijf avonden per week was hij tussen kwart voor en kwart over negen te bewonderen als het haantje van de buurt. Zijn tegenspeelster was een blonde, rondborstige stoot, die in het echte leven met een voetballer uit Mozambique samenwoonde, maar voor hun fans vormden Pieter – Nico's vriend – en Alana een stel. Het was goed voor de kijkcijfers en dus vertoonde Pieter zich zo weinig mogelijk met Nico in het openbaar. En zo gebeurde het dat Paul met zijn buurman naar voorstellingen ging en dat die twee met elkaar praatten zonder de veilige grens van de omheining. Dan wekte hij, Paul, de indruk homoseksueel te zijn. Meer dan ooit voelde hij zich een acteur, op wie alle blikken waren gericht: was hij of was hij niet? Hij genoot van de verwarring, van de grens die niet langer duidelijk afgelijnd tussen hen lag. Hij werd gestreeld door de wind waarin de wijze raad van de psychologe werd geslagen. Het was niet meer dan een onschuldig briesje. Hij nam geen risico's, hij was niet op zijn achterhoofd gevallen. Hij had Ziggy gezworen dat hij nooit meer ziek zou worden. Nooit zou hij nog opgenomen hoeven worden. Maar hij was niet bekrompen. Hij lag niet wakker van het geklep. Andere mensen hoefden niet te dicteren hoe hij leefde. Hij was anders. Hij viel op. Dat was de indruk die hij maakte, wat hij ook ondernam. Hij deed het er niet om, het gebeurde gewoon. Hij was de breedhoekman. Geen grijze muis. Geen dertien-in-een-dozijnman. Hij was iemand die je niet vergat.

Op een avond liet zijn buurman zich ontvallen dat Pieter aan zijn engagement twijfelde. Het huis waarin ze woonden, het huis naast dat van Paul en Ziggy, stond op Nico's naam. Hij had het gekocht, opgeknapt en ingericht. Hij betaalde de rekeningen voor het onderhoud. Pieter voelde zich niet serieus genomen. Hij wilde zich in het huis inkopen, maar Nico hield de boot af. Hij citeerde het gezegde over de ezel en de steen, want hij had al eens eerder na een mislukte relatie van nul af moeten beginnen.

'Wij voeren onze eigen soap op,' zei hij met gelaten zelfspot.

De ontboezeming bevestigde Pauls vermoeden: Nico was zijn echte buurman. Vroeg of laat zou Pieter verdwijnen en plaatsmaken voor een andere mooie jongen. Ook begreep hij dat Nico intellectueel Pieters meerdere was. Daarom praatte hij liever met Paul, daarom verkoos Pieter het gezelschap van een kind.

Door zijn vriendschap met Nico was Paul meer aandacht aan zijn kleren gaan besteden. En hij had geleerd ook naar mannen te kijken. Ter gelegenheid van zijn zesendertigste verjaardag had hij drie hemden gekocht in de winkel waar Nico en Pieter vaste klanten waren. Net als de Chinees liet Nico zich niet door de mening van anderen leiden. Een andere overeenkomst kon Paul tussen beide mannen niet ontdekken, hoewel hij ze allebei als vrienden beschouwde. Li was in de eerste plaats Sarahs vriend geweest, terwijl Nico met hem vriendschap zocht. Dat was het belangrijkste verschil.

Bij zijn buren hing wel vitrage. Dat moest vanwege Pieters behoefte aan privacy.

Nu werd er op het raam geklopt. Zo ging het altijd wanneer hij niet meteen op de deurbel reageerde. Een deurbel was een bevel: je moest erop reageren. Deed je dat niet, dan was je een zonderling. Zonderlingen werden scherp in de gaten gehouden. Hij was een zonderling genoemd. Het had zelfs in de krant gestaan. Dat kwam, had zijn psychologe geduldig uitgelegd, omdat hij die indruk had gewekt, omdat hij zijn eigen pad had gebaand, zijn eigen grenzen had getrokken, zonder rekening te houden met de indruk die hij wekte. En mocht dat dan niet? had hij wrevelig gevraagd. Jawel, dat mocht, maar alles had zijn prijs, en nee, ze kon niet met hem uit eten gaan, en waarom had hij geweigerd een verklaring voor zijn gedrag te geven? Begreep hij niet hoeveel kwaad bloed dat had gezet? Een woord van uitleg had aan alle verdachtmakingen een einde gemaakt. Mensen vonden zijn zwijgen arrogant. Bot en arrogant en vooral verdacht. Hij had zich gedragen alsof hij van de verdachtmakingen genoot. Alsof hij graag de martelaar speelde. Het was goed dat hij nu zijn haar en zijn baard had geknipt. Hij zag er normaler uit. Meer zoals iedereen. Dat viel beter in de smaak.

Zonderling. Het woord was lang aan hem blijven kleven. Het was geen goed woord.

Hij legde zijn krant neer en ging opendoen.

'Kom binnen,' zei hij zo hartelijk mogelijk.

'Ik was in de buurt,' zei Stephan. Paul glimlachte. Stephan was altijd 'in de buurt'.

'Bij een klant?'

'Een zeer boze klant. Heb je koffie?'

'Je ziet er vreselijk uit,' zei Paul. 'Volgens mij heb je geen oog dichtgedaan.'

'Ik word gek van die vrouw. Om drie uur vannacht heeft ze haar zoveelste ultimatum gesteld.'

'De klant?'

'Nee, niet de klant. Darya. Ik zei: "Darya, dit is geen cinema. Rustig maar. Je wordt niet gefilmd, er is geen publiek." Toen werd ze pas echt woest. Waarom moet ze me altijd midden in de nacht verlaten? Drie uur 's morgens, ik lig in mijn bed. Alle lichten worden aangeknipt. Daar staat Darya met haar koffer en haar jas over de arm. Een taxi is onderweg, maar voor ze vertrekt, moet ik mijn handtekening plaatsen onder de lijst van alle spullen waarvan zij beslist heeft dat ze er recht op heeft. Ik zeg: "Darya, bel die taxi af en kom weer in bed." Darya begint de lijst voor te lezen. Ik zeg:

"Darya, waarom heb jij recht op mijn piano? Je kunt zelfs niet eens spelen!" Er wordt gebeld. Ik trek mijn kamerjas aan en ga naar buiten om de taxi weg te sturen. Darya duwt me opzij en zegt tegen de chauffeur dat hij moet wachten. Ik stop hem honderd frank in de handen en beveel hem op te hoepelen. Ik duw Darya naar binnen en doe de deur dicht. Er wordt gebeld. De taxichauffeur. De man zegt: "Het is driehonderd frank, meneer." – "Waarvoor is het driehonderd frank?" – "Om heen en terug naar de centrale te rijden." – "Driehonderd frank?" – "Ja, meneer." Hij kijkt erbij alsof Kofi Annan het tarief persoonlijk heeft vastgesteld. In mijn portefeuille zit nog een eenzaam briefje van honderd frank. Ik geef het hem, maar hij eist zijn derde honderd frank. Darya beweert geen geld te hebben. Als ik haar handtas probeer te grijpen, vlucht ze de trap op. De taxichauffeur blijft onbewogen wachten. Midden in de nacht doorzoek ik al mijn jassen en broeken en diep drie stukken van twintig frank op. Ik stop ze hem in de hand en duw de deur dicht. Ik hoor de taxi starten en weet dat ik van hem ben verlost. In mijn slaapkamer zit Darya op haar koffer met de lijst in haar handen. Pas nu valt me op dat ze een rood mantelpakje draagt dat ik nooit eerder gezien heb. Ze heeft ter voorbereiding van haar exit niet alleen een lijst opgesteld, maar ook een reisgarderobe aangeschaft. "Waar waren we gebleven?" vraagt ze. "Nergens," brul ik en ik ruk de lijst uit haar handen. Ze droeg zelfs een rood hoedje, rode schoenen en rode handschoenen. Ik zeg: "Darya, je zou geen kleren meer kopen. Dat was de afspraak: geen kleren meer." – "Ik ga weg. Ik moest iets hebben om in weg te gaan.'"

Paul lachte. 'Waarom heb je haar niet in die taxi geduwd?'

'Darya ging niet weg. Darya wilde een handtekening onder die lijst.'

'Heb je getekend?'

'Natuurlijk heb ik niet getekend. Wat is de volgende stap? Dat ze een verhuiswagen laat komen om mijn huis leeg te halen? Ze beweerde dat ze het mantelpakje van een vriendin had gekregen. Dus ik zeg: "Welke vriendin?" En zij zegt: "Een vriendin. Mag ik geen vriendinnen hebben?"'

Paul perste sinaasappels en stopte twee croissantjes in de oven. Ziggy had hem verteld dat Stephans dochters geen mooie spullen meer naar hun vader durfden mee te brengen uit angst dat Darya ze stal.

'Drink dit,' zei Paul.

'Alles in dat huis is van mij,' zei Stephan. 'Ik heb ervoor gewerkt, ik heb het gekocht en ik heb het onderhouden. Of ik heb mensen betaald om het te onderhouden. Haar bijvoorbeeld. Nu weigert ze een vod aan te raken. Ze heeft een meisje uit Oekraïne op het oog.'

'Nooit slim om met je werkster in bed te kruipen, Stephan.'

'Wie is er bij wie in bed gekropen? Madame is geen hoer, nee nee. Maar madame verwacht wel een gepast cadeau voor haar gunsten.'

Paul nam de croissants uit de oven en legde ze op een bord. Stephan schrokte ze naar binnen.

'Ze wil dat ik met haar trouw. Ik heb haar gezegd dat ik nog getrouwd ben. Dat ik daarover in het begin gelogen heb uit angst haar te verliezen. Zou jij willen getuigen dat ik getrouwd ben? Ik betwijfel of Edith dat wil doen. Jij bent een wijs man, Paul. Telkens opnieuw neem ik me voor te leven zoals jij. Jij laat ze niet binnen.'

Paul glimlachte. Edith had hem verteld hoe Stephan de liefde bedreef. Meestal slaagde hij erin die intieme details te vergeten, maar zodra Stephan zijn ex-vrouw noemde, was de vernietigende beschrijving daar. Edith daarentegen was een verrukkelijke minnares. Voor liefde, vond ze, moest minstens twee uur worden uitgetrokken.

'Het gerucht gaat dat jij een vriend hebt,' zei Stephan.

'Wie zegt dat?'

'Mijn bronnen. Die zich zelden vergissen. Je bent verschillende keren gesignaleerd in gezelschap van je buurman, over wie jij me dan weer vertelt dat hij zoveel ruzie met zijn vriendje maakt.'

'Wil je dat Darya blijft of dat ze gaat?'

'Ik wil dat ze weer mijn huis schoonmaakt.' Hij lachte. 'Ze kan echt heel goed poetsen. Darya kan veel dingen ontzettend goed. Mijn vader vertelde altijd een mopje over een man die na de eerste huwelijksnacht bij het ontbijt zijn vrouw toesnauwt: "En van koffiezetten heb je ook al geen verstand." Dat zou die dus niet tegen Darya hebben gezegd. Mijn moeder kon nooit om het mopje lachen. Hij had ook nog een mopje over een blinde en een lamme... nou ja. Vertelt jouw vader ook honderd keer dezelfde mop?'

'Mijn vader vertelt nooit een mop.'

'Wat zou een mens meer tekenen: een vader die iedere dag dezelfde mop vertelt of een vader die helemaal geen moppen vertelt? Hoe is het met Ziggy?'

'Hij gaat weer klarinetles nemen. Ik dacht dat hij voor gitaar zou kiezen, of voor keyboard.'

'Hij praat te veel met mijn dochters. Zij hebben besloten dat ze een klarinettist nodig hebben. Jouw zoon zit onder hun plak. Edith brengt hun iedere dag bij dat ze voor hun rechten moeten opkomen. Maar dat andere mensen misschien ook rechten hebben, schijnt níet bij hen op te komen. Vaders, bijvoorbeeld. Niet vrouwen, maar mannen worden onderdrukt. Waarom heb ik geen zoon, Paul? Weet je wat het is om te leven met zoveel vrouwen onder één dak? Straks betaal ik me blauw aan tampons en maandverband. Hen kennende zullen ze allemaal een ander merk willen gebruiken. Praat jij met Ziggy over die dingen?'

'Eigenlijk niet.'

'Je moet hem voorlichten. Waarschuwen. Hij moet weten wat hem te wachten staat. Mag ik nog koffie nemen?'

'Ga je gang. Vanwaar die twinkeling in je ogen?'

'Iemand vroeg me of jij mij ooit had lastiggevallen.'

'Lastiggevallen?'

'Hij wilde weten of ik ooit iets van jouw homoseksuele neigingen had gemerkt.'

'Ik hoop dat je bevestigend hebt geantwoord.'

'Natuurlijk. Iedereen volgt deze recentste ontwikkeling in de saga van jouw leven met grote belangstelling. Is hij of is hij niet? En zo ja, is hij daarom in een inrichting beland? Het zou me niets verbazen als er al weddenschappen over waren afgesloten.'

De twee mannen keken elkaar lachend in de ogen. Paul schoof zijn stoel iets dichter bij de tafel. Stephan had hem de erectie bezorgd die hij nooit bij Nico had gekregen. Stephan bleef hem in de ogen kijken terwijl hij een slok van zijn koffie nam, net zoals jaren geleden Sarah met een glas bier had gedaan, en ook Saartje had hem op die manier proberen te verleiden.

'Hoe lang kennen wij elkaar?' vroeg Stephan.

'Lang,' antwoordde hij.

'Marie wil jou en mij en de kinderen samen uitnodigen. Ze wil Ziggy nog eens zien.'

'Hoe is het met Marie?'

'Heel goed,' zei Stephan. 'Ze heeft promotie gemaakt en moet nu iedere maand drie dagen in Kopenhagen vergaderen. Is het waar wat ze zeggen?'

'Wat zeggen ze?'

'Over jou en je buurman?'

'We schieten goed op. We praten, we gaan samen naar het toneel.'

'Dat is alles?'

'Dat is alles. Wat ik ook doe, mensen praten over mij. Dat is mijn... hoe zal ik het noemen? Lot? Functie? Karma?'

'En je hebt ooit met een man...?'

'Nee. Jij wel?'

'Nee, maar ik heb me dikwijls afgevraagd... Ik denk dat een man me beter zou begrijpen. Of aanvaarden. Edith vroeg het zich af.'

'Dat weet ik.'

'Dat weet je?'

'Ik weet veel over jou, Stephan.'

Zijn erectie gijzelde hem.

'Laat het me weten als je iets met je buurman begint. Het is zo idioot om het van derden te horen. Idioot en gênant.' Hij dronk zijn kop leeg en ging staan. 'Mag ik Darya naar jou sturen? Volgens mij kun jij haar temmen. Paul, de Russinnen-temmer. Ik kan haar ook gewoon bij de politie aangeven. Maar als ze haar dan niet meteen het land uitzetten, vermoordt ze me. Of ze stuurt een huurmoordenaar. Heb jij die muur ooit gezien in Berlijn? Dat was een mooi ding, die muur. En dat ijzeren gordijn.' Hij lachte. 'Ik zeg Marie dat ze jou moet bellen om een afspraak te maken. En jij en ik moeten nog eens samen doorzakken. Op een avond als de meisjes bij Edith zijn. Heeft Ziggy nog een babysit nodig of blijft hij alleen thuis?'

'Nico komt als ik 's avonds weg moet. En als hij niet vrij is, komt zijn vriend, Pieter.'

'En jij vertrouwt dat?'

'Waarom niet?'

Zijn penis kroop in zijn schulp. Eindelijk kon hij opstaan.

'Je hoort zoveel de laatste tijd. Vroeger gebeurde er niet minder, maar je kreeg het niet te horen. Wat zou jouw eerste reactie zijn als Ziggy je vertelde dat hij homoseksueel was? De allereerste, die je vervolgens zou inslikken en nooit met iemand delen, behalve met mij? Eerlijk. Je wilt het niet zeggen. Je bent politiek correct.'

'En hoe zou jij reageren als jouw dochters het je vertelden?'

'Als ik denk aan alle krolse katers die straks bij de achterdeur komen krijsen, lijkt het vooruitzicht van een lesbische dochter me niet onaantrekkelijk. Dank je voor het ontbijt. Als Darya belt, ben ik hier niet geweest en ik heb jou niets verteld, oké? Je ziet er goed uit. Dat wou ik je de hele tijd al zeggen.'

Meteen na Stephans vertrek begon in de woonkamer de telefoon te rinkelen. Het was Darya die wilde weten of Stephan bij hem was geweest.

'Stephan? Niet gezien.'

Opnieuw rinkelde de telefoon. Het was zijn psychologe. Was hij klaar voor de vergadering van vrijdag?

'De vergadering? O, die loopt wel van een leien dakje.' Hij schrok van zijn eigen nonchalance. Was die een goed teken of niet?

'Hoe is het met Ziggy?'

'Morgen gaan we een klarinet voor hem huren en zaterdag krijgt hij zijn eerste les. Of zijn tweede eerste les.'

'Wens hem veel succes. En Paul?'

'Wat?' Maar hij wist wat ze zou zeggen: dat hij niet overmoedig mocht zijn.

Hij had zijn opwinding niet verborgen kunnen houden, en op-winding – daar waren zij en hij het over eens – moest worden ver-meden. Rust en gelijkmoedigheid waren de sleutels tot het geluk. Geen ups en ook geen downs, maar een mooie rechte lijn, die als een Romeinse heerbaan naar de horizon liep. Hij mocht niet ho-pen of hoop geven. Hoop was gif. Hij onderdrukte zijn opwinding en zijn onbezorgdheid, die hij in gedachten 'insouciance' noem-de, omdat dat woord zoveel vrolijker klonk, en vooral onderdruk-te hij het kriebelende tikkeltje hoop. Gewetensvol onderdrukte hij wat onderdrukt moest worden, maar hij kon het niet helpen dat hij met een brede glimlach de klas binnenstapte en de hele dag zijn goede humeur niet verloor. Tijdens de pauze luisterde hij gedul-dig naar een collega die iets ingewikkelds met haar schoonouders had en bovendien bang was dat haar ex hun dochtertjes misbruikte, en misschien zou ze haar zieke moeder bij zich in huis moeten nemen, al zag ze niet hoe ze het allemaal geregeld kon krijgen, want ze had ook nog eens problemen met haar rug. De collega was een waterval, een kraan die hij blijkbaar onbewust had opengedraaid en waaruit de woorden nu bleven stromen. Hij draaide de kraan niet dicht, maar hij gaf haar ook geen raad, want ze verwachtte geen raad. Alle raad die hij kon geven, kon ze ook zelf bedenken. Hij luisterde, hij knikte, hij zei dat het niet makkelijk was.

Het meisje met de blauwe plekken zat gewoontegetrouw met ontblote armen in de klas, maar ze zagen nu gelig groen in plaats van paars. Twee keer stelde hij haar een vraag en twee keer wist ze het antwoord. Alles en iedereen kon genezen, voor alles en iedereen was beterschap mogelijk. Hij voelde zich zelfs niet ontgoocheld toen de leerlingen nauwelijks reageerden op zijn mededeling dat morgen de beslissing viel in verband met de studiereis. Wat maakte het hun uit waar ze naartoe gingen? Een studiereis was een studiereis. Iets waarover een verslag moest worden geschreven, een vragenlijst ingevuld en waarmee een cijfer werd verdiend.

Fluitend reed hij naar huis. Nico had hem kaartjes gegeven voor een jongerenvoorstelling die een vriend van hem had geregisseerd. Ziggy en hij aten een hapje en namen de bus naar Brussel. Op de terugweg vertelde Ziggy hem het hele stuk na, alsof híj het niet had gezien. In elke zin gebruikte hij drie keer het woord 'kei'. Keigroot, keigaaf, keilelijk, keiwatdanook.

'Zou jij graag toneelspelen?' vroeg hij aan zijn zoon.

'Pap, ik wil me nu concentreren op mijn klarinet. Je moet keuzes maken in het leven.'

Hij schoot in de lach. 'Wie leert jou die dingen?'

'Dat hoef je niet te leren. Dat weet toch iedereen.'

Op dat moment wist hij dat alles goed zou komen. Ziggy was de toekomst en de toekomst was sterk. Nog even en de tijd zou aanbreken waarin psychologen werkloos zouden toekijken hoe iedereen spelenderwijs de weg vond naar het licht. Het algehele geluk zou hen nopen zich te laten omscholen. Er zou een generatie worden geboren die psychologen alleen uit geschiedenisboeken kende. Dan zouden schoolkinderen verbaasd vernemen hoe in vervlogen tijden weemoed, angst en wanhoop het gemoed van mensenkinderen dermate hadden bezwaard dat sommigen van hen de dood boven het leven hadden verkozen. Het was een kwestie van moed houden en dan... Hij trok zijn zoontje tegen zich aan en gaf hem een kus. De jongen rook naar zweet. Hij moest dringend in bad.

Toen de volgende dag op de vergadering zijn voorstel voor de studiereis met meerderheid van stemmen werd uitgekozen, wist hij dat de donkere tijden achter hem lagen. Niet de uitverkiezing, maar de rust waarmee hij de uitkomst van de stemming vernam, gaf hem vertrouwen. Hij zou geen risico's nemen. Hij had zijn lesje geleerd. Maar hij hoefde niet langer bij elke stap het advies van de psychologe in te winnen. Hij kon eindelijk weer als een man op eigen benen staan. Een kruk of krik had hij niet meer nodig. Er werd afgesproken dat hij zou uitzoeken of een overnachting in Oostende binnen de budgettaire mogelijkheden lag. De twee andere leerkrachten geschiedenis zouden hem bij de voorbereiding assisteren, maar de eindverantwoordelijkheid lag bij hem. Iedereen knikte instemmend. Niemand scheen zich af te vragen of een man met zijn verleden en problematiek de opdracht aankon. Het volgende agendapunt werd aangesneden.

Darya belde iedere dag en deed haar beklag over Stephans trouweloosheid, maar hij slaagde erin haar uit zijn huis en vooral uit zijn bed te houden. Ook zij vertelde hem intieme details. Blijkbaar had zijn vriend de oude gewoontes niet afgezworen en leek hij zich van geen kwaad bewust. Tegen beter weten in luisterde

Paul. Hij voelde zich verrader, biechtvader, voyeur. Darya was ervan overtuigd dat Stephan een ander had, al ontkende hij dat keihard. Kon Paul haar alsjeblieft zeggen wie? Nee, dat kon hij niet. Misschien was er een ander, misschien ook niet. Hij wist het werkelijk niet.

Stephan bedankte Paul omdat hij Darya opving. Ze had iemand als Paul nu hard nodig, zei hij.

'Ik wil haar geen hoop geven,' zei Paul. 'Ik wil niet dat ze straks denkt dat ik haar iets heb beloofd. Jij bent mijn getuige.'

'Ze denkt dat je homoseksueel bent.'

'Heb jij haar dat gezegd?'

'Ik heb haar gezegd wat er wordt verteld.' Hij lachte.

Toen had hij zin om Darya zijn bed in te sleuren. Maar Darya verdween uit hun leven. Ze nam minder spullen uit Stephans huis mee dan die had gevreesd. Zijn dochters haalden opgelucht adem. Er was ongetwijfeld een ander, maar voorlopig bleef die buiten beeld. Ze vroegen hun vader waarom hij het voorbeeld van Paul niet volgde. Nooit confronteerde die Ziggy met een vriendin, waarop Stephan zijn dochters op de hoogte bracht van het gerucht. Hadden ze liever een homoseksuele vader? Geschokt vroegen de meisjes Ziggy of het waar was wat hun papa over de zijne had verteld.

'Hoe zou ik dat moeten weten?' zei Ziggy onbewogen.

'Ben jij verliefd op Nico?' vroeg hij aan zijn vader.

'Nee,' zei Paul.

'Nico is verliefd op jou.'

'Op mij?'

'Ja, op jou.'

'Heeft Nico jou dat gezegd?'

'Pieter zegt het. Hij denkt dat jij en Nico een koppel zullen worden. Dan heb ik twee papa's, zegt hij.'

'Zou je dat prettig vinden?'

'Pïeter vindt het niet prettig.'

'En jij?' vroeg hij. 'Ben jij nog verliefd?'

Ziggy lachte. Hij was al maanden verliefd op een meisje dat twee jaar ouder was dan hij en een kop groter. Hij gaf zichzelf nog een maand om haar te krijgen.

'Je zult nooit twee papa's hebben, Ziggy. Je hebt een mama en een papa.'

'Mijn mama is dood.'

'Maar ze is je mama.'

Hij haalde zijn schouders op.

Het gerucht leidde nu een krachtig en onafhankelijk leven. Het reisde van hot naar haar, en infiltreerde in gesprekken. Niemand kon het nog bijhouden. Het kocht een paar stevige schoenen in de winkel van Pauls schoonmoeder in Lier en dronk een biertje in de cafetaria van de verpleegstersschool, waar Paul tot aan zijn twee-de inzinking had gewerkt. Waar het aanklopte, werd gegrinnikt of werden schouders opgehaald. Het gerucht kreeg gezelschap van andere geruchten over andere mannen of vrouwen die de homo-seksuele liefde hadden ontdekt. Men noemde het een epidemie, een modeverschijnsel, een bevrijding.

Elk mens was een tijdbom. Of een granaat die je leven binnen-rolde en waaruit ieder willekeurig ogenblik de pin kon worden ge-trokken. Sarah, Li, Francine, Nico, Pieter, Darya, Stephan. Voor het eerst in weken belde hij de psychologe. Hij wilde weten of ze het met hem eens was. 'Sómmige mensen zijn tijdbommen,' zei ze. 'Niet allemaal. Je moet ze zorgvuldig uitkiezen.' En ze herhaal-de wat ze hem zo dikwijls had gezegd: dat het belangrijk was gren-zen te trekken.

'Maar hoe kan er dan worden liefgehad?'

Ze mompelde haar gebruikelijke antwoord over geven en ne-men, over evenwicht en keuzes. Hij vertelde haar over Nico's verliefdheid en over de erectie die Stephan hem had bezorgd en over Stephans overtuiging dat er geen rook was zonder vuur. Ze zei dat hij goed moest nadenken. Ze herinnerde hem aan de rechte lijn, die moest worden nagestreefd. Aan rust en gelijkmoedigheid. Ze verzekerde hem dat hij haar altijd mocht bellen.

'Dat weet ik,' zei hij.

Hij wilde een mens ontmoeten die geen tijdbom was, en ook geen granaat.

Op een avond reed hij met Ziggy naar het Chinese restaurant, waar hij zoveel gelukzalige uren met Sarah had gesleten. Hij zei tegen de jongen dat hij hem de plek wilde laten zien waar hij met zijn moeder had gewoond, maar in werkelijkheid verlangde hij naar zijn oude vriend. Hij parkeerde en liep met Ziggy het restaurant binnen, maar Li was vertrokken, zei de nieuwe uitbater. Hij had geen adres achtergelaten. Paul was te laat gekomen. Hij had te lang gewacht.

'Je mama woonde hierboven.'

'Dat weet ik,' zei Ziggy. 'Oma en opa woonden er ook. Het was na het faillissement.'

'Is er iets wat ik jou kan vertellen, wat je nog niet weet?'

De jongen lachte.

'Oma zegt dat die Chinees mama heeft vermoord.'

'Je weet dat dat niet waar is, Ziggy. Heb je trek in een loempia?'

'Met ketchup?'

'Loempia's eet je met zuurzoete saus. Hoe is het met je klarinet?'

'Goed en met jou?'

'Ik heb de indruk dat het de vorige keer vlotter ging.'

'Dat is een indruk, pap.'

'Je moet veel oefenen, Ziggy.'

'Dat weet ik, pap.'

'Je kunt nog altijd van instrument veranderen.'

'Ik heb voor klarinet gekozen, pap. Ik ga niet bij de eerste te-genslag terugkrabbelen. Iedereen sukkelt in het begin. Dit keer wil ik doorbijten. Die loempia is niet lekker.'

'De mijne ook niet. Vroeger waren ze veel lekkerder. Of ik was minder kieskeurig. Wil je nog iets drinken?'

'Krijg ik cola?'

'Je weet dat je geen cola krijgt.'

'Eén keer. Omdat mama hier heeft gewoond. Van Pieter krijg ik cola.'

'Wanneer?'

'Als ik bij hem langsga. Als jij niet thuis bent.'

'Waarom drink je cola?'

'Iedereen drinkt cola, pap.'

'En als iedereen in een ravijn springt, spring jij dan ook in een ravijn?'

'Ja. Als iedereen in het ravijn zit, dan is het buiten het ravijn niet meer leuk.' Hij lachte. 'Eén cola, papa, toe.'

'Jij krijgt geen cola van mij. En je gaat niet meer bij Pieter langs, als je daar cola drinkt.'

'Jij en Nico drinken whisky.'

'Wie zegt dat?'

'Pieter.'

'Pieter heeft veel fantasie. Ik drink nooit whisky. Van whisky vallen je tanden uit. En van cola ook. Je tanden en je haar en je na-gels. En je krijgt een lange, kromme neus. Kom, we gaan naar huis.'


Hij zocht de rechte lijn, maar elke lijn die hij vond klom en daalde als een koortscurve. Nu eens scheen de zon, dan weer regende het. Soms stortten er hagelstenen op de aarde neer. De school be-zuinigde op de verwarming, maar zelfs op kille dagen zat het meisje met ontblote armen in de klas en liet haar verse blauwe plekken zien, alsof ze er trots op was. Paul keek de andere kant op, maar kon niet vergeten wat hij had gezien. Hij had in Oostende een jeugdhotel ontdekt, waar voor duizend frank per leerling een avondmaal, overnachting en ontbijt werd aangeboden. Nu hij de nieuwe kneuzingen van het meisje zag, had hij spijt van zijn vondst. Maar alles was geboekt en geregeld. Er was geen weg terug. En ook de vriendschap met zijn buren kon niet verbroken worden. De omheining scheidde nog altijd de tuinen, maar vaker en vaker belden ze bij elkaar aan. Huizen hadden voordeuren, voordeuren hadden deurbellen. Voor Ziggy was het prettig dat Pieter of Nico thuis was, als hij uit school kwam en zijn vader er nog niet was. Paul ging graag met Nico naar het theater en was blij dat Pieter dan bij zijn zoontje bleef. Het was een zegen dat hij zich niet altijd hoefde te haasten om op tijd thuis te zijn. Er was geen enkele reden om wat tot wederzijdse tevredenheid was gegroeid, bruusk een halt toe te roepen. Alleen Paul hoorde het gestage tikken van de bom, en zelfs hij hoorde het dikwijls niet. Hij mocht niet overmoedig zijn, maar ook niet overbezorgd. Hij moest de rechte lijn bewandelen die tussen die twee uitersten liep. Hij was niet verliefd op Nico en ook niet op Stephan. Nico was een interessante gesprekspartner, een man die hem niet in de steek liet. Hij was een goede vriend, op wie hij in moeilijke tijden had kunnen bouwen en vertrouwen. Stephan liet geen gelegenheid onbenut om hem met zijn homovriendjes te plagen. De moppen die hij vertelde waren voorspelbaar, banaal of vulgair. Paul veinsde zelfs niet geamuseerd te zijn. Soms vroeg hij zich af waarom het gerucht Stephan zo hardnekkig bleef fascineren. Intussen werd Stephan in beslag genomen door een jonge vrouw die met haar vader in een benzinestation woonde, dat ze als pottenbakkerij had ingericht. Wie kwam tanken, werd uitgenodigd haar keramiek te bewonderen.

'Hoe oud is ze?'

'Twee-, drieëntwintig.'

'En de vader?'

'Een vreemde man die zich 's avonds vol bier giet en voor de televisie in slaap valt. Maar zij houdt van hem. Zus zit in het buitenland, moeder is dood. Ze heeft niemand anders.'

'Maar nu heeft ze ook jou.'

'Nee, nee. Het is niet wat je denkt. Het is...'

'Seks?' vroeg Paul met een glimlach. 'Zuivere, rauwe, onversneden seks?'

'Ze intrigeert me. Misschien moet je eens meekomen. We zouden naar een hotel kunnen gaan. Haar kamer is een beetje... Het is
het soort plek dat je alleen maar kunt slopen, maar zij... Je zou je
buren op slag vergeten.' Hij glimlachte. 'Maar je hebt gelijk. Het is
seks, zuivere, rauwe, onversneden seks. De hemel op aarde, kort-
om.'

Paul dacht aan wat Darya zowel als Edith hem had verteld: dat
ze meer dan eens waren wakker geschrokken omdat Stephan hen
neukte in hun slaap. En als ze niet sliepen, vroeg hij hun te doen
alsof. Hij kon het zich niet voorstellen: hij en Stephan naakt op een
bed met tussen hen in het meisje dat zich slapende hield. 'Stephan
kan beter zo'n opblaasbare pop kopen,' had Edith bitter gezegd.
'Die kan hij ook tegenover zich aan tafel zetten. Of mee naar feestjes nemen.'

'Lijkt ze op Sarah?' vroeg hij.

'Rie? Nee. Ze is groter, steviger. Ze heeft haar hele leven voor
zich. Dit betekent niets.'

'Niets?'

'Helemaal niets. We weten nauwelijks iets over elkaar en we
wensen niet meer te weten. Als morgen dat benzinestation van de
aardbol verdwijnt, zou het me niet verbazen. Een goede fee tovert
het daar telkens wanneer ik passeer. Eén woord van jou en ik wijs
je de weg. Wie kies je: Nico of mij?'

Vlak bij zijn oren tikte de bom. Breed lachend wachtte Stephan op zijn antwoord. Toen liep hij naar Paul en drukte hem tegen zich aan. 'Je bent mijn beste vriend,' zei hij.

De bom zou ontploffen, maar hij wist niet waar ze verborgen zat: in Nico, in Pieter, in het meisje met de blauwe plekken op haar armen, in Stephan, of in het meisje van het benzinestation. Misschien tikte ze in de psychologe met haar eeuwige raad over de te volgen rechte lijn. Nu eens voelde hij zich bang, dan weer berustend in zijn onvermijdelijke lot. Soms voelde hij zich sterk genoeg om zich door de moeilijkste situatie heen te worstelen. Hij had tenslotte veel mensenkennis vergaard en van de psychologe waardevolle tips gekregen. En hij had niemand wat dan ook beloofd. Grote zorg had hij ervoor gedragen niemand enige hoop te geven. Alleen in zijn eigen onverbeterlijke en hardleerse hart bleef die etteren als een zweer. Want nu was er de hoop dat hij in het benzinemeisje van Stephan Sarah zou vinden. Het was de zoetste, verraderlijkste hoop, de hoop die hem te gronde kon richten. Manhaftig moest hij ertegen vechten, maar hij was oorlogsmoe. Te lang had hij zich verzet, te lang had hij gevochten.

Nico liet zijn hand langer dan nodig op zijn schouder rusten. Hij kuste Paul ter begroeting, ten afscheid of soms zomaar tussendoor. Hij gaf hem aftershave cadeau. Hij stelde voor om samen het Africamuseum te bezoeken ter voorbereiding van de studiereis. Dikwijls rookten ze samen een jointje, waarna ze lang in dromen en gedachten verzonken bleven. Dan vergaten ze zichzelf, elkaar en de tijd. Geen van de getrouwde vrouwen die Paul de afgelopen jaren gevraagd hadden of hij hun minnaar wilde zijn, belde hem nog. Het gerucht hield hen bij hem weg: hij had iets met zijn buren, met de ene of met de andere of met allebei. Hij was nu homoseksueel. Paul kon de vrouwen niet zelf bellen. Hij had hun nummer niet of hij had plechtig gezworen nooit contact op te nemen. Ze hadden echtgenoten, kinderen, een reputatie, een gezin. Hij was de man op de achtergrond, de invaller, de bij-klusser.

In de lange gangen van het oude schoolgebouw wuifde het meisje met gehavende armen naar hem. Pieter schonk glazen ver-boden cola voor Ziggy in. Stephan wilde weten wie hij koos, Nico of hem. Maar hij wist niets, helemaal niets, en ook de psychologe kon hem niet zeggen hoe hij ooit nog iemand kon liefhebben zon-der te ontploffen, te ontbranden, te verdwalen in black-outs of hysterie. Hij was bang, hij was extatisch, hij was rustig en hij was gelijkmoedig. Zijn zoontje werd nu snel een zoon. Hij groeide een centimeter per maand en blies met bolle wangen heldere klanken uit zijn klarinet. Nico en Pieter haalden voor hem hun oude jazz-platen uit de kast. Ze voorspelden een gouden toekomst voor het jonge talent. Paul beloofde Stephan dat hij op een avond met hem naar het benzinestation zou rijden. Hij was bereid interesse voor keramiek te veinzen. Meer dan ooit miste hij Li, die niet van de partij zou zijn. Li was verdwenen zonder een adres achter te laten, maar hij hoorde thuis op de achterbank van de auto die hem naar het benzinemeisje zou voeren. Hij had de Chinees nooit mogen laten gaan. Hij had hem moeten zeggen: je bent mijn vriend, kom me opzoeken, laat me nooit in de steek. En ook voor Sarah had hij harder moeten vechten. Hij had haar moeten dwingen de waar-heid over haar bloed te zeggen, hij had met haar de beste dokters van het land moeten bezoeken, hij had nooit over liefde mogen zeuren. Ze hielden van elkaar, dat was het enige wat telde, woor-den waren leeg, hol, waardeloos. Waarom had hij zoveel belang gehecht aan dat ene woord: liefde? Waarom had hij haar niet op beide knieën bedankt omdat ze met hem onder één dak leefde, omdat ze hem de beste seks gaf die er op de wereld te krijgen was?

Hij geloofde niet in een tweede kans. Het benzinemeisje was Sarah niet en kon Sarah niet, nooit zijn. Toevallig hielden ze allebei van seks, zuivere, rauwe, onversneden seks. Sarah was onvervangbaar, alleen Sarah kon Sarah vervangen, maar ze zou niet terugkeren, nooit zou ze op een avond aanbellen om een laatste keer...

Pieter gaf Ziggy een verzamel-cd van Bowie cadeau en nam hem soms naar de opnamestudio mee. Paul was dankbaar dat hij zulke goede buren had; Paul vervloekte de mannen die naast hem woonden en zonder enige inspanning zijn zoontje inpalmden. Hij en Stephan zouden op een avond naar het benzinestation rijden. Dat vooruitzicht hield hem in zijn ban. Stephan had Sarah goed gekend. Ze was een vriendin van zijn zus, Marie, een lieve, gastvrije vrouw die lekker kon koken en bij wie hij en Stephan en de kinderen een heerlijke zondagmiddag sleten. Ze keken naar oude foto's en haalden herinneringen op. Ook Marie had het gevoel dat ze meer voor Sarah had kunnen doen. Arme, arme Sarah, die haar zoontje niet zag opgroeien. En wat een geluk dat Ziggy haar ziekte niet had geërfd. Wat een geluk dat hij niet ten dode was opgeschreven.

Zo gingen dagen en weken voorbij. De psychologe belde en was tevreden over de vooruitgang die hij boekte. Hij was op de goede weg, de enige, de rechte. Hij moest nu in zichzelf geloven, hij moest vertrouwen hebben.

'En hoop?' fluisterde hij. 'Is hoop niet hetzelfde als vertrouwen?'

'Soms,' zei ze. 'Maar niet altijd.'

Akte van geloof, akte van hoop, akte van liefde, akte van berouw. Hij zocht de teksten op en schreef ze over op een mooi blad. Hij hing ze aan de muur. Het meisje met de gekneusde armen verdween uit zijn klas. Opgenomen, zo werd er gezegd, in een instelling voor meisjes met problemen. Ze deed het zichzelf aan. Ze gooide zich tegen muren en deuren of van de trap. Als een zottin zwaaide ze met geblutste armen, maar iedereen deed of hij niets zag. Haar armen hadden hem aan appels doen denken, die in de herfst rotten in het hoge gras. Je kon ze oprapen, de slechte plekken wegsnijden en opeten. Ze waren verrassend lekker.

Hij verwittigde het hotel in Oostende dat ze een bed minder nodig hadden. Er werd hem verzekerd dat het op die ene leerling niet aankwam. Ziggy vulde de vragenlijst over het Africamuseum die voor de leerlingen was bestemd, snel en foutloos in.

'Papmakkelijk, pap!'

Stephan belde.

'Wat zegt jou 23 april?'

'Cervantes en Shakespeare. De een geboren en de ander gestorven. Of allebei geboren. Of gestorven. Werelddag van het boek. Ben ik geslaagd?'

'Eigenlijk wilde ik weten of je die avond vrij bent.'

'Ja.'

'Dan kom ik je ophalen. Heb je opvang voor Ziggy?'

'Ik heb tegenwoordig altijd opvang voor Ziggy. Het benzinemeisje?'

'Ja. Ze wil je zien. Ik heb haar over jou verteld.'

Hij vroeg niet wat Stephan haar had verteld. Hoe minder hij wist, hoe minder hij bestond, hoe minder hij zichtbaar was, hoe beter. Tegelijkertijd mocht hij zich niet verstoppen. Wie zich verstopte, had iets te verbergen. Hij had niets te verbergen. Iedereen mocht hem zien. Hij wilde niet in de kijker lopen, maar telkens opnieuw kwam hij in de kijker terecht. Hij werd opgemerkt. Hij werd besproken. Hij gaf aanleiding tot opgewonden roddelpraatjes.

'We nemen een krat bier voor de vader mee,' zei Stephan.

'En voor haar?'

'Onszelf. Trek een mooi hemd aan. Wees een gentleman.'

Lange tijd stond Paul met zijn hand op de hoorn van de telefoon, maar hij belde de psychologe niet. Als zij belde, zou hij haar alles over het geplande uitstapje vertellen. Hij zou haar beloven de rechte lijn te bewandelen, die de lijn van rust en gelijkmoedigheid was. Hij zou niet hopen, maar geloven. In zichzelf, in haar en in Stephan. En ook zou hij niet liefhebben. Het meisje wilde seks, hij zou haar geven wat ze wilde. De psychologe belde niet. Meer en meer beschouwde ze hem als genezen. Ze had te veel vertrouwen in hem.

Op de dag dat hij met Stephan heeft afgesproken, ontsnapt in Neufchâteau Marc Dutroux uit het gerechtsgebouw waar hij zijn dossier inkijkt. Hij overmant de rijkswachter die hem bewaakt, pakt zijn revolver, steelt een auto. Paul hoort het nieuws in de koffiekamer op school, waar zoals altijd de radio aanstaat. De laatste les is net afgelopen en de leerlingen stromen naar buiten. De directeur vraagt zich af of hij hen zal terugroepen, maar het is te laat. De meesten hebben het gebouw al verlaten. Er dreigt ook geen gevaar. Neufchâteau is ver weg.

Paul zwijgt. De ontsnapping is geen goed voorteken. Het is een dag om binnen te blijven. Om te schuilen tussen veilige muren. Hij kan niet aan Dutroux ontsnappen. De man kleeft aan hem als pek. Hij is zijn beroemdste landgenoot.

Wanneer hij Stephan belt, zegt die dat hij hem begrijpt, maar dat hij overdrijft. 'Wat heeft Dutroux met ons te maken? Wacht even af. Misschien pakken ze hem snel.'

Paul heeft daar zijn twijfels over. De klootzak is op vrije voeten. Alles begint van voren af aan. Er komt geen eind aan.

Hij rijdt naar huis, doet boodschappen, maakt eten voor Ziggy en voor zichzelf. Ziggy lijkt de ontsnapping vooral spannend te vinden. Hij wil weten wat er gebeurt als Dutroux de grens oversteekt. Misschien, zegt hij, heeft hij met zijn zoon afgesproken. Misschien willen ze samen in Duitsland een nieuw leven beginnen. Hij heeft het over plastische chirurgie die hen onherkenbaar zou maken. Waar haalt de jongen het allemaal vandaan?

'Zou jij me helpen ontsnappen?' vraagt Paul.

'Natuurlijk,' antwoordt Ziggy.

De radio en de televisie staan aan. Af en toe vraagt hij Ziggy stiller te zijn. Terwijl ze afwassen, horen ze het verlossende bericht. Dutroux is gepakt. Paul voelt geen opluchting, alleen maar walging. Hij haat de man. Als hij de boswachter was geweest die Dutrouxs spoor heeft gevonden, had hij hem neergeknald. Als een hond. Want hij is een hond. Minder dan een hond.

Om halfacht belt Pieter aan en een minuut later is ook Stephan er. Zijn haar is nog nat van de douche. Hij draagt een modieus hemd. Ze kijken naar het nieuws, horen dat ministers hun ontslag hebben ingediend, vertellen onnozele grappen. Pieter heeft een video-opname meegebracht van een optreden van Miles Davis in Carnegie Hall. Ziggy belooft plechtig op zijn laatst om negen uur naar bed te gaan. Al die tijd belt de psychologe niet. Ze wil niet weten hoe Paul het nieuws heeft verwerkt. Ook zij vindt dat Dutroux niets met hem te maken heeft. De ontsnapping betekent niets, helemaal niets. De man zit weer achter de tralies. Hij is amper drie uur vrij geweest.

'Je ziet bleek,' zegt Stephan als ze samen in zijn auto zitten. 'Heb je al gegeten?'

Hij knikt.

'Ze is in een hotel. Om zeven uur heeft ze me vanuit haar kamer gebeld.'

'Dus geen krat bier voor de vader?'

'Geen bier, geen vader.'

'Ik heb dit nog nooit gedaan,' zegt Paul.

'Ik ook niet.' Hij kijkt naar zijn vriend, glimlacht. 'Jij bent de enige man met wie ik dit zou doen. Heb jij nog iets van Darya gehoord?'

'Nee. Jij?'

'Nee. Soms denk ik dat ze me schaduwt. Stel je voor.'

Paul denkt aan Li, de derde man in zijn leven met Sarah. Zal hij zoals Li in een hoekje van de kamer toekijken terwijl Stephan met Rie vrijt? Dat is niet de bedoeling, weet hij, maar wat is dan wel de bedoeling?

'Sarah...' zegt hij.

'Wat?'

'Sarah,' probeert hij opnieuw. De woorden stokken in zijn keel. Stephans hand rust op zijn dij. 'Denk nou niet aan Sarah.'

Ze parkeren in een garage. Stephan heeft een discreet hotel in een discrete straat gekozen. Maar het is geen rendez-voushotel. Ze lopen de lobby in, nemen de trap naar de eerste verdieping. Het hotel is onlangs geschilderd. Alles ziet er fris en goed onderhouden uit. Hij zou hier met Ziggy kunnen komen.

Ze staan voor een deur, een gewone, genummerde hotelkamerdeur. Stephan klopt aan. Ze wachten. Ze kijken naar de deur en naar het kijkgat. Staat er iemand naar hen te kijken of staat er niemand naar hen te kijken? Opnieuw klopt Stephan op de deur. 'Merde,' zegt hij wanneer er niet wordt opengedaan.

'Geef haar de tijd,' zegt Paul.

Ze geven haar de tijd.

'Ik zat in bad,' zegt ze, wanneer ze eindelijk de deur opendoet. De kamer hangt vol damp. Ze draagt een witte badjas. Haar haar drupt. Ze is niet mooi, niet lelijk. Ze is.

Stephan neemt haar bij de hand en gaat op het bed zitten. Paul trekt zijn kleren uit en stapt in het bad, dat zij niet heeft laten leeglopen. Hij wil schoon zijn voor dit meisje, deze vrouw, die Sarah niet is, niet kan zijn.

Stephan heeft het bed opengeslagen. Ik ben rustig, denkt Paul. Rustig en gelijkmoedig. Hij zoekt de rechte lijn waarlangs hij naar het bed kan lopen, het bed waarop het naakte meisje ligt. Ze ziet er breekbaar uit. Niet alle naakte vrouwen zien er breekbaar uit. Sommige naakte vrouwen zien eruit alsof ze hem kunnen vermorzelen.

Hij kent de code niet. Wie mag er eerst: Stephan of hij? Bestaat er een code of maken ze die zelf? Moet er toestemming worden gevraagd?

Darya en Edith hebben niet gelogen: Stephan valt onbeheerst en gulzig aan. Het meisje kreunt onder zijn gewicht. Paul streelt haar haar en trekt Stephan van haar weg. Hij neemt haar in zijn armen, wiegt en sust haar. Hij fluistert lieve woordjes in haar oor, moedigt haar aan zelf ook iets te zeggen. Maar Stephan opent opnieuw de aanval. Hij is een beer, een stier, een leeuw. Ook Paul moet eraan geloven. Ze vechten, ze worstelen, ze vrijen. Het meisje ligt tussen, onder, boven, naast hen. Ze houdt verschrikte ogen open of dicht. Ze kreunt. Morgen zal ze onder de blauwe plekken zitten.

Stephan zet de televisie aan en gaat op het bed liggen kijken naar de ministers die hun ontslag hebben genomen. Ze dragen hun nederlaag met dappere waardigheid. Nobel hebben ze het offer gebracht dat de regering en het land overeind zal houden. Dankbaarheid is hun deel. Ongetwijfeld is er aan een beloning gedacht, maar die wordt de bevolking niet meegedeeld. De bevolking is verontwaardigd. Gemoederen laaien hoog op. Moeten worden gesust.

Het meisje heeft het laken over zich heen getrokken. Paul geeft haar een kus en laat het bad opnieuw vollopen. Hij neemt zich voor nergens aan te denken. Hij zal haar niet vragen waar ze woont, hij zal haar niet vragen of hij haar mag bellen. Hij houdt niet van haar, zij houdt niet van hem, ze hebben gewoon seks gehad. Is hij genezen of juist ongeneeslijk ziek?

Ze laten het meisje in de kamer achter. Misschien blijft ze er slapen, misschien ook niet. Ze hebben haar geen vragen gesteld. De kamer is betaald, als ze wil kan ze morgen in het hotel ontbijten. Als een prinses.

Onderweg naar de parkeergarage slaat Stephan een arm om zijn schouder.

'Jij bent mijn enige echte vriend,' zegt hij.

'We hebben geen condoom gebruikt,' zegt Paul.

'Ze is clean,' zegt Stephan. 'Er volgt geen straf. Wees niet bang. Ontspan je. Is dit voor herhaling vatbaar of is dit niet voor herhaling vatbaar?'

'Denk je dat zij ervan geniet?'

'We dwingen haar niet. Hebben we haar gedwongen?'

'Ze is zo stil, zo roerloos, zo passief. Ze heeft nauwelijks iets gezegd.'

'Vrouwen zijn passiever dan mannen.'

'Denk je?'

'Natuurlijk.'

Paul vraagt of Stephan nog een glas komt drinken.

'Nee, morgen is het vroeg dag. En beloof me dat je je geen zorgen maakt. Ik heb haar nooit gedwongen. Jij niet. Niemand niet. Ze vindt dit fijn.'

'Hoe is het begonnen?'

'Dat vertel ik je nog wel. Het was geen moeilijke verovering.' Hij kust hem, maar anders dan daarnet in de hotelkamer. De grens wordt getrokken: wat daar is gebeurd, kan hier niet worden herhaald.

Paul stapt uit en gaat zijn huis binnen, waar de babysit een boek zit te lezen. Ze roken samen een jointje en dan is Paul alleen. Hij gaat de trap op en sluipt de kamer van zijn zoon binnen. Hij denkt aan Dutroux, die ook kinderen heeft. Hij spitst zijn oren, maar hoort niets tikken. Toch is er een bom. Van die overtuiging kan niemand hem afbrengen. Hij weet alleen nog niet waar ze verstopt zit of wie ze in zich draagt. Hij moet waakzaam zijn. Rustig, gelijkmoedig en waakzaam. Hij kust zijn zoon en verlaat geruisloos de kamer. Rie. Zo heet het meisje dat zich gewillig en stil door hem en door Stephan heeft laten neuken. Ze is niet klaargekomen. Ze lag erbij als een pop. Hij wil haar bloemen sturen. Een brief waarin hij haar om vergiffenis smeekt. Hij wil haar zeggen: praat, laat me je stem horen. En ja, ze doet hem aan Sarah denken. Vrouwen met een geheim, gekmakende vrouwen die je nooit echt kunt kennen, vrouwen die je wilt doorgronden, die je met een mes te lijf zou willen gaan om het geheim uit hen te snijden.

Stephan is blind. Stephan ziet alleen zichzelf, zijn lul. Maar voor Paul is het meisje veel te gevaarlijk. Hij zal haar willen redden, liefhebben, bekeren. Hij ziet te veel. Hij mag haar nooit meer zien.

Naakt staat hij voor de spiegel. Hij kijkt naar zijn penis. Hij spitst zijn oren. Beneden rinkelt de telefoon.

## 5

*Ben, juni 2006*

'Er zaten daar alleen maar kraaien. 's Morgens, 's middags en 's avonds het snerpende gekras van kraaien. Ik zeg: "Mama, word jij niet gek van die kraaien?" En ze zegt: "Welke kraaien?" – "Luister," zeg ik. – "O," zegt ze, "zijn dat kraaien?" Ik zeg: "Ja, mama, dat zijn kraaien. De straten liggen met dode muizen en mussen, molletjes en egels, ratten en katten bezaaid. Hoe meer auto's, hoe meer krengen, hoe meer kraaien." Ze zegt: "De een zijn dood, de ander zijn brood, Aline." Ik zeg: "Hoor je niet hoe rauw hun krassen klinkt?" Ze zegt: "Het zijn allemaal schepselen Gods, Aline."'

Ondanks alles moet hij glimlachen.

'Jij kunt daarom lachen!'

'Ik lach niet, Aline. Ik glimlach.'

'Waarom?'

'Omdat je weer bij me bent.'

'Heb je me gemist?'

'Ik heb je gemist. Ik dacht: ik ga hard werken nu Aline weg is, maar ik kon me niet concentreren. Ik wilde de verloren tijd inhalen, maar ik heb nog meer tijd verloren.'

'Jij verliest geen tijd bij mij. Ik geef jou inspiratie. Voor een schilder is inspiratie hetzelfde als tijd. Dat heb je zelf gezegd.'

'Maar intussen is dat doek nog altijd niet af.'

'Je hebt het niet afgemaakt?'

'Ik heb het niet afgemaakt. Als ze het per se willen hebben, dan noem ik het "Onafgemaakt doek".'

'Ik dacht dat Joden hard werkten. Hebben jullie in Israël geen woestijnen vruchtbaar gemaakt?'

'Maar er is hier geen woestijn, Aline. Of wil je dat ik het strand ontgin? Zal ik het strand van Nieuwpoort irrigeren en in een citrusplantage omtoveren? Zou je dan trots op me zijn? Ik heb op jouw bank de meeuwen bestudeerd. Ik vroeg me af of ik ze ooit zou schilderen. En ik dacht aan jou.'

'Sally is in haar gat gebeten omdat je niet één keer bent komen dag zeggen. Ze zei: "Ik weet wel dat hij niet voor mij komt, Aline, maar hij had kunnen vragen of we hulp nodig hadden." Ik zei: "Sally, Ben is kunstenaar." Ze zei: "Paul is filosoof. Die heeft een boek over Leopold ii geschreven. Die weet alles over elk monument in Oostende. Maar die helpt mij het ontbijt serveren." Ik zei: "Sally, Ben zal hier nooit een ontbijt serveren of een wc schoonmaken of een bed opmaken. En weet je waarom niet? Omdat ik het niet wil. Als ik Ben zou vragen om te helpen, dan deed hij dat. Maar ik wil het hem niet vragen. Ben is kunstenaar." Toen zweeg ze.'

Hij wil de boze plooien uit haar gezicht wegstrijken, maar hij weet dat hij haar die boosheid moet gunnen. Waar anders dan bij hem kan ze boos zijn? Waar anders kan ze haar verontwaardiging ontladen? Want tegen de gasten, zegt ze, moet ze altijd glimlachen.

'Mensen betalen niet voor een zuur gezicht. Zelfs Sally begint dat eindelijk te begrijpen. Soms. Als Paul in de buurt is. En mijn moeder heeft geen lachspieren. Daar hebben medische tijdschriften geleerde artikels over gepubliceerd. Hoe heet dat beroemde tijdschrift? *The Lancet*? Wel, in *The Lancet* is een studie gepubliceerd over "the strange case of the Belgian woman who cannot smile". Van jongs af heb ik gelachen voor twee. Dat van *The Lancet* is niet waar. Dat weet je toch, dat dat niet waar is?'

'Is het niet waar?'

'Het is niet waar en je weet dat het niet waar is. Iemand heeft hier ooit een nummer van *The Lancet* achtergelaten. Ik wou dat ik alles had bewaard wat mensen hier ooit hebben achtergelaten.

Daar zou ik dan mijn museum van maken. Het museum van Aline. "De een zijn dood, de ander zijn brood." Ze heeft nog gelijk ook. Als de eerste baby van Gerard en Ana Lucía niet was gestorven, zou er niet zo gauw een tweede baby zijn gekomen. Xavier dankt zijn leven aan de dood van zijn broertje. Misschien heeft mijn moeder ook gelijk als ze niet lacht. Waarom zouden we lachen? "Ik lach omdat de zon schijnt." – "O ja? Maar morgen regent het." – "Ik lach omdat mijn zoontje geboren is." – "O, maar misschien gaat hij straks dood." Weet je wat ze over jou zei? Ze zei: "Wat goed lijkt in theorie, is daarom nog niet goed in de praktijk." Ik zei: "Wat moet ik daarmee?" – "Niets," zei ze. "Ik wil je behoeden voor verdriet. Straks leert ook Ben een jongere vrouw kennen en heb je opnieuw verdriet." – "Ben is anders," zei ik. "Hoe weet je dat?" vroeg ze. "Op een bepaald moment zijn ze allemaal hetzelfde. Ze kunnen het niet helpen." Nou hartelijk dank, moeder, voor deze opbeurende toespraak. Ik zei: "Mama, een ezel stoot zich geen twee keer aan dezelfde steen." Ze zei: "Een ezel doet dat niet, nee.'"

Ze moet die woorden herhalen. Alles wat ze tegen haar moeder heeft gezegd en wat haar moeder tegen haar heeft gezegd, moet ze kunnen herhalen. Niet letterlijk alles, maar alles wat haar verbijstert, verbaast, irriteert, amuseert, verwart. Hij kent dat van zíjn moeder en zijn zussen. Hun huis was een echoput, waarin de stemmen van leerkrachten, buren, verkopers, vrienden, vriendinnen, agenten en kennissen weergalmden. Elk woord moest worden herkauwd en verteerd en tot iets draaglijks getransformeerd, tot iets waarvan de idiotie of de banaliteit algemeen werd herkend, zodat bij meerderheid van stemmen kon worden besloten er geen aandacht aan te schenken. De wereld was gek, niet zíj. Hij luisterde ernaar als naar een concert. Ook naar Aline luistert hij niet echt. Hij luistert naar haar zoals hij naar de meeuwen luistert. Ze zegt: 'Vertel jij nu eens.' Maar hij zegt: 'Vertel jij maar.' En hij luistert, maar hij luistert niet echt. Hij luistert op zijn manier. Bens manier.

'Ze draagt geen mantelpakjes meer. De mantelpakjes, de witte blouses, de vleeskleurige nylonkousen en de zwarte leren schoenen zijn allemaal naar Spullenhulp gebracht. De gouden broches zijn in een kluis weggeborgen. Voor Jakobien, zegt ze, alsof Jakobientje later een broche zal opspelden om naar haar werk te gaan. Mijn moeder draagt nu een broek en een T-shirt of een trui. Het is afgelopen met het wekelijkse bezoek aan de kapper. Ze wast haar haar onder de douche en laat het drogen. Ze huurt een kamer in een tehuis voor studenten die aan het Instituut voor Tropische Geneeskunde een opleiding volgen. Alle andere bewoners zijn minstens twintig jaar jonger dan zij en komen uit een ver buitenland. En nu is haar gevraagd een workshop *hospital management* te geven. Er is daar een arts die een heel hoge dunk van haar heeft en zelfs met haar naar Mali wil.'

'Is hij verliefd op haar?'

'Nee, nee. Hij is jonger dan ik en lijkt heel gelukkig met zijn vrouw en kind. Hij heeft ons bij hem thuis uitgenodigd. Ik denk dat hij verwachtte dat ik ook alles van ontwikkelingsproblematiek af wist. En van ziekenhuismanagement.'

'Jij weet alles van hotelmanagement.'

'Mismanagement, bedoel je.'

'Is ze gelukkig?'

'Mijn moeder? Mijn moeder doet haar plicht. Eerst was ik haar plicht en nu is Mali haar plicht. Ruchir, die dokter, is een beetje zoals zij. Vroeger woonde hij in een mortuarium. Als mensen een lijk kwamen groeten, moest hij hun naam en het nummer van hun identiteitskaart in een register noteren. Hij en zijn vrouw hebben elkaar daar leren kennen.' Vol ongeloof schudt ze haar hoofd. 'Liefde in het dodenhuisje.'

Hij denkt: de goden moeten hun getal hebben.

'Hij komt uit India. De nieuwe voorzitter van de Hoge Raad voor Diamant is ook al een Indiër. Wat gebeurt er als er geen rijke Joden meer zijn?'

'Dan kan de Thora niet meer worden bestudeerd. Of alleen door rijke Joden, maar die willen haar niet bestuderen. Wij waren niet dat soort Joden. Mijn vader importeerde tegels uit Tunesië. Ons hele huis was betegeld. Wij waren tegel-Joden.' Hij lacht. 'Ik ben de eerste Frank die tussen de "gentiles" woont.'

Hij denkt aan zijn moeder en zussen, die alle vier naar Israël zijn geëmigreerd.

'Voor ik jou kende, wist ik zelfs niet wat "gentiles" betekende.'

'Je hebt ook "righteous gentiles". Dat zijn "gentiles" die Joden gered hebben. Ben jij een "righteous gentile", Aline? Zou jij in je pension op zoek gaan naar een plekje om me weg te bergen? Zou je zeggen: ik gooi die oude surfplank op de vuilnisbelt en dan is er plaats voor Ben? Zou je op de zwarte markt een gouden broche van je moeder ruilen voor een brood voor mij?'

'Je bent te dik. Je neemt te veel plaats in. En je eet te veel. Ik zou een bord ophangen: alleen <u>dunne</u> onderduikers zijn welkom. Met jou zou ik in een bootje springen en naar Engeland roeien. En hopen dat het bootje niet zinkt.'

'Toen ik hier kwam wonen, heb ik een aanvraag ingediend om redder te worden. Ik wilde als beroep kunnen opgeven: redder. Maar ik was te oud en te dik.'

'Kom,' zegt ze. 'Kom in bed bij mij.'


Zijn grootvader was door zijn zakenpartner gered. Ieder jaar gingen ze bij hem op bezoek, ieder jaar toonde hij de kast waarin zijn grootouders twee jaar op houten klapstoeltjes hadden gezeten. De zakenpartner kon zich officieel als 'righteous gentile' laten erkennen, maar dat wilde hij niet. Het enige wat hij wilde was het jaarlijkse bezoek van het Joodse gezin dat zonder hem niet zou bestaan. De kast werd leeggemaakt, de stoeltjes erin gezet en zijn grootouders kropen opnieuw in de kast. Ben haatte de man. Hij haatte de kast en hij haatte het verplichte bezoek. Maar de man was dolgelukkig als hij hem en zijn zussen zag. Hij kneep hen in de wang en bewonderde hun haar.

Aline heeft hem uit Antwerpen gebeld om te vragen waar hij vroeger woonde, en daarna heeft ze gebeld om te vragen in welke synagoge hij zijn bar mitswa heeft gedaan, en later heeft ze nog eens gebeld om te vragen waarom bij de voordeur van alle huizen een kokertje hangt, en vervolgens heeft ze gebeld om te vragen waarom zoveel Joodse vrouwen een pruik dragen. Met lichte tegenzin heeft hij het haar telkens geduldig uitgelegd.

'Je bent toch niet van plan je te bekeren?'

'De pruik is mij er te veel aan.' Ze lacht.

'Al mijn vriendinnen willen zich vroeg of laat bekeren. Ze willen deelnemen aan het Grote Joodse Avontuur. Ten teken van overgave, veronderstel ik. Voor mij was dat altijd het teken om op de vlucht te slaan. Maar jij zou je mogen bekeren, Aline. Je bent de eerste vrouw tegen wie ik dat zeg. De eerste en de laatste. Het is een toestemming en een teken van liefde. Geen aansporing of bevel.'

De zakenpartner van zijn grootvader sloot de kast met een sleutel af. Om elf uur 's avonds ging de kast een halfuur open en mocht het jonge stel de benen strekken. Ze mochten naar het toilet en ze kregen een bord soep met brood en ze konden iets zeggen als ze wilden, tegen elkaar of tegen het echtpaar dat dag en nacht de eigen veiligheid op het spel zette om hen te redden en dat voor die onbaatzuchtige daad nooit genoeg kon worden bedankt. In de kast was het te warm of te koud, maar altijd benauwd. Zijn grootouders sliepen niet, maar sluimerden. Ze waren bang dat ze van de stoeltjes zouden glijden, of snurken, of luidruchtig ademhalen. Meestal hielden ze elkaars hand vast. Ze spraken met elkaar via die hand. Toen het eindelijk was afgelopen, duurde het weken voor hun benen hen konden dragen. Ze bleven zwijg- en waakzaam. De zakenpartner presenteerde hun een rekening voor de maaltijden die ze hadden gekregen. Dat was, zo verzekerden zijn grootouders hem, volstrekt gebruikelijk. Vanwege die rekening bleven ze na de bevrijding in Antwerpen. Ze wilden niet de indruk wekken zich aan hun verantwoordelijkheid te onttrekken. 'Oordeel niet, Ben. Het waren andere tijden.'

'Gaat het?' vraagt ze. Hij knikt, maar blijft met gesloten ogen zitten. Engeland is gesloten, de sleutel is gebroken. De ouders van zijn oma waren op tijd naar New York uitgeweken, maar zijn oma geloofde wat haar man zei: dat ze geen gevaar zou lopen; dat ze bij hem veilig was. Bij hem en bij zijn zakenpartner. Ieder jaar opnieuw moedigde de man ook Ben en zijn zussen aan om op de klapstoeltjes plaats te nemen. Het begon er altijd mee dat ze weigerden, maar op een bepaald moment werden ze alle vier in de kast geduwd. De deur ging dicht, de sleutel werd omgedraaid. Ze zwegen, want ook hun opa en oma hadden moeten zwijgen. Geen kuch of zucht mocht aan hun keel ontsnappen. Boven en onder, links en rechts van het appartement woonden buren. Niemand kon worden vertrouwd. Misschien was er bezoek. Er wás ook bezoek: ze waren zelf het bezoek, en ook hun ouders en grootouders waren op bezoek. Ze mochten hen niet ontgoochelen. Ze moesten bewijzen dat ook zij, indien nodig, twee jaar in een kast konden overleven. In zijn herinnering hadden ze soms een kwartier opgesloten gezeten, maar zijn zussen verzekerden hem dat hun moeder dat nooit zou hebben toegestaan. Bij de geringste beweging kraakte de kast. Dat was de kunst, vertelde zijn oma, om de kast niet te laten kraken. Een krakende kast zou argwaan hebben gewekt. Ben en zijn zussen stonden roerloos in het zwarte gat. Ze haalden zelfs geen adem.

Aline grijpt zijn hand. Hij heeft haar niet over de kast verteld. De kast is waaraan hij is ontsnapt. Tegelijkertijd is hij uit de kast geboren. Dat moest ieder jaar opnieuw worden gevierd. Vier gezonde kuikentjes! Zijn grootouders waren elkaars hand blijven vasthouden. Als het kon, zaten ze dicht bij elkaar. Hun verstrengelde handen lagen in zijn schoot.

'Ik zou niet graag Joods zijn,' zegt ze. 'Zoals jij wel, maar niet zoals die chassidische vrouwen.'

'Mijn jongste zus is nu zo.'

'Waarom?'

'Vanwege haar man. Die mijn moeder voor haar heeft uitgekozen. Ze zegt dat ze gelukkig is.'

'De vrouw van die arts droeg een sari, terwijl zij helemaal niet uit India komt. En ze had een curry gemaakt.'

'Als je wilt, vraag ik mijn moeder of ze jou het recept voor "Gefilte Fisch" stuurt.'

'Is dat lekker?'

'Als mijn moeder het maakt wel.'

'Ik mocht de synagoge niet in. Ik zag een heleboel mensen naar binnen gaan, maar ik mocht niet. Dus ging ik op een bank ertegenover zitten, maar meteen werd ik door kraaien omsingeld. Ze pikten in de grond rond mijn voeten. Ik droeg sandalen en was bang dat ze in mijn voeten zouden pikken. Ik haat kraaien. Als de wereld is vergaan, zullen kraaien zich aan de lijken bezatten. Is de wereld vergaan, Ben? Wat denk je?'

'Ik denk dat jij aan zee moet blijven, Aline. En bij mij.'

Hij kijkt naar haar lippen, die ze daarnet rood heeft gestift en die straks een afdruk op haar glas zullen achterlaten. Dat glas zal hij mee naar huis nemen. Hij zal het zetten bij de andere glazen en kopjes die ze heeft gekust en waarvan hij weet dat hij ze ooit zal schilderen, alleen weet hij nog niet hoe. Kraaien fladderen uit haar mond en cirkelen boven een platgebrande stad. In hun zwarte bek dragen ze witte doodsbrieven. Rookpluimen stijgen op. Plunderaars slepen weg wat het vuur heeft overleefd. Een hand priemt door zwarte onweerswolken. De laatste seconden van planeet aarde worden afgeteld. Hij wacht op de knal.

Drie dagen is ze bij haar moeder geweest. Die vrijheid heeft ze nu haar kinderen de helft van de tijd bij hun vader zijn. Dat is door een onpartijdige rechter beslist. Ze verfoeit het woord dat het gevelde vonnis samenvat: co-ouderschap. Knarsetandend legt ze zich bij de regeling neer. Ze legt zich neer zoals golven na een storm gaan liggen. Vroeg of laat richten ze zich weer op; vroeg of laat barst hun furie met hernieuwde kracht los. Voor ze hem kende bracht ze de lange uren van haar opgelegde vrijheid op de bank voor het pension door, het pension dat ze nu samen met Sally runt, Sally die een vriend kan mobiliseren als ze er alleen voor staat, zodat Aline meer vrijheid heeft dan ooit, vrijheid die ze verwenst, vervloekt en die ze geen vrijheid, maar leegte noemt. Zo heeft hij haar leren kennen: de roerloze vrouw op de bank, het enigma.

Ben kent haar ex. Samen hebben ze in Antwerpen aan de kleine universiteit in de binnenstad gestudeerd. Hij herinnert zich geen kraaien, wel duiven, die de vensterbank van zijn kamer onderpoepten en die hij met rattengif bestreed. En zijn schuldgevoel, waarvoor geen remedie bestond. Het huis met de tegels was nog niet verkocht. Zijn moeder woonde er met zijn oudste zus, voor wie zich maar geen geschikte huwelijkskandidaat meldde. Hij had haar naar feestjes kunnen meenemen en aan vrienden voorstellen, maar hij leefde alsof hij niet opgegroeid was in de stad en er ook geen familie had. Hij sloot zich niet bij de Joodse studentenvereniging aan, maar schreef zich in aan de academie. Hij was die gast die schilderde. Maar hij was niet die Jood.

Het komt niet bij haar op dat het hem geen zier interesseert wat de ex zei toen hij de kinderen kwam ophalen. Het interesseert hem niet wat hij droeg, hoe hij nu de kost verdient, welk aandeel in welke onkosten hij weigert te betalen of hoe hij zijn nieuwe kind heeft genoemd, het kind dat het halfbroertje van Alines kinderen is en voor wie zij zich als een tante voelt, want dat kind kan het niet helpen, dat kind heeft er niet voor gekozen om in een overspelig bed te worden verwekt. Het laat hem siberisch dat Jakobientje haar halfbroertje een badje moet geven en samen met Jasper zijn luiers verschoont. Hij slaagt er niet in de naam van het kind te onthouden. Maar hij luistert. Hij luistert omdat ze dat van hem verwacht. Woorden flitsen uit haar mond. Hij kijkt hoe haar lippen ze vormen; hij volgt ze gefascineerd; hij veinst interesse. En hij is ook geïnteresseerd, maar niet zoals zij veronderstelt of verwacht. Ieder woord een toverbal. Ieder woord een bron van onvermoede associaties. Ze heeft geen vader en ook geen broer of echtgenoot. Hij is minnaar, echtgenoot, vriend, vader, broer. Het zal nooit anders worden.

Aline Praline. Iets lekkers, iets zoets, iets om in je mond te stoppen, op te zuigen of in te bijten. Ze denkt dat ze in zichzelf gekeerd leeft – 'Hier,' zegt ze en ze wijst naar de punt tussen haar borsten. 'Ik was een kind,' zegt ze. 'Ik was getrouwd, ik had twee kinderen, ik runde een pension, maar ik wist helemaal niets.' Gerards verraad is haar initiatie geweest. Haar ontgroening.

Naakte krijgers sluipen door hoog savannegras. De zon flikkert op het metaal van hun speren. Zweetdruppels snijden een grillig pad door de witte en rode geometrie van de figuren op hun gespierde lijf. Pas als de verf is weggesleten, mogen ze naar hun veilige dorp terug.

In september vertrekt haar moeder naar Mali. Hij wil naar Afrika. Hij wil met Aline naar Afrika. Niet om de moeder te bezoeken, al zullen ze haar bezoeken. Zo goed kent hij haar intussen dat hij weet dat ze de moeder zullen bezoeken. Het zal zelfs niet bij haar opkomen dat hij dat liever niet wil. Ze zal denken dat hij vanwege de moeder naar Afrika wil. Als de tranen over haar wangen rollen, kan hij haar niets weigeren. En ook als ze lacht, krijgt ze van hem haar zin. Aline Praline is in de jungle achtergebleven. Nu is er alleen nog Aline, die tot haar verbazing houdt van Ben.

In haar afwezigheid heeft hij zijn kruin kaalgeschoren. Er groeide een handvol dunne haren op. Nu ziet hij er als een pater uit. Een Joodse pater. Hij wou dat hij groter was. Groter en slanker en gespierder. Maar hij is klein en dik en gedrongen. Hij, een ongelovige Jood, en zij, een ongelovige christen. Hij wil niet dat ze zich voor hem bekeert. En tegelijkertijd wil hij het wel. Ze hoeft hem niet te volgen. Maar hij hoopt dat ze hem volgt.

Zijn kale kruin lijkt voor een keppeltje gemaakt.

'Is er verschil tussen een Joods keppeltje en dat van de paus?'

'De paus draagt een kalotje.'

'Maar geen kapotje.'

Kalot, kapot, complot. Keppeltje, klepeltje, kneveltje. Ook Gerard, zo weet hij nu, is besneden. Met wapperende haren zit ze tussen de twee mannen. Haar rechterhand omsluit de ene penis, haar linker de andere. Haar huid is gaaf en bleek, die van de mannen behaard. Glinsterende visjes zijn in haar dichte schaamhaar verstrikt geraakt. Aan elke penis hangt een druppel sperma, aan elke tepel een druppel melk. Strak staren ze voor zich uit. Een heks dompelt hun schamele voorhuid in een looizuurbad. Het laken met haar maagdenbloed wordt aan een vlaggenstok gehesen.

'Mijn moeder vond dat ik er gelukkig uitzag, maar ze weigerde toe te geven dat jij daar iets mee te maken hebt. Ze wil haar plicht tegenover mij hebben vervuld. Ze wil kunnen denken: ik ben uitgeplicht. Aline is een onafhankelijke, sterke en gelukkige vrouw. Ze heeft mij niet meer nodig.'

'Maar je was niet gelukkig?'

'Ik miste jou, ik miste de kinderen, ik miste mijn bank. Ik wachtte op nieuws over de twee meisjes uit Luik. De hele tijd hield ik mijn gsm in de hand in de hoop dat er een nieuwsflits over hen werd gestuurd. En waar ik ook ging, hoorde ik kraaien. Als een vinkje of merel zich liet horen, kraste er een kraai doorheen. Ik dacht: als de kraaien zwijgen, zullen ze de meisjes hebben gevonden. Ik wil niet van je houden, Ben. Ik wil rouwen en opstandig zijn en de echtscheiding ontkennen en verdriet hebben. Ik wil er niet gelukkig uitzien.'

'Je hebt verdriet. Ik lag naar je slapende gezicht te kijken. De tranen rolden over je wangen.'

'Is er al nieuws?'

'Ze zoeken dag en nacht. Ze zullen hen vinden.'

'Dood of levend?'

'Dood of levend.'

'Die ouders,' zegt ze. 'Het houdt niet op. Het houdt nooit op.'

Een man staat hoog op een ladder. Hij ontrolt een affiche met fotootjes van ontvoerde meisjes. Steeds hoger klimt de man op de ladder, steeds verder wordt de affiche met het fotomozaïek ontrold. Blonde meisjes, zwarte meisjes, meisjes met kort haar, meisjes met lang haar, meisjes met een wipneus, blanke meisjes, dikke meisjes, meisjes met anorexia, meisjes met een gaaf gebit, meisjes met slechte tanden, meisjes die lachen, meisjes die het uitschreeuwen van de pijn, meisjes met gesprongen lippen.

Nathalie Mahy en Stacy Lemmens zijn in de nacht van vrijdag 9 juni op zaterdag 10 juni op een braderie in Luik verdwenen. De buurt is uitgekamd; huizen en kelders zijn doorzocht. De politie wil de oude fouten niet opnieuw maken.

In Antwerpen is Aline met haar moeder naar de plek gaan kijken waar de kleine Luna en haar oppas Oulemata vorige maand in koelen bloede zijn doodgeschoten omdat Oulemata uit Afrika kwam. Dat verdroeg hun moordenaar niet. Oulemata was zwanger en ze zorgde voor een blank kind, dat naar de bleke maan was genoemd, maar ze moest dood en ook het maankind moest dood. Aline wilde de plek zien. Ze wilde op de straatstenen knielen en

*Ben*

om vergiffenis smeken. Maar drie kraaien wachtten haar en haar moeder op.

'Daar stond ik met mijn witte roos.'

'Je hebt haar niet neergelegd?'

'We hebben haar bij mijn moeder in een vaas gezet. Mijn moeder zei: "Aline, in Mali sterft 23 procent van alle kinderen voor hun vijfde verjaardag. De helft daarvan sterft tijdens het eerste levensjaar." – "De oppas kwam uit Mali, mama." – "Dat weet ik, Aline, maar jij huilt om het kind." – "Hier sterven ook kinderen, mama. Gerard en Ana Lucía hebben een kind verloren. Zul jij nooit meer huilen om een Belgisch kind? Word jij niet ziek bij de gedachte aan wat er misschien met die twee meisjes in Luik is gebeurd?" – "Heb jij gehuild om de baby van Gerard?" – "Natuurlijk heb ik gehuild. Denk je dat ik blij was?" – "Je weet dat ik niet zo makkelijk huil," zei ze. "Tranen hebben nog nooit iets opgelost." Ik ben jaloers op de kinderen van Mali, Ben. Ik zou trots moeten zijn op een moeder die na haar pensioen niet op haar luie krent gaat zitten. Een moeder die workshops voor een internationaal gezelschap organiseert. Die naar Mali trekt om een kinderziekenhuis uit de grond te helpen stampen. Ik ben ook trots. Maar ik wou dat ze hier bleef. Bij mij en mijn kinderen. Aan zee. Vroeger moest ik haar met rust laten. Ik kon haar niets vragen. Ze had pijn, ze was depressief, ze had het moeilijk want ze stond er alleen voor en nee, ze kon niet zeggen wie mijn vader was. "Ga spelen, wees stil, laat mama met rust." Ik dacht dat we die verloren tijd zouden inhalen. Dat zij en ik het pension samen zouden runnen. Ze was begonnen iets over mijn vader prijs te geven. Vroeg of laat, dacht ik, zegt ze zijn naam. Ik heb alleen haar. En de kinderen, die ik met Gerard moet delen. En blijkbaar ook met Ana Lucía, die hen in de regen zonder jas naar school stuurt, die hen pas om negen uur 's avonds eten geeft, die de baby 's nachts tussen Jakobien en Jasper legt zodat zij rustig kan slapen met míjn man. En ik heb jou, maar jij komt te vroeg.'

'Nee,' zegt hij. 'Ik ben precies op tijd gekomen. Leg je gsm weg, Aline. Probeer het even uit je hoofd te zetten.'

'Ik ben bang.'

'Je hoeft niet bang te zijn.'

Parmantig paraderen de kraaien op de straatstenen waaraan het bloed van het meisje en haar oppas kleeft. Het regent witte bloemblaadjes. Iemand verwondt zich aan een doorn. Een kraai krast. In zijn bek twee witte onheilstijdingen en straks twee witte kistjes. Niemand verwacht nog dat de meisjes uit Luik levend worden teruggevonden. Zelfs Aline verwacht dat niet. De wijk Saint-Léonard in Luik. Het café Aux Armuriers, waar Stacy's vader en Nathalies moeder onbekommerd biertjes dronken terwijl de meisjes rondzwierven op de braderie. Abdallah Ait-Oud, de man op wie de verdenking valt en van wie wordt gezegd dat hij nooit vrijgelaten had mogen worden. Namen die uit het niets in het nieuws zijn opgedoken en straks weer geruisloos zullen verdwijnen. Sars-la-Buissière. Bernard Weinstein. Hans Van Temsche. Oulemata Niangadou. En intussen groeit de affiche aan. Steeds nieuwe foto's worden aan het mozaïek toegevoegd. De man op de ladder raakt onder de bloemblaadjes bedolven. Ze kleuren rood.

Als ze spreekt, komen de beelden. Elk woord metamorfoseert en metaforiseert. Fosforesceert. Het is begonnen toen ze daar in haar eentje roerloos zat met haar rug naar het land. De kinderen waren bij Gerard, maar dat wist hij niet. Hij wist helemaal niets. Ze was de vrouw op de bank: geen naam, geen geschiedenis. Later zou hij beseffen: 'O, ze is de vrouw van Gerard, en ja, ik heb haar ooit met hem in de supermarkt gezien.'

Hij wist dat hij haar moest schilderen: haar, de bank, de meeuwen, de tranen van kristal, het bloed dat onzichtbaar uit haar gutste, zodat ze steeds bleker werd. Haar kleren verpulverden, haar haarbos werd weelderiger. Ze werd zeemeermin, zeegodin, zeerover en zeemansweduwe. Toen het schilderij af was, schreef hij een brief die hij haar door een vriend liet overhandigen: Aan de vrouw op de bank. En dat hij vereerd zou zijn als ze het schilderij wilde komen bezichtigen. Dat hij het als een privilege zou beschouwen haar te mogen ontvangen in zijn atelier. Ze liet hem niet lang wachten. Nieuwsgierigheid won het van achterdocht. Hij kon zien dat ze het mooi vond. Met open mond stond ze ernaar te gapen. Ze had haar lippen pas gestift.

'Heeft mijn vader jou gestuurd?'

Hij schudde zijn hoofd. 'Ik heb jou helemaal alleen ontdekt.'

'Wat wil je van mij?'

'Niets, helemaal niets.'

Hij wilde alles. Haar. Voor zich alleen.

'Ben jij beroemd?'

'Je bent niet de enige die onder de indruk is van mijn werk.'

'Hoeveel kun je voor dit doek vragen?'

'Iemand heeft er tienduizend euro voor geboden. Maar het is voor jou.'

Ze boog zich naar het schilderij en las de handtekening. Benjamin Frank.

'Geen familie,' zei hij.

'Geen familie?'

'Van Anne en Otto.'

'Ik heet Aline. Aline Tacq. Ook geen familie.' Ze lachte.

Anders dan zij heeft hij wel familie. Grootooms en groottantes, ooms en tantes zijn uit zijn stamboom weggeknipt, maar dankzij de zakenpartner van zijn grootvader, dankzij de klapstoeltjes en de kast heeft hij zussen en schoonbroers, nichtjes en neefjes. En bestaat hij. In Londen wonen twee tantes van zijn moeder, met echtgenoten en nageslacht, maar zijn moeder is al jaren met hen gebrouilleerd. En dan is er zijn zoon, van wie niemand het bestaan vermoedt en aan wie hij tot voor kort nauwelijks heeft gedacht. Sinds hij Aline kent, belt hij geregeld met de moeder. Minuscuul zijn de vorderingen die hij boekt en nog minusculer is haar bereidheid hem zijn jarenlange gebrek aan interesse te vergeven voor zijn – hun! – kind, dat misschien, zegt ze, helemaal zijn kind niet is. Er is immers geen enkel hard bewijs. Officieel is de jongen door haar echtgenoot erkend. Ben heeft geen poot om op te staan. Als ze hem die waarheid ingepeperd heeft, sleurt ze hem terug in de tijd naar de vele momenten waarop hij verraad heeft gepleegd en waarop hij alle rechten die hij eventueel ooit had kunnen laten gelden, heeft verspeeld. Diep heeft hij haar gekwetst, en dodelijk vernederd en geschoffeerd.

'Jij behandelde mij als een stuk vuil. Jullie zijn allemaal zo. Ik dacht dat het niets betekende. Maar het betekende alles. De christenteef heeft een christenjong geworpen!'

'Waarom haal je jezelf door het slijk?'

'Jouw blik heeft me door het slijk gehaald. Jullie voelen je superieur. Het uitverkoren volk! De zonen van Abraham!'

'Je was getrouwd, Cil. Je bent nog altijd getrouwd.'

'En jij wist dat ik getrouwd was.'

'Gelukkig getrouwd, zei je. Het was je nooit eerder overkomen en het zou je nooit meer overkomen.'

'Eén keer heb ik me laten gaan. En daarom kijk jij op me neer. Maar tegelijkertijd is die slet de moeder van je kind.'

'Wie noemt jou een slet, Cil?'

'Ik weet wat je denkt. Wat je dacht. "Zo hongerig," zei je. "Uitgehongerd," zei je. Dacht je dat ik de Maagd Maria was? De Onbevlekte Ontvangenis?'

'Ik bedoelde dat niet negatief, Cil.'

'En dat je nooit iets liet horen als ik je schreef, bedoelde je ook niet negatief? Dat je de telefoon neergooide als ik je belde?'

'Je was getrouwd, Cil. Je bent getrouwd.'

'De moeder moet Joods zijn, Ben. Je kunt van hem geen Jood maken, tenzij ik mij bekeer. Of tenzij hij zich bekeert. Maar hij zal zich niet bekeren. Waarom zou hij zich bekeren? Wij zijn zijn ouders. Wij hebben hem opgevoed. Wat weet hij over het Jodendom?'

Als hij de moed dreigt te verliezen, als ze hem ervan overtuigd heeft dat hij geen tweede kans verdient, als hij gelooft dat het voor alle betrokken partijen beter is de jongen in het ongewisse te laten, lokt ze hem met een snipper informatie. 'Chris speelt iedere woensdag waterpolo. Je kunt hem daar zien.' – 'Waar?' vraagt hij. 'In een zwembad. In Brugge. Wie zoekt, die vindt.' Ze legt de hoorn neer.

Hij heet Chris, hij speelt waterpolo, hij is al één meter zestig lang, lost spelenderwijs wiskundige vraagstukken op en doet volgend jaar zijn plechtige communie. Ben heeft nog elf maanden om daar een stokje voor te steken. Alles heeft hij laten gebeuren: het doopsel, de christelijke naam, de katholieke school, de eerste communie. Hij heeft het laten gebeuren, omdat het hem niet deerde of interesseerde. Aline heeft hem gulzig gemaakt. Hebberig. Hij wil dezelfde regeling als zij voor haar kinderen heeft. Chris hoort erbij.

'Er is geen enkel bewijs,' zegt ze.

'Je weet dat ik de vader ben.'

'Bewijs het.' En ze legt neer.

Als hij een haar van de jongen weet te bemachtigen, kan hij die samen met een haar van zichzelf naar een labo opsturen. Hij zou iemand kunnen betalen om in te breken en met de vuile was van het gezin aan de haal te gaan.

Ook haar man heeft hij aan de lijn gehad. Als in een film heeft hij gezegd: 'Excuseer, verkeerd verbonden.' Vroeg of laat zal de telefoon in het huis rinkelen en zal de jongen als eerste bij het toestel zijn. Dan zal hij zijn stem horen. Hij weet waar het huis staat.

Hij zou er kunnen aanbellen om de stand van de elektriciteitsmeters op te nemen. Hij zou zich voor de postbode kunnen uitgeven. Maar hij is een gewaarschuwd man. Eén misstap en ze verwittigt de politie.

Hij was een zwerver, maar nu is hij geen zwerver meer. Iemand heeft gezegd: 'Hier.' Aline heeft 'hier' gezegd.

Overal in Nieuwpoort hangen de affiches van Child Focus. Missing. Stacy Lemmens. Nathalie Mahy. Overal lachen hun guitige gezichtjes hem toe. Hij blijft staan. Herinnert zich met een schok dat Dutroux in de buurt van een zwembad rondhing. Het zwembad van Bertrix. Daar stond zijn camionette geparkeerd. Daar is Laetitia ontvoerd. Is het waterpolo op woensdagmiddag een valstrik? Wil ze hem verdacht maken? Hij moet Aline in vertrouwen nemen. Zij kan Cil beter inschatten. Maar Aline is in staat daar aan te bellen en te zeggen: 'Ik kom voor Chris. Dag, Chris, ik ben de vriendin van je vader. Je vader is niet wie je denkt. Ik weet niet wie mijn vader is en jij hebt er twee.'

Halfacht. Het springkasteel op de dijk zit eivol. Kinderen botsen over en tegen elkaar. Schots en scheef liggen hun sandalen voor de drempel van het kasteel. Ouders wachten geduldig tot hun kroost het springen beu is. De zon is een oranje bal die laag boven de zee hangt. Zwarte figuren rennen in het tegenlicht over het strand. Boven het geschreeuw van de spelende kinderen en het gekrijs van de meeuwen klinkt het afgezaagde deuntje van de ijsjesventer uit. Niemand lijkt ongerust of bang. Niemand lijkt zich angstig af te vragen of ook hier een kinderdief op zoek is naar een prooi. Het is eb.

Aline heeft de affiches van Child Focus aan de glazen deur van het pension gehangen: links de kleine Nathalie en rechts de kleine Stacy. En ook aan het raam van de salon hangen affiches op. De meisjes zijn het laatst in een springkasteel gezien. Elk nieuwsbericht over hun verdwijning heeft het over dat springkasteel, zodat hij in gedachten de twee breed lachend op en neer ziet springen. Waren ze tegen elkaar gebotst? Hadden ze zich pijn gedaan en besloten iets anders te gaan doen?

Is hij de enige die zich ergert omdat de kranten het nu eens over pleegzusjes, dan weer over halfzusjes, stiefzusjes of zusjes hebben? Stacy en Nathalie zijn stiefzusjes: verschillende vader, verschillende moeder. 'Geachte Heer, U kent mij niet, maar door mijn toedoen bent u een stiefvader. De jongen, die u als uw oudste zoon beschouwt, is in werkelijkheid mijn zoon. Ik wil het belang van bloedbanden niet overschatten, maar ook niet onderschatten. Over de omstandigheden die tot deze betreurenswaardige situatie hebben geleid, verkies ik het stilzwijgen te bewaren. Ik acht het echter mijn plicht u en mijn zoon van de waarheid op de hoogte te brengen. Met de meeste hoogachting, et cetera.' Hij probeert zich voor te stellen hoe hij zelf op zo'n brief zou reageren. Ongeloof? Woede? Knagende twijfel? Hebben hij en Cil een strafbaar feit gepleegd? Zou de gedupeerde 'stiefvader' of Chris zelf een klacht tegen hen kunnen indienen wegens opzettelijke misleiding van een volwassene en een minderjarige?

Tien jaar geleden was hij met een vriendin in het zuiden van Frankrijk op vakantie, toen de lijkjes van Julie en Melissa in België werden opgegraven. In de vitrinekast van het plaatselijke politiekantoor bleef hun opsporingsaffiche prominent hangen. Na drie dagen besloot hij even binnen te lopen om op het pijnlijke van die affiche te wijzen. Tot zijn verbijstering werd zijn interventie niet gewaardeerd. Ze zouden, zo zei de agente hautain, verifiëren of zijn verhaal wel klopte. Zijn vraag of ze het nieuws dan niet volgde, gooide olie op het vuur. Het eindigde ermee dat ze een kopie van zijn identiteitskaart maakte, want zijn bemoeizucht was verdacht. Waarom voelde hij zich betrokken? Hij was in de lach geschoten. 'Mevrouw,' had hij gezegd, 'de hele wereld voelt zich betrokken.' Bij thuiskomst van die vakantie had hij Cils tweede brief gevonden. Ze had het leven geschonken aan een gezonde baby. Ze had nog geen naam gekozen, maar als hij wilde kon hij een suggestie doen. Hij had de brief in zijn portefeuille opgeborgen. Hij had hem niet verbrand of verscheurd, maar hij had hem ook niet beantwoord. De brief was samen met zijn portefeuille in Rome door een zakkenroller in de metro gestolen. Nu, bijna tien jaar later, was het hem nog altijd niet duidelijk wat hij had kunnen of moeten doen. Want ze was getrouwd. Haar man wist niet beter of de baby was zijn kind. En hij wilde liever niets meer met haar te maken hebben. Hij werd liever niet herinnerd aan hun korte, maar onstuimige ontmoeting. Hongerig en uitgehongerd. Hij was er niet trots op.

De hal van het pension wordt door een kinderwagen geblokkeerd.

'We zitten vol,' zegt Sally. Ze strekt een mollige vinger naar een knop uit en drukt hem in. Roze neonletters schrijven het woord 'vol' over het gezicht van Nathalie. 'En niet alleen wij. Het wordt een goede zomer. Straks hebben we zelfs geen tijd meer om naar het toilet te gaan. Dan is alle hulp welkom.'

Sally draagt een gebloemde zomerjurk met een diep decolleté. In haar haar heeft ze een speld gestoken met een vurige plastic roos. Als Sally hem beter gezind was, zou hij haar vragen voor hem te poseren, maar Sally is hem niet goedgezind. Ze vindt hem arrogant.

'Is Aline boven?'

'Ze is beneden, maar ik zou daar niet binnengaan.' Ze wijst met haar dubbele kin naar de keuken, het privéheiligdom waarin gasten zich op eigen risico begeven. Als Aline of Sally er zich verschansen kunnen ze op een televisieschermpje de ingang en de balie in het oog houden. Die ingreep is Bens enige bijdrage aan het reilen en zeilen van Algera/Saline. Nieuwsgierig maar discreet loert de camera over de rand van een hangplant, niet zomaar een hangplant, maar een enthousiaste Streptocarpus blauw, die Ben op de markt heeft gekocht en die iedere week moet worden gesnoeid.

Zacht zoemend tast de waakzame camera de hal af. Soms vallen alle geluiden weg en hoort Ben alleen de camera, die zich soepel van links naar rechts wentelt. Drie langzame tellen duurt de overtocht. Een microseconde valt de camera stil, dan zet hij zich weer in gang. Híj heeft haar het geld voor de camera gegeven; hij heeft haar gezegd dat ze de balie niet zo dikwijls onbewaakt mag achterlaten. Nu weet hij niet wie in de keuken hem in de hal kan zien staan. Hij is het slachtoffer van zijn eigen gulheid. Of bemoeizucht.

'Kunnen we die kinderwagen niet beter in de salon of de ontbijtkamer zetten?'

'Ben,' zegt Sally, alsof ze met eindeloos geduld een hardleers kind tot de orde probeert te roepen.

'Aline verwacht me. Ik neem haar en de kinderen mee uit eten.'

De camera duwt een kersverse telg van de Streptocarpus opzij. Hij heeft Aline ook gezegd dat ze niet iedereen vrij in en uit mag laten lopen. 'Een pension is geen duiventil,' heeft hij gezegd. 'Alleen de gasten hebben er iets te zoeken. De gasten en de leveranciers en het personeel.' Hij zag geen duiven, maar meeuwen door de open ramen vliegen. Een golf sloeg over het strand en de dijk. Schaaldieren en zeewier spoelden aan; bedden en kasten, tafels en stoelen dobberden naar buiten.

Hij heeft een huis op het oog waar ze allemaal kunnen wonen: hij, Aline, haar kinderen, Chris. Vanavond wil hij het met haar en de kinderen bezichtigen. Het heeft een tuintje, vier slaapkamers en een ruime keuken, en het staat op een kwartiertje lopen van de zee. Hij wil haar vragen wat ze ervan zou denken als hij een bod deed. Het is een vermoeid en versleten huis, dat helemaal moet worden gerenoveerd en opnieuw ingericht. Dan is het nieuw én oud. Hij denkt dat ze 'ja' zal zeggen. Hij denkt dat ze 'O, Ben!' zal zeggen.

'Kom over een uurtje terug, Ben,' zegt Sally.

'Aline heeft niet graag dat het laat wordt voor de kinderen. Ik heb een tafel gereserveerd op een strandterras.'

Hij grijpt de kinderwagen en probeert hem richting ontbijtkamer te manoeuvreren. Het is een onmogelijk ding. Zijn jongste zus legt haar baby's in een identiek gevaarte. Als hij haar ziet, heeft ze of net een kind gekregen of ze staat op het punt te bevallen of ze is opnieuw zwanger.

'Ben,' zegt Sally.

'Die wagen blokkeert de hal!'

'Laat hem daar staan, Ben. Hij staat daar goed, Ben. Er hangt zand aan de wielen, Ben.'

Het lichtje op de voet van de camera flikkert. Geen scène. Hij wil geen scène maken. Als kind zag hij ze iedere dag, de logge kinderwagens die door bleke mannen, vrouwen of kinderen over de losliggende stenen van de oude trottoirs werden voortgeduwd. Zijn moeder had 'maar' vier kinderen. Na hem had ze een miskraam en nog een miskraam en daarna moest alles eruit. Toen had hij een lege moeder, een moeder die veel moest rusten, want alles was eruit.

Hij kijkt naar de trap die naar het appartement leidt, het appartement dat niet kan worden bereikt zonder de lange tocht langs de genummerde kamers af te leggen, en waaruit zonder die trap ook niet kan worden ontsnapt. Daarom wordt het appartement samen met het pension verkocht. Daarom staat Aline op straat als zich straks een koper meldt. Daarom is het zaak kordaat op te treden en nu al uit te kijken naar een huis met plaats voor hen allemaal. 'Ik vind wel iets,' zegt Aline vaag als hij haar polst. Ben krijgt geen zuurstof in het appartement. Hij komt er zo weinig mogelijk. Te veel DNA van een andere man.

'Hoe is het met je zoon?' vraagt hij aan Sally.

'Hij heeft werk. Paul heeft hem aan werk geholpen. In de vismijn.' Ze lacht. 'Hij zal stinken.'

'Is hij niet te jong om te gaan werken?'

'Het is een vakantiejob. Hij wil een laptop en een camera kopen en een programma om filmpjes te monteren. Paul zegt dat hij talent heeft. Hij heeft voor Werner een iPod gekocht. En ze zijn samen gaan varen.'

Een man komt de trap af, geeft zijn sleutel aan Sally en wurmt zich langs de kinderwagen naar buiten.

'Ook een prettige avond,' zegt Sally. 'Hoerenloper,' mompelt ze als hij zich buiten gehoorsafstand bevindt. Ze buigt zich naar Ben, schermt haar mond met haar linkerhand af en sist een naam in zijn oor. Dan kijkt ze naar de keukendeur, die gesloten blijft.

'Gerard?' vraagt Ben.

Ze knikt. 'Al drie kwartier.'

In de keuken begint een baby te huilen. Sally trekt haar geëpileerde wenkbrauwen op en kijkt veelbetekenend naar de kinderwagen.

'Gerard en zijn zoontje?'

Sally knikt. Tevergeefs probeert hij zich de naam van het halfje te herinneren en ook de naam van de moeder van het halfje wil hem niet te binnen schieten. Zenuwachtig flikkert het rode lichtje van de camera. Wat speelt zich in de keuken af?

'Het moest ervan komen,' zegt Sally.

Hij staart naar de keukendeur, maar er komen geen beelden. Hij ziet een houten deur, een koperen klink, een bordje met PRIVE.

'Ik heb altijd geweten dat het zo zou aflopen,' zegt Sally. 'Ze kon niet boos op hem blijven. En dan die baby's... Beter zo, Ben. Beter nu.'

'Aline en ik hebben een huis gekocht,' zegt hij.

'Je liegt,' zegt ze streng. 'Scheiden is moeilijker dan mensen denken.'

'Moeilijker en makkelijker,' zegt Ben.

'Scheiden doet lijden,' zegt Sally. 'Niet iedereen kan kiezen. Maar sommige mensen hebben geen keuze. Hoe is het met je moeder?'

'Goed,' zegt hij. 'Misschien komt ze binnenkort naar België.'

'Hoe oud was zij toen ze weduwe werd?

'Tweeënveertig.'

'Heeft ze iemand anders ontmoet?'

'Nee.'

'Ik had ook nooit gedacht dat ik iemand anders zou ontmoeten. Ik dacht: nu blijf ik voor de rest van mijn leven alleen.'

'Je hebt geluk gehad.'

'Een geluk bij een ongeluk,' zegt Sally, die Paul als haar vriend beschouwt, al beschouwt Paul haar niet als zijn vriendin. 'Heeft je moeder het internet al geprobeerd?'

'Ik denk het niet.'

'Ik ken vijf weduwen die via het internet een vriend hebben gevonden. Niemand hoeft nog alleen te blijven, Ben. Alleen blijven is iets van vroeger. Bij mij en Paul is het natuurlijk anders gegaan.' Ze glimlacht koket alsof Paul voor haar een draak heeft verslagen. Dan kijkt ze naar de keukendeur. 'Het probleem is dat ze mij nodig heeft. Maar ik kan niet eeuwig wachten. Ik moet aan mijn toekomst denken. En aan die van mijn zoon.'

'Maar straks is het pension verkocht.'

'Er staat hier veel te koop. Daarom is het nog niet verkocht. De mensen zijn niet altijd realistisch. Ze nemen hun dromen voor werkelijkheid.'

Een man met een roodverbrand gezicht duwt de glazen deur open en vraagt zijn sleutel. Hij draagt zijn spullen in een rugzakje.

'Wat een goddelijke avond,' zegt hij. Met lichte tred gaat hij de trap naar zijn kamer op.

'Ik kom later wel terug,' zegt Ben tegen Sally.

Zonder Aline kan hij niet schilderen. Hij schilderde voor hij haar kende, maar het was geen schilderen. Hij weet niet wat het was. Hij kocht verf en bracht die aan op een doek. Mensen bewonderden wat hij deed, maar het was waardeloos. Het liefst zou hij al het oude werk opkopen en verbranden. Dat is alles wat hij weet.

De man met het roodverbrande gezicht betrekt de wacht achter zijn deur. Zijn rugzakje ligt ongeopend op de grond. Als Aline straks de trap op gaat, zal hij haar grijpen en zijn kamer binnensleuren. Hij zal zijn hand voor haar mond slaan zodat ze niet om hulp kan schreeuwen. Uitgehongerd zal hij zich op haar storten. Uitgehongerd en hongerig. Aline beweert dat ze nooit iets met een van de gasten heeft gehad. Nooit is ze op weg naar het appartement voor een van de deuren blijven staan; nooit heeft ze ergens met een of ander voorwendsel aangeklopt.

'Nooit?'

Ze bloosde lichtjes.

'Bij Paul ging ik soms langs. Maar dat was anders.'

'In kamer 12?'

Ze knikte. En bloosde opnieuw.

Paul was anders. Er waren mannen, er waren vrouwen, er waren kinderen en dan was er Paul.

Paul was de vliegende keeper, die sleutels aan de gasten overhandigde, het ontbijt hielp serveren, facturen uitschreef, de was naar de wasserij bracht, boodschappen deed of samen met Sally schone lakens op de bedden legde. Gerard was ervandoor en Gerard moest worden vervangen. Na een week betaalde Paul niets meer voor zijn kamer, nog eens een week later zocht hij een huurder voor zijn huis bij Brussel en uiteindelijk trok hij bij Sally in, waardoor 12 weer vrijkwam. 'Wat een groot geluk was,' zegt Aline.

In die eerste maanden was Paul het luisterend oor. Hij was de man die zelf veel had meegemaakt en die haar daarom begreep. En zij begreep hem. Ze begrepen elkaar. Eerst waren er misverstanden geweest, maar die misverstanden hadden de band tussen hen gesmeed. Aline wil geen kwaad woord over Paul horen. Zonder hem had ze het niet overleefd. Hij was er voor haar zoals nooit iemand er voor haar was geweest. En ook Sally stortte haar hart bij hem uit. Ook zij klopte bij hem aan met haar emmertje vol zorgen en verdriet. Want ook Sally was ten einde raad. Haar zoon lachte haar in het gezicht uit en weigerde zich aan afspraken te houden. Telkens opnieuw kwam hij in aanraking met de politie. En dan moest zij naar dat kantoor om verklaringen af te leggen en vragen te beantwoorden. Zij deed alleen haar plicht. Nooit nam ze iets waar ze geen recht op had, altijd stond ze voor iedereen klaar. Ze at te veel chocolade. Dat was het enige verwijt dat men haar kon maken. Maar verder? Wat deed zij verkeerd?

Op een dag waren ze met zijn allen gaan varen: Paul, Sally en haar zoon, Aline en de kinderen. Paul had een boot gehuurd en was met hen tot in Oostende gevaren. Daar had hij hen door de stad gegidst. Op de terugweg had hij Sally's zoon laten varen en ook Jakobien en Jasper hadden samen met hem aan het stuur gestaan. Na die tocht had Sally al haar moed bijeengeraapt en voorgesteld dat hij bij haar introk. De logeerkamer werd nooit gebruikt. Paul had toegehapt. 'Niet voor Sally,' zegt Aline, 'maar voor Werner.'

Aline kan nog altijd een beroep op hem doen. Als er niemand is om de telefoon aan te nemen of boodschappen te doen of kamers schoon te maken, is Paul de redder in de nood. 'Niet voor Sally,' denkt Ben, 'en ook niet voor Werner, maar voor Aline.' Paul wil geen centen voor zijn hulp. Hij schuift mee aan tafel en hij drinkt graag een glas wijn, maar meer wenst hij niet. 'In feite,' zegt Aline, 'gedraagt hij zich zoals ik me voorstel dat een vader zich zou gedragen.' Papa Paul mag ook niets verdienen. Hij is met ziekteverlof.

*Ben*

Ben hoeft niet te weten wat er ooit tussen Aline en Paul is gebeurd. Veel meer, vermoedt hij, dan ze bereid is toe te geven. Het interesseert hem niet. Echt niet.

Luid krakend breekt het pension uit de huizenrij los. Het buitelt over de bank, stort van de dijk op het strand en spoelt weg. Opgewonden vertellen de meeuwen elkaar het nieuws: alle kamers en bedden zijn weg en helaas heeft niemand Sally of haar zoon of haar vriend, die haar vriend niet is, kunnen redden.

In zijn atelier probeert Ben te werken, maar hij kan zich niet concentreren. Hij heeft te lang gewacht om het doek af te maken. Nu kan hij er niets meer aan toevoegen of veranderen. Het is een onaf af doek. Zoals het leven, denkt hij. Hij stuurt een mailtje naar de opdrachtgevers en nodigt hen uit het te komen bezichtigen. 'Het is anders,' schrijft hij, 'dan wat ik tot nu toe heb gemaakt.'

Daarna tikt hij het nummer van De Moeder in. La Mamma. Na twee tellen neemt ze op.

'Je belt te vaak. Ik heb geen vijf minuten rust. Straks neemt de jongen op.'

'Koop een mobiele, Cil.'

Ze zwijgt. Hij dringt niet aan. Hij haat het als Aline bij hem is en met Gerard of haar moeder of de kinderen belt of sms't. Nooit vergeet ze haar toestel. Altijd heeft ze het bij zich. Als het trilt of zoemt of rinkelt, reageert ze meteen. In een restaurant ligt het naast haar bord. Tijdens een voorstelling zet ze het op trilfunctie, maar als Jasper of Jakobien belt, loopt ze ermee de zaal uit. Als de kinderen bij Gerard zijn, belt ze hen iedere avond. Ze wil weten wat ze hebben gegeten en wat ze op school hebben gedaan en wanneer ze gaan slapen en of ze van mama houden. En mama houdt heel veel van hen. Mama zendt veel kussen en knuffels en ze houdt heel heel veel van hen. Ze zijn haar liefste schatten. 'Zouden alle gescheiden ouders dat doen?' vraagt hij soms. 'Wat doen?' vraagt ze.

'Voortdurend bellen?' Ze haalt haar schouders op. Hij heeft geen kinderen. Denkt ze. Hoort hij haar denken. Spreekt ze niet uit. Om hem niet te kwetsen. Als hij kinderen had, denkt Aline, zou hij haar begrijpen. Anders dan Ben begrijpt Paul haar wel, al heeft ook hij geen kind. Hij had een kind, maar hij heeft het verloren. Slordig van Paul. Als een zielenpoot sleepte hij de kleren van de jongen in een Samsonite overal met zich mee.

'Ik heb gehoord dat je nog altijd schildert,' zegt Cil.

'Ja,' zegt hij. Het klinkt als een ziekte. Een hebbelijkheid. Iets wat hij dringend moet afleren.

'Heb je je eigen atelier?'

'Ja.'

'Het gaat niet goed tussen Wim en mij. Hij is tot alles in staat. De telefoon laten aftappen, bijvoorbeeld. Hij vindt het verdacht dat ik zoveel bel. En dat ik dikwijls de hoorn neerleg, wanneer hij binnenkomt.'

'Als ik jou niet kan bellen, hoe kan ik je dan bereiken?'

'Het punt is ook, Ben, dat we niet zeker zijn.'

Hij zucht. 'Goed dan. We zijn niet zeker. Bel me als je zeker bent.'

Voor het eerst in hun miezerige geschiedenis is hij degene die het gesprek afbreekt. Hij ruikt zijn eigen zweet. De hoorn is nat van zijn zweet. Hij wil de jongen, niet haar. Het gaat niet goed tussen haar en Wim. Wim, die hem nog minder interesseert dan Gerard of Sally of Werner of Paul. En ook zij interesseert hem niet. Ze is de hindernis die hij moet nemen om zijn zoon te bereiken.

Bij hem thuis was zijn vader de enige die het telefoontoestel mocht gebruiken. Het stond in de woonkamer op de hoek van de buffetkast die aan boord van hetzelfde schip als zijn moeder van Londen naar Antwerpen was gereisd, maar alleen hun vader mocht bellen of telefoon ontvangen, zoals hij ook de enige was die de televisie en de radio aan en uit mocht zetten. Zelfs van de lichtschakelaars en de kranen moesten ze eigenlijk afblijven. En ook de krant mochten ze pas lezen wanneer hij er klaar mee was. Zijn vader riep in de telefoon. Hij brulde alsof hij in permanente angst verkeerde dat een boodschap van levensbelang niet zou worden verstaan. Als hun moeder met iemand wilde bellen, legde ze het nummer op een briefje klaar. Hij draaide het; hij kondigde aan dat zijn vrouw de hoorn van hem zou overnemen en hij besliste wanneer er lang genoeg was gepraat. Zijn moeder voerde de gesprekken met haar familie in het Engels. Ze zei dat ze het goed maakte; ze vroeg of haar familie het goed maakte; ze liet weten dat ze niet veel langer kon bellen; ze zei dat haar man klaarstond om de hoorn van haar over te nemen. Ook inkomende gesprekken werden gerantsoeneerd. Toen zijn vader van de ladder was gevallen die hij had gebruikt om een lamp te vervangen, durfde niemand de telefoon aan te raken om een dokter te bellen. Ze liepen naar de buren en vroegen of zij een arts konden bellen. Die arts wist hun te vertellen dat hun vader zich had geëlektrocuteerd. Ben was toen dertien, zijn zussen zeventien, achttien en negentien.

Hij neemt de hoorn en ruikt opnieuw het zweet. Hij vist een zakdoek uit zijn broekzak, wikkelt de hoorn erin en tikt het nummer in van zijn oudste zus, die in Tel Aviv in een weeshuis werkt. Hij vertelt over Aline en over de plannen die ze hebben om in het najaar naar Israël te reizen.

'Is ze Joods?' vraagt ze.

'Nee,' zegt hij.

'Arme mama!' Hij hoort haar heldere lach. Dan vraagt ze hem of er nieuws is over die vermiste meisjes. Ze volgt de zaak op het internet, maar het stond ook bij hen in de krant. 'Vanwege Dutroux,' zegt ze. 'Door hem is elke verdwijning van Belgische meisjes internationaal nieuws. Denk je dat ze nog leven?'

'Nee,' zegt hij. 'Ik denk niet dat ze nog leven.'

'Sabine leefde nog. En Laetitia.'

'Dat is waar.'

'Je mag nooit de hoop opgeven. Herinner je je Isak Stein?'

'Ja,' zegt Ben. 'Ik herinner me Isak Stein.'

De uit den dode teruggekeerde Isak Stein, die hun als voorbeeld voor ogen werd gehouden. Isak Stein had aan de woorden moed en volharding een nieuwe betekenis gegeven. En goddank had mevrouw Stein al die jaren het geloof in haar man niet verloren. God bless mevrouw Stein!

In het weeshuis waar zijn zus werkt, zijn drie opvoeders gearresteerd op beschuldiging van misbruik. Sindsdien durft niemand nog alleen met een kind te zijn. Vroeger ging zijn zus soms bij de kleintjes liggen, zoals ze dat bij haar eigen kinderen doet, om hun een verhaaltje te vertellen of om samen een liedje te zingen, maar nu is ze als de dood dat een van die kinderen haar beschuldigt. Dan is het hun woord tegen het hare. Ondanks het verzuurde klimaat wil ze dat hij in het weeshuis met de kinderen komt werken. Samen met de kinderen zou hij de muren van de slaap- en eetzalen moeten versieren. 'Want, Ben Frank,' zegt ze streng, 'het is de hoogste tijd dat jij eens iets voor iemand anders doet.'

'Je weet dat dat tegen mijn principes is,' antwoordt hij met een lach.

Hij houdt niet van kinderen en hij houdt niet van het werk van kinderen. Het is oninteressant, overgewaardeerd, monotoon, voorspelbaar. Hij begrijpt niet waarom het werk van kinderen systematisch wordt opgehemeld. Kinderen horen op papier te kladderen, niet op een muur. Hij moet Aline uit de buurt van zijn zus houden. Die twee zullen tegen hem samenspannen om hem voor karretjes te spannen waarvoor hij niet gespannen wil worden. Maar tegelijkertijd wil hij dat ze elkaar ontmoeten. Zijn zussen en zijn moeder moeten haar in hun armen sluiten. Allemaal moeten ze van haar houden.

Als ze om negen uur nog niets van zich heeft laten horen, verwittigt hij het restaurant. 'De keuken sluit om tien uur,' wordt hem gezegd. 'We doen ons best,' antwoordt hij. Hij eet een boterham en gaat opnieuw de deur uit. De bank is door drie dikke vrouwen met kroost ingepalmd, de zon is een vuurrode bal en de roze neonletters schrijven nog altijd over het gezicht van Nathalie dat het pension vol zit. Sally heeft de zorg voor de receptie aan de camera overgelaten, in de salon wordt op de piano getokkeld en de kinderwagen staat waar hij daarnet stond. Ben wacht bij de receptie. Hij wacht altijd bij de receptie. In de keuken, in het kantoor en in de woonkamer van het appartement hangen televisieschermen, waarop ze hem kan zien. Hij wil dat ze alles voor hem laat vallen en naar hem toe komt. Dat ze samen met hem het pension verlaat. Hij wil haar stem horen, die zegt: 'Kom, kinderen, Ben neemt ons mee uit eten!'

Een jonge vrouw met een rugzak duwt de deur open. Ze heeft kort blond haar, een rustige blik, een regelmatig gezicht en een mooi, gespierd lichaam.

'Zijn er nog kamers vrij?' vraagt ze.

'Ik geloof van niet.'

Terwijl haar blik op de kinderwagen rust, wordt ze door de camera ontdekt. Zenuwachtig bloost het lichtje op zijn voet.

'Is het veilig, denkt u, om op het strand te slapen?'

'Dat zou ik niet doen, nee.'

'Ik heb een slaapzak,' zegt ze.

'Het is niet veilig,' zegt hij. 'Nu is het eb, maar bij vloed spoel je weg.'

'En in de duinen?'

'Daar is het nog minder veilig.'

Vroeger zou hij haar een bank of een bed hebben aangeboden. Hij zou haar hebben gezien als het begin van een verhaal dat hij samen met haar wilde ontdekken. Nu wil hij Aline. Niet vanwege haar, maar vanwege de beelden die uit haar stromen. Hij wil haar en hij wil zijn zoon. Maar hij wil vooral haar.

'Ik ken iemand die je misschien kan helpen,' zegt hij.

Hij neemt zijn gsm en drukt Alines nummer in. Het toestel rinkelt en rinkelt en rinkelt. Dan krijgt hij de voicemail.

'Sorry,' zegt hij. 'Er wordt niet opgenomen.'

Eindelijk gaat de keukendeur open. Niet Aline, maar Paul heeft hem opgemerkt.

'Aline is boven, Ben. Ik zou hen even met rust laten.' Paul ziet er vermoeid uit, maar Paul ziet er altijd vermoeid uit. Aline vermoedt dat hij nog steeds pillen slikt.

'Deze vrouw is dringend op zoek naar een kamer.'

'We zitten vol. Het spijt me. Probeer de camping. Ze verhuren stacaravans.'

'Waar?' vraagt ze.

'Neem de tram richting Oostende. Bij de derde of de vierde halte moet je uitstappen. Je ziet het kampeerterrein liggen. Vraag het aan de conducteur. Die zal je helpen.'

'Dank je.'

Samen kijken ze haar na.

'Soms denk ik,' zegt Paul, 'dat het woordje "vol" meer gasten lokt dan afschrikt.'

'Laat Aline mensen in de salon slapen? Als het uitzonderlijk druk is, bijvoorbeeld?'

'Nee. Aline zegt altijd dat ze de gasten vergeet zodra ze de deur uit zijn. Anders blijft ze bezig. Vol is vol. Als ze van de salon een slaapzaal maakt, jaagt ze de andere gasten weg. Het is een pension, geen tehuis voor daklozen of wezen of zwervers.'

'Vroeger zou ik haar een bed hebben aangeboden.'

'Ik ook. Ik zou haar hebben willen redden.'

'Zoals je Aline wilde redden? Of hebt gered?'

'Aline?' Paul glimlacht breed. 'Aline heeft mij gered. Ik ben de

*Ben*

enige uitzondering op de regel dat ze zich niet om de gasten be-
kommert als ze eenmaal de deur uit zijn. Ze krijgen een kamer met
ontbijt, schone lakens en handdoeken, maar geen therapie. Ze
houdt van jou omdat je geen therapie nodig hebt.'

'Zegt ze dat?'

Paul knikt. 'Ze zegt dat voor jou je werk op de eerste plaats
komt. Daarna pas komt zij. Dat vindt ze prima. Mensen storten
hun hart bij Aline uit. Of ze willen met haar een glas drinken en
plezier maken. Eerst vertellen ze haar hun zorgen en daarna willen ze bij haar die zorgen vergeten. Mij vond ze verdacht omdat ik
haar helemaal niets toevertrouwde. Ik was de stille, zwijgzame
gast, die contact met haar kinderen zocht in plaats van met haar.
En ik ging rijden. Ik ging met de auto rijden en ik nam jongens
mee. Aline dacht dat ik iets van die jongens wilde. Ik wilde ook iets
van hen, maar niet wat ze dacht.'

'Wat wilde je?'

'Ik wilde bij hen zijn. Ik wilde hun geur inademen, hun stem horen. Ik had niemand. Ik was dankbaar als zo'n jongen een kwartiertje naast me in de auto zat en over zichzelf vertelde. Ik zocht een
zoon.' Hij glimlacht meewarig. 'Ik was me niet bewust van de indruk die ik wekte. Ik wilde die jongens helpen. Er was zoveel dat ik
voor ze kon doen. Ze zijn zo kwetsbaar. Ze denken dat ze sterk zijn,
dat ze alles aankunnen, maar... En ik was eenzaam natuurlijk. Zo
verschrikkelijk eenzaam. Ik had alleen die jongens. En die had ik
niet. Aline heeft me toen gered. Ik was... Als je altijd alleen bent,
dan...' Ze staren naar de affiches van de twee verdwenen meisjes.
'Er staat wijn in de keuken. Heb je zin in een glas wijn?'

'Nee, dank je.'

'Je hoeft niet bang te zijn dat ik je gênante details vertel. Er zijn
nooit gênante dingen gebeurd.'

'Een andere keer, Paul. Ik heb met Aline en de kinderen afgesproken.'

'Dat zal voor een andere keer zijn, Ben. Ze heeft me gevraagd of ik het vanavond van haar kan overnemen. Straks komt Sally en dan zetten we samen het ontbijt klaar. Eén glaasje wijn. Heb je die film *Munich* gezien? Daarin vraagt de ene Joodse man aan de andere: "Will you break bread with me?", maar die andere wil dat niet, en blijkbaar is dat heel onbeleefd binnen de Joodse cultuur. Ik wil je iets vragen.'

'Wat wil je me vragen?'

'Als ik jou een foto van mijn zoon geef, zou je hem dan kunnen schilderen? Hij speelde klarinet. Soms zie ik hem staan op de pier. Of boven op het dak van het pension. Of op het uithangbord. Of op de golven. Maar altijd met zijn klarinet.'

'Het is jouw beeld. Jij moet het schilderen.'

'Is het zo eenvoudig?'

'Het wordt pas lastig als de beelden uitblijven. Waarom koop jij het pension niet? Je zou het samen met Sally kunnen runnen. Jullie zouden in het appartement kunnen wonen.'

'Ken jij de vraagprijs voor het pension? En trouwens, ik ga in september weer lesgeven. Er lopen op deze planeet engelen rond die voor mij hebben gezorgd. Mijn buurman heeft mijn huis in de gaten gehouden en mijn therapeute heeft de school waar ik werkte ervan overtuigd dat ik genezen ben. Ik ben ook genezen. Dankzij Aline ben ik genezen. Zij is mijn oppertherapeute.'

'Je gaat weg?'

'Ik ga weg. Iedereen gaat hier weg zodra er een koper is gevonden. Het doek valt. The End. Daar heb je er nog twee. Komen ze binnen? Ja, ze komen binnen. 'Goeie avond, het spijt me, maar we zitten vol. Alle bedden zijn bezet. Probeer de camping. Ze verhuren stacaravans.'

En opnieuw moet worden uitgelegd hoe die camping kan worden bereikt. Ritmisch glijdt de camera heen en weer. Beelden worden doorgeseind, maar niemand lijkt er ook maar de minste interesse voor te hebben. Ben kan er nog uren staan. De twee druipen af en ook Paul verdwijnt. Hij is opnieuw alleen met de camera.

De telefoon rinkelt. 'Pension Saline,' zegt hij met vaste stem. 'Algera, ja. Nee, we zijn vol. Het spijt me. Maar u kunt altijd de camping proberen. Daar worden comfortabele stacaravans verhuurd. De tram, ja. Richting Oostende.'

Hij is de zoon van zijn vader, de man die de wet stelde. Zijn handen zweten niet. Zijn hart klopt rustig. Geen scène. Hij wil geen scène.

In neonletters schrijft iemand 'wordt liefgehad' over Aline. En daarna voor alle duidelijkheid: 'bezet', 'occupée', 'occupied'. Eén voor één kloppen ze aan. Blind zijn ze voor de boodschap. Ze worden gelokt in plaats van afgeschrikt. Hij, Ben, heeft als lokaas gediend. Hij ziet zichzelf de trappen op gaan, langs de kamers van de gasten, naar het appartement waar hij nooit voldoende zuurstof krijgt. Wat als ze de deur niet openmaakt? Wat als ze met kille stem weigert met hem mee te gaan? Ze weet dat hij hier staat. Ze hebben duidelijk afgesproken. Hij neemt haar en de kinderen mee uit eten. Waarom laat ze hem wachten?

Paul verschijnt in het gezelschap van twee vrouwen die het plan hebben opgevat een avondwandeling te maken. Ze dragen identieke gele t-shirts.

'Tot middernacht kunt u binnen,' waarschuwt Paul. 'Wordt het later, dan hebt u een sleutel nodig. Je weet nooit wat er gebeurt of wie je ontmoet. Echt geen sleutel?'

'Nee, nee!'

Vrolijk wuift Paul hen uit. Dan duwt hij de kap van de kinderwagen naar beneden.

'Ze houdt van jou, Ben. Ze neemt hem niet terug.'

'Dat weet ik. Maar we hebben een afspraak.'

Paul zucht. De man is een plaat die hapert. 'Kijk, dat was hij.'

'Je zoon?'

'Ik kan hem niet schilderen, Ben. Als jij een beeld hebt, kun je het schilderen. Ik niet. Jij bent de schilder. Neem de foto mee. Zet ze op de kast. Leef er een tijdje mee. Misschien komen de beelden dan.'

'Dat gaat niet, Paul. Ik kom hier voor Aline. Aline en ik hebben afgesproken dat ik haar en de kinderen mee uit eten neem.'

'Het is bijna tien uur, Ben. De kinderen liggen al in bed. Jako-bientje gaat morgen op schoolreis en Jasper heeft sportdag.'

'Als ik nu wegga, kom ik nooit terug. Kun je haar dat zeggen? Kun je de trap op gaan en haar zeggen dat Ben beneden op haar wacht? Dat ze hem niet langer kan negeren, maar nu moet kie-zen?'

'Waarom geef je haar niet de tijd? Soms hebben mensen tijd nodig. Dat is het mooiste cadeau dat je kunt geven: tijd.'

'Ik kan haar niet de tijd geven. Als ik haar de tijd geef, dan is het kapot. De tijd die ik haar geef is nu. Kun je voor mij op de deur van het appartement kloppen en zeggen dat ze nu moet kiezen? Kun je haar zeggen dat ik hier wacht en wacht onder de camera, maar dat zij doet alsof ze me niet ziet? Kun je dat doen voor mij? Ik zal mensen naar de stacaravans doorverwijzen en sleutels overhandi-gen en de telefoon opnemen. Maar kun jij voor mij die trap op gaan? Nu?'

'Het spijt me, Ben. Je mag Aline niet verscheuren. Geef haar de tijd. Ga wandelen. Drink een glas met mij. Help me het ontbijt klaarzetten. We kunnen samen televisiekijken.'

Hij schudt zijn hoofd. Als zij niet kan kiezen, als zij moedwillig aan het verleden blijft vastkleven, als ze zich dieper en dieper wil ingraven in iets waar hij niets mee te maken kan hebben, dan inte-resseert ook zij hem niet meer. Dan vergeet hij haar, het huis waar-op hij een bod wil doen, het atelier, zijn zoon. Dan mag de jongen zijn plechtige communie doen. Dan verkoopt hij alles wat hij heeft en emigreert ook hij naar Israël. Dan krijgt zijn moeder eindelijk haar zin en mag ze een geschikte bruid voor hem zoeken. Eentje die met een certificaat wordt afgeleverd: honderd procent Joods. En maagd, natuurlijk.

Hij kijkt naar de trap, maar hij gaat hem niet op. Terwijl hij zich langs de kinderwagen wurmt, herinnert hij zich dat de baby Xavier heet en dat zijn oma in Spanje in een klooster voor het welzijn van de wereld bidt en dat ook Ana Lucía stevige contacten met de spirituele wereld onderhoudt. En hij vloekt omdat al die faits divers over mensen die hem geen reet interesseren in zijn geheugen vastgekoekt zitten. Als pek.

Tot middernacht blijft hij met zijn gsm in de hand in zijn atelier voor het onaffe doek zitten wachten. Dan gaat hij naar bed.

In het appartement boven het pension kijkt niemand naar de beelden die door de camera worden doorgestuurd. Ben heeft gelijk: als de ramen niet openstaan, is het er muf. Dat komt door de lage plafonds en het minderwaardige isolatiemateriaal dat is gebruikt toen de zolder als woonruimte werd ingericht. In een huis op de dijk is elke vierkante centimeter kostbaar, ook in een huis dat oud en versleten is en door de volgende eigenaar hoogstwaarschijnlijk wordt gesloopt om een veel hoger appartementsgebouw neer te zetten. En daarom, zo heeft de makelaar Gerard en Aline verzekerd, kunnen ze een mooie som verwachten. 'In feite,' zei de makelaar, 'verkopen jullie de grond.'

In alle kamers staan de ramen open en houden horren de muggen buiten. Gerard en Aline zitten tegenover elkaar aan de keukentafel. Het lijkt of Gerard nooit is weg geweest. Of hij van een lange reis is teruggekeerd om zijn oude vertrouwde plekje in te nemen. Hij ziet er ouder uit dan twee jaar geleden. Het verdriet heeft hem getekend. Op het aanrecht staan vuile borden. Daarnet heeft Aline een omelet gebakken, want ze had alleen brood, uien en eieren in huis. Als dessert hebben de kinderen een ijsje gekregen. Nu liggen Jasper en Jakobientje in bed met hun halfbroertje tussen hen in. Als Gerard naar huis gaat, zal hij zijn zoontje voorzichtig uit het grote bed pakken. Hij heeft beloofd dat hij hun allebei een kus zal geven en ook van hun broertje zullen ze een kus krijgen voor hij vertrekt. Het jongetje is nooit eerder in het appartement geweest, en ook Gerard heeft er sinds de zomer van 2004 geen voet meer gezet. Dat wilde Aline niet en ook hij wilde het niet. Aline wilde duidelijkheid. Als Gerard weg was, dan wilde ze scheiden. En als ze niet konden scheiden zolang het huis niet was verkocht, dan wilde ze een feitelijke scheiding. Zelfs in de keuken beneden liet ze Gerard liever niet meer binnen en ook in het kantoor, waar hij ontelbare uren had gesleten, was hij niet welkom. Verder dan de receptie hoefde hij niet te komen. Dat was beter voor de kinderen, had ze gelezen. De kinderen hadden heldere afspraken nodig. En ook zij had die nodig. Niets zou ooit nog hetzelfde zijn. Dat was zijn keuze, niet de hare.

Raf had verzet aangetekend. Hij had haar gedrag hysterisch genoemd. En toen had kapitein Raf het schip verlaten. Er was geen nieuwe nachtwaker gekomen. Gasten die na middernacht buiten bleven, kregen voortaan een sleutel van de voordeur mee. Het had haar verbaasd hoe vervangbaar Raf was gebleken. Zelfs Gerard was vervangbaar.

Nu alle afspraken met voeten zijn getreden, nu Gerard met zijn zoontje in de armen de trap op geklommen is, zoals hij dat ooit met Jasper en Jakobientje heeft gedaan, nu hij samen met Bientje en Jasper in de keuken van hun moeder een omelet heeft gegeten en zelfs in de kamer geweest is waar hij jaren met Aline geslapen heeft, lijkt zijn aanwezigheid de normaalste zaak van de wereld. Dit zijn hun privévertrekken. Niemand hoeft hun hier de les te komen lezen. Ook Ben niet.

Aline neemt de man op met wie ze jaren heeft samengewoond en ze weet dat ook hij haar bestudeert. Ze denkt niet aan de afspraak die ze met Ben heeft gemaakt om met hem en de kinderen uit eten te gaan. Die afspraak is in het water gevallen. Of in de zee.

'Je ziet er goed uit,' zegt hij.

'Jij ook. Hoe langer je bij me weg bent, hoe beter je eruitziet.' Het is een leugen. Gerard ziet er gesloopt uit. Links en rechts van zijn mond loopt een groef.

Hij schuift zijn stoel naar haar toe en grijpt haar hand.

'Ik zal het je nooit vergeven,' zegt ze. 'Ik wil het je ook nooit vergeven. Ik wil niet een vrouw zijn die haar man zoiets vergeeft. Haar ex-man.'

'Sluit je ogen en zeg me wat je voelt. Niet wat je moeder of Sally voelt, of wat ze vinden dat jij moet voelen.'

Aline glimlacht schamper. Sally noemde de dood van het eerste kindje Gerards verdiende straf. 'Soms,' beweerde ze, 'bestaat er een hogere gerechtigheid.'

'Wat voel jij, Aline, nu je hier met mij zit?'

'Je wilt dat ik mijn ogen sluit?'

'Ja.'

'En wat ga jij dan doen?'

'Niets.'

Ze sluit haar ogen. 'Ik ben blij als een kind dat je hier bent. Ik heb zin om de hor weg te nemen en met jou uit het open raam te hangen zoals we dat vroeger deden. Ik heb zin om met jou over de gasten te roddelen. Ik heb zin om met jou over Sally en Paul te kletsen. Ik heb zin om met jou te vrijen, maar ik zal niet met jou vrijen.'

'Echt niet?'

'Echt niet. Ik heb ja gezegd voor de kinderen, niet voor jou.'

'Ana Lucía zal je heel dankbaar zijn.'

'Zo dankbaar dat je vannacht bij mij mag blijven? Is dat de deal? Ik hoef Ana Lucía's cadeautjes niet. Heb ik je al verteld dat mijn moeder in september naar Mali vertrekt?'

'Bien heeft het me verteld. Ga je haar bezoeken?'

'In Mali? Ik heb al heimwee als ik drie dagen naar Antwerpen ga.'

'Dus je begrijpt Ana Lucía een beetje?'

'Ik wil Ana Lucía niet begrijpen. En ik wil ook jou niet begrijpen. Jullie hebben dingen gedaan die ik onbegrijpelijk vind. En vraag me niet opnieuw wat ik voel. Je had beter twee jaar geleden van mijn gevoelens wakker kunnen liggen. Ga nu, Gerard. Ik heb een afspraak met een andere man. Om acht uur.'

'Hou je van hem?'

'Dat zijn jouw zaken niet, Gerard. Jij trekt je met je vriendin een maand in een Spaans klooster terug en ik zorg intussen voor het halfbroertje van mijn kinderen. Punt uit.'

'Je bent wel wat laat voor je afspraak, Aline. Ik denk niet dat Ben nog wacht.'

'Hoe laat is het?'

'Kwart voor tien.'

'Echt waar?'

'Echt waar.'

'Ben haat wachten. Hij komt nooit te laat, maar hij hoeft ook met niemand rekening te houden: geen kinderen, geen pensiongasten, geen ex-echtgenoot. Volg jij die zaak van Stacy en Nathalie?'

'Iedereen volgt die zaak. Maar ik wist dat de affiches hier zouden hangen. Ik ken jou. Ik weet hoe dikwijls je de kinderen belt.'

'Ik zou geruster zijn als jij en Ana Lucía minder gerust waren. Ik begrijp niet hoe jullie zo gerust kunnen zijn. Na wat er is gebeurd.'

'Ana Lucía en ik geloven dat alles wat gebeurt moet gebeuren. Wij bidden niet om ongeluk af te wenden of geluk af te dwingen.'

'Ik wil niet dat je voor mij bidt, Gerard. Je zou me een groot plezier doen als je niet voor me bidt. Of voor mijn moeder. Ik wil zelfs niet dat je voor de kinderen bidt.'

'Bidden is complexer dan jij je voorstelt, Aline. Ik bid niet "voor" iets of iemand. Maar ik zal niet voor je bidden. Jij hebt mijn gebed niet nodig.'

'Jij hebt het mijne nodig, maar dat krijg je niet. Ik val nog liever dood dan dat ik voor je bid.' Maar ze zegt het met een lach. Op deze zomeravond slaagt ze er niet in woedend op hem te zijn. Ze slaagt er allang niet meer in.

Alsof iemand hun een teken gegeven heeft, staan ze op en lopen naar de woonkamer. Met een snelle blik op de monitor ziet Aline dat de kinderwagen nog altijd beneden in de hal staat. Ze denkt aan haar gsm die in haar handtas zit en waarop Ben haar de hele avond zal hebben proberen te bereiken. Ze heeft de gsm op trilfunctie gezet. De gsm is voor Jasper en Jakobien. Als die bij haar zijn, heeft ze hem niet nodig. Toen de baby stierf, heeft Gerard haar gebeld. Het vreselijke nieuws is uit de gsm in haar oor gedrongen. Het nieuws was niet voor haar, maar voor de kinderen bestemd. Dit waren de instructies: ze moest Jasper en Jakobien wekken en vertellen wat er was gebeurd; ze moest hen thuishouden; ze moest met hen naar het ziekenhuis gaan; ze moesten de dode baby zien. Omdat Gerard klonk alsof hij naar het appartement zou komen als ze zijn verzoek weigerde, omdat hij klonk alsof hij de kinderen uit hun bed zou halen en in hun pyjama naar het ziekenhuis zou brengen om er hun dode broertje te zien, beloofde ze hem alles te doen wat hij vroeg. Het was zes uur, de baby was kort na middernacht geboren. Hij had gedronken en daarna was er met zijn hartje iets misgegaan. Niemand begreep wat er was gebeurd. Ook de artsen niet. Alleen Ana Lucía begreep het: hij had een oude ziel. Zijn geboorte was een vergissing geweest.

Aline had Jasper en Jakobien gewekt. Ze had hen bij zich in bed genomen en toen had ze het verteld. Ze had hun gevraagd of ze hun broertje wilden zien. Eerst had Jasper nee gezegd, en toen ook Jakobien. Ze had hun gevraagd of ze thuis wilden blijven. Eerst had Jasper nee gezegd, en toen ook Jakobien. Ze had de kinderen naar school gebracht en was naar het ziekenhuis gereden. Ze was niet naar de kamer gegaan waar Ana Lucía lag, maar ze had Gerard gebeld en gevraagd naar beneden te komen. Ook zij had gehuild. Samen hadden ze op een bank in de hal van het ziekenhuis gehuild. Gerard zag eruit alsof hij in geen jaar zijn bed had gezien. Het was goed, zei hij, dat ze de kinderen zelf had laten beslissen. Ana Lucía zou het begrijpen. Maar Aline was bang dat Ana Lucía het niet had begrepen. Ze was bang dat ze het haar kinderen kwalijk nam.

Ook zij had geweigerd de dode baby te zien. Ana Lucía had hem twee dagen en twee nachten bij zich gehouden. De derde dag mochten ze hem eindelijk wegnemen. Zijn ziel had zijn lichaam verlaten, zei ze. Wat ze afstond was nu letterlijk zijn stoffelijk overschot. Aline had de begrafenis niet bijgewoond, maar haar onverzettelijkheid tegen Gerard was aangetast. Ze kon hem niet meer haten nu ze hem zo gebroken had gezien. Ook zij treurde om de baby naar wie Jakobien en Jasper zo hadden uitgekeken en voor wie ze tekeningen hadden gemaakt. Ze wist één ding: nooit had ze de baby iets slechts toegewenst. Ze voelde triomf noch voldoening. Ook zij was in diepe rouw. Omdat Gerard haar die nacht als eerste gebeld had, omdat zijn twee levende kinderen op dat moment in haar appartement sliepen, was het alsof de catastrofe hen allebei had getroffen. Het werd iets wat ze samen hadden beleefd. Ze probeerde hem nog te haten, maar het was geen zuivere haat meer. Ze kon hooguit nog doen alsof.

Nu staan ze onwennig in de woonkamer. De geluiden van de dijk en het strand worden tot boven gedragen. Ze ruiken de zee.

'Hier?' vraagt hij.

'Ja,' zegt ze. 'Hier.'

Als Gerard na middernacht met zijn zoontje in zijn armen de trap af sluipt, ziet hij een streep licht onder de keukendeur. Voorzichtig legt hij Xavier in de kinderwagen. Daarnet heeft Aline hem een flesje gegeven. Ze heeft met hem rondgelopen tot hij een boertje liet. En Bien, die wakker was geworden, heeft hem een schone luier omgedaan, want mama, zei ze, was dat niet meer gewend. Mama had grote kinderen, kinderen die allang geen luier meer nodig hadden. Als Xavier bij hen kwam wonen, zou zij voor hem zorgen. Zij was dat gewend.

Gerard heeft tegen Aline gelogen. Ana Lucía en hij gaan niet een maand in een klooster bidden. Hij weet nog niet wat ze zullen doen. Hij weet alleen dat Ana Lucía hem gesmeekt heeft de baby uit haar buurt te houden. Ze wil deze baby niet, ze wil de baby die ze verloren heeft en waarvan ze dacht dat hij in de nieuwe baby opnieuw geboren zou worden, maar het is een andere baby, een baby met een nieuwe ziel, de andere had een oude ziel, zo oud dat hij maar even heeft geleefd. Hij had nog een paar uurtjes op aarde nodig, zegt ze, voor hij voorgoed vertrok. Ze hebben hem geen naam gegeven. 'We moeten hem laten gaan,' zei ze. 'Hij wil gaan. We mogen hem niet dwingen hier te blijven. Als we hem laten gaan, dan komt hij terug.' Maar hij is niet teruggekomen. Zijn ziel was klaar voor het nirwana.

Een kind is een kind is een kind. Dat zei Aline altijd, en dus is hij bij Aline gaan aankloppen. Hij kent haar. Hij weet dat ze zal smelten als ze de baby ziet. Het is een prachtig kind. Hij kan zijn ogen niet van hem afhouden. Bien en Jasper zijn nog altijd welkom bij Ana Lucía, maar het is baby Xavier die ze niet verdraagt. Hij ziet hoe ze haar best doet. Hij weet hoe ze onder haar afkeer van dit kind lijdt. Zweetdruppels parelen op haar voorhoofd, als ze voor haar altaar zit en bidt. En ook haar moeder in het verre klooster bidt. Hij wil haar niet verliezen. Hij wil niet dat ze zich in het hoofd haalt dat ze uit zijn leven moet verdwijnen omdat ze hem ongeluk brengt. Ze brengt hem geen ongeluk. Ze brengt hem geluk én ongeluk. Hij is als de dood dat ze het voorbeeld van haar moeder volgt. En dus wil hij haar uit hun veel te kleine appartement weghalen. En dus heeft hij Aline gevraagd het pension te verkopen, want hij heeft het geld nodig. Hij had het haar cadeau willen doen, zoals zij het hem ooit cadeau heeft gedaan. Half van hem, half van haar, samen van hen. Hij was echt van plan van haar weg te wandelen zonder iets mee te nemen. Maar nu heeft hij het geld domweg nodig. Niet voor zichzelf, maar voor Ana Lucía. En ook voor zichzelf.

Hij heeft niet uit dankbaarheid met haar gevrijd. En zeker niet om haar om te praten, want ze had al ja gezegd. 'Ja, ik wil wel een maand voor Xavier zorgen.' Hij heeft met haar gevrijd omdat hij met haar wilde vrijen. En ook zij wilde het. Ze wilden het allebei. Ana Lucía heeft hem leren voelen. Bidden en voelen zijn voor haar hetzelfde. 'De meeste mensen voelen nooit echt,' zegt ze. 'Ze zijn bang om zich helemaal in hun gevoel te laten zakken. Als in een warm bad.' Maar nu is het bad ijskoud. Ze zakt erin weg en verdrinkt. Er is iets met de baby. Ze weet niet wat, maar er is iets waardoor ze hem niet wil. Ze houdt niet van zijn ziel. Te jong, te vers, te hard.

Haar hele leven volgt Ana Lucía blindelings haar gevoel. Ze bidt en ze voelt. Ze bidtvoelt of voeltbidt. Maar nu verfoeit ze haar gevoel. 'Ik ben een monster,' fluistert ze hem toe. 'Ik ben een tegennatuurlijke moeder.'

Hij voelt dat hij haar uit Nieuwpoort moet weghalen. Hij voelt dat ze haar gevoel moet volgen: geen Xavier. Hij weet niet wat er na die ene maand moet of zal gebeuren. Stap voor stap, denkt hij. In een maand tijd kan er veel veranderen.

Hij klopt op de keukendeur en duwt ze zachtjes open. Paul ligt met zijn hoofd op de tafel te slapen. Hij schudt hem wakker en drinkt met hem een glas. Als Paul hem uitlaat, slaat ergens een klok twee uur. De dijk en het strand zijn verlaten.

Om kwart voor zeven loopt in Alines kamer de wekker af. Jako-bientje, die met haar broer in het grote mamabed geslapen heeft, schrikt wakker. Secondelang weet ze niet waar ze is. Ze kan de ba-by nog ruiken. Dan staat ze op en kruipt bij haar mama, die in háár bed slaapt. Nu ligt ze met haar mama in haar eigen kamer. Ze wil weten of mama tegen papa gezegd heeft dat het goed is. Papa heeft haar uitgelegd dat veel mama's nee zouden zeggen. Als mama nee zegt, moet ze daar begrip voor opbrengen. Hij weet dat dat niet makkelijk is, zeker niet voor meisjes van negen jaar. Bijna tien, zegt ze. Ook voor meisjes van bijna tien is het niet makkelijk, zegt papa. Mama moet ook aan Ben denken, heeft hij gezegd. 'Waarom moet mama aan Ben denken?' – 'Hij is haar vriend, Bien. Ben heeft zelf geen kinderen. Hij is geen kinderen gewend.' - 'Maar Xavier is zo lief!' – 'Ja, hij is lief, en daarom denk ik dat mama ja zal zeggen. Maar als ze nee zegt, dan mag je niet boos of ontgoocheld zijn, Bien.' – 'Wanneer is Ana Lucía genezen, papa?' – 'Dat weet ik niet, Bientje.'

Jasper komt haar kamer binnen en gaat boven op hun mama liggen, want anders is er geen plaats meer voor hem. Het zou be-ter zijn, denkt Jakobien, als ook zij een groot bed had. Alle mensen zouden een groot bed moeten hebben. Als Xavier bij hen komt wonen, dan zal ze mama vragen of ze met hem en Jasper in mama's grote bed mag slapen. Zo doen ze dat bij papa. Zo zijn ze dat ge-wend. Als mama ja heeft gezegd, gaan papa en Ana Lucía een hele maand bidden. Ana Lucía is ziek omdat ze hier niet goed kan bidden. Bidden is nochtans niet moeilijk. Je sluit je ogen, je vouwt je handen en dan zeg je wat je denkt of wilt. Je zegt bijvoorbeeld: 'Ik wil dat de nieuwe baby niet sterft. Ik wil dat hij een jonge, ster-ke ziel heeft en bij ons wil blijven.' Of je zegt: 'Ik wil dat mama voor Xavier zorgt zodat Ana Lucía in Spanje kan gaan bidden en weer helemaal beter wordt.' In Spanje spreken de mensen Spaans. Ana Lucía spreekt Nederlands met hen, maar het klinkt als Spaans. Je moet heel goed luisteren om haar te verstaan. Als ze moe is, als ze de hele dag op school heeft moeten luisteren, heeft ze geen zin om ook thuis nog eens haar best te doen om Ana Lucía te verstaan. En ook Ana Lucía is soms te moe om die vreemde woorden uit haar keel te persen. Ze zwijgt of ze spreekt Spaans. Dan vliegen de woorden uit haar mond. Niemand verstaat nog iets van wat ze zegt, ook papa niet, die iedere week Spaanse les volgt. Misschien is Ana Lucía ziek omdat niemand haar hier verstaat. Of maar een klein beetje verstaat.

De vuile pamper van baby Xavier ligt in de vuilnisbak. Het flesje dat hij gulzig heeft leeggedronken, staat op de tafel in de woonkamer. Gerard is het vergeten mee te nemen. Ook voor hem is het een korte nacht geweest. In Alines tas heeft de gsm vier onbeantwoorde oproepen geregistreerd. Als Aline straks eindelijk de gsm bekijkt, zullen de nummers haar worden gemeld. Vier keer hetzelfde nummer. Ze zal diep zuchten.

'Aline!' roept Sally, alsof ze van de planeet Mars is teruggekeerd.

Aline heeft de kinderen bij de schoolpoort afgezet en duwt nu de deur van de keuken open, de deur die gisteren voor Ben hardnekkig gesloten is gebleven.

'Loopt alles vlot?' vraagt ze zo nonchalant mogelijk. Ze wil de schijn hooghouden dat zij het pension bestiert. Het is geen schijn, maar werkelijkheid. De naam Saline, die door niemand wordt gebruikt, zelfs door Sally niet, slaat nergens op. Sally is en blijft de gouden kracht. Ze is de handen die Aline nodig heeft, maar die zonder Aline niet weten welk werk ze moeten verrichten. Per 1 januari 2005 is Algera in Saline veranderd om Gerard te kwetsen. Er moest hem iets duidelijk worden gemaakt. 'We hebben jou niet nodig, Gerard! We overleven zonder jou!' Haar moeder zei: 'Ik ben blij, Aline, dat je eindelijk begrijpt dat vrouwen alleen op vrouwen kunnen rekenen.' Waarop Aline zin had gehad om er opnieuw Algera van te maken. Of Pauline.

Nooit gebruikt Aline nog haar tweede naam. Gerarda. Ze is nu Aline Tacq of Aline Paula Tacq. Gerard heeft Gerarda vermoord. Desondanks heeft Aline beloofd voor Gerards kind te zorgen. Een kind is een kind is een kind.

Sally's ogen rollen uit hun kassen en stuiteren als knikkers over de plankenvloer van de ontbijtzaal.

'Ben is hier gisteren geweest! Twee keer! Hij heeft lang gewacht!'

'Sally, de gasten hebben je nodig.' En ze heeft zin om eraan toe te voegen: 'Raap je ogen op en stop ze terug in hun kassen. Straks trapt iemand erop en loop je voor de rest van je leven zonder ogen rond!'

Als het pension vol zit, kan niet iedereen tegelijk ontbijten. Dan is het zaak de gasten snel te bedienen. Na jaren in dit vak kennen ze elke truc om mensen te laten opschieten. Maar Sally gedraagt zich alsof het pension al is verkocht en de laatste gast vertrokken.

'Wat wilde Gerard?'

'Straks, Sally!'

Met een blad gaat Aline de ontbijtzaal binnen en kijkt welke tafels afgeruimd kunnen worden. Paul knipoogt naar haar. Dan beseft ze dat ze met een brede glimlach rondloopt. 'Ik voel,' denkt ze spottend, 'dat ik gelukkig ben. Ik voel dat ik geen zin heb om over wat dan ook aan wie dan ook verantwoording af te leggen. Niet aan Sally, niet aan mijn moeder, niet aan Paul, maar ook niet aan Ben Frank.'

Ze zal tegen Ben zeggen dat ze met Gerard de verkoop van het huis besproken heeft. Ze zal tegen hem zeggen dat de makelaar hun gevraagd had dringend een aantal afspraken op papier te zetten. De makelaar denkt dat ze een miljoen en een kwart euro voor het pension zullen krijgen, als ze een projectontwikkelaar kunnen strikken. En dat, voorspelt hij, moet een koud kunstje zijn. Een miljoen en een kwart euro is vijftig miljoen. Vijftig miljoen! Ze zullen elk een huis of een appartement kunnen kopen. Aline wil in Nieuwpoort op de dijk blijven wonen. In de buurt van haar bank.

Op weg naar de keuken ziet ze dat er iemand bij de receptie wacht.

'We zitten vol,' zegt ze tegen de jonge vrouw. 'Tot na het weekend zitten we vol. Het weer, wat wilt u.' Ze voegt het eraan toe alsof de stralende dag iets is waarvoor ze zich dient te verontschuldigen.

'Ik kom van de krant,' zegt de vrouw. 'Ik wil u een paar vragen stellen over de meeuwen.'

'De meeuwen?'

'Hebt u last van de meeuwen? Overlast? Blijkbaar worden de meeuwen ieder jaar agressiever. Er is een studie over verschenen en onderzoek naar gedaan. Er zijn te veel meeuwen. Niemand kan iets tegen ze ondernemen, want ze zijn beschermd. Wie ze met gif bestrijdt, is strafbaar.'

'Met gif?'

'Zoals ratten.'

'Maar meeuwen zijn geen ratten!'

'Volgens sommige mensen wel. Gevleugelde ratten, die ziektes verspreiden en vuilniszakken openpikken en de dijk onderpoepen en met hun gekrijs mensen uit de slaap houden. Ik ben vandaag als stagiaire begonnen bij de krant. Dit is mijn eerste opdracht.'

'Hoe oud ben je?'

'Eenentwintig.'

'Zo jong! Heb je al ontbeten?'

'Ik ontbijt niet.'

'Dat is heel ongezond. Kom een kopje koffie drinken en dan vertel ik je alles over de meeuwen. Je moet iets eten, anders val je over een uurtje flauw. Wat heeft een krant aan een flauwgevallen stagiaire? De meeuwen zijn helemaal niet agressief.'

'Hun gekrijs stoort u niet?'

'Ik zou niet zonder kunnen leven. Of willen leven. De meeuwen horen erbij, net als de wind en de regen en het zand en de golfslag en de ijsjesventers. Die zijn pas agressief. Ieder jaar zetten ze meer decibel in. En ook het zand is agressief. Soms jaagt de wind het zand over de dijk en onder de glazen deur naar binnen. Ik heb altijd zand in mijn haar en onder mijn nagels of zelfs tussen mijn tanden. Iedere dag moeten we stofzuigen. De zak van de stofzuiger zit altijd vol zand. Maar niemand dient een petitie in tegen het zand. Woon jij hier?'

'Tijdelijk. Sinds gisteren.'

'Over een week weet je er alles van. Je moet schrijven dat de meeuwen boodschappen kunnen brengen uit het hiernamaals. Niet alleen meeuwen, maar alle vogels.'

'Gelooft u dat?'

'Ja en nee. Wat weten wij over het hiernamaals? We weten niet eens of het bestaat.'

'Ik vrees dat ik iemand moet zoeken die last heeft van de meeuwen. Voor ik hier binnenstapte, sprak ik met een vrouw op een bank. Ze had een zak kruimels bij zich. "Voor de meeuwen?" vroeg ik haar. "Nee, nee," zei ze. "Voor mij. Ik heb geen tanden." Ze lachte en ik zag dat ze inderdaad geen tanden had. En wat vond ze van de meeuwen? vroeg ik. Was het verantwoord dat sommige mensen de meeuwen eten gaven? "De mieren?" zei ze. De mieren werden een plaag. Ze marcheerden in een lange colonne haar huis binnen. Wist ik, vroeg ze, dat het gezamenlijke gewicht van alle mieren hoger was dan dat van alle mensen?'

Aline lacht. 'Waarom schrijf je niet de waarheid? Schrijf: "Inwoners Nieuwpoort weigeren last te hebben van meeuwen."'

'Ik heb gezien dat u een plat dak hebt. Naar het schijnt zijn de meeuwen nu zo tam dat ze hun nesten op daken bouwen. Vooral op platte daken.'

'Denk je dat er meeuwen nestelen op mijn dak? Dat wil ik zien!'

En ondanks de drukte in de ontbijtzaal gaan ze samen de trap op. In het halletje van het appartement knipt Aline het licht aan en kijkt omhoog naar het luik waar ze al die jaren onderdoor is gelopen zonder zich ook maar één enkele keer af te vragen wat er op het dak gebeurt. Het dak moest worden vergeten. Het is een lek dak.

Ze haalt een ladder uit de keuken en zet hem onder het luik. Ze vraagt het meisje om de ladder vast te houden en bestijgt hem gezwind. Dapper gaat ze op de bovenste trede staan, maar ze krijgt geen beweging in het luik: het is dichtgeschilderd. 'Wacht!' Ze haalt een schroevendraaier en begint de verf weg te krabben. Het maakt niets uit dat ze het plafond beschadigt. Het appartement is ten dode opgeschreven, net als het pension. Alles is voortdurend in verandering. Het moet worden aanvaard; het kan niet worden genegeerd. Met de punt van de schroevendraaier wrikt ze het luik los.

Het meisje vraagt zich af wat ze in het appartement doet. Ze moet op zoek naar mensen met klachten over de meeuwen. Ze moet bewijzen wat ze in haar mars heeft. Daarvoor krijgt ze vier weken de tijd. De krant heeft een vacature. De personeelschef heeft laten doorschemeren dat ze wel eens in aanmerking zou kunnen komen. Maar eerst moet ze pittige, prikkelende en provocerende reportages maken. De drie p's. Daar heeft de chef regionaal nieuws op gehamerd. Pittig, prikkelend en provocerend.

Met beide handen duwt Aline tegen het luik. 'Het geeft mee!' Op de toppen van haar tenen kan ze over de rand kijken. Er groeit mos op het dak.

'Jouw beurt,' zegt ze tegen het meisje. 'Jij bent jong en sterk en langer dan ik.'

Het meisje gaat de ladder op en hijst zich moeiteloos op het dak.

'Kun je iets zien?' roept Aline.

Het meisje steekt haar hoofd door het gat in het dak.

'Ze zijn weg,' zegt ze. 'Ze zijn er geweest, maar nu zijn ze weg.'

'Wie?'

'De meeuwen! Het nest is verlaten. Misschien komen ze volgend jaar terug. Het is een meeuwennest. Ik heb ze op het net bestudeerd.'

Alles heeft ze op het net bestudeerd: het rapport over de overlast, de leefgewoonten van meeuwen, de wet die meeuwen beschermt, het aantal vastgestelde overtredingen, het fenomeen van dieren in de stad. Er wonen nu meer vossen in steden dan op het platteland. Dieren zijn niet anders dan mensen. Ze wonen liever in de stad, waar ze makkelijk voedsel kunnen vinden. Althans volgens de website van urbananimals.com.

'Is het een groot nest? Ik heb er nooit iets van gemerkt. Je leeft hier met het gekrijs van de meeuwen. Dat ik mijn hand naar ze kon uitstrekken, had ik niet beseft.'

Ze wil het nest met haar eigen ogen zien. Beneden staat een hogere ladder. Ze kan Paul vragen hem voor haar naar boven te dragen, of ze zal er zelf mee sjouwen. Ze mag de muren van de gang beschadigen, want de gang is al zo dikwijls beschadigd en straks komt de Grote Beschadiger, de machtige kogel van de projectontwikkelaar die het pension uit elkaar doet barsten.

Het hoofd van het meisje verdwijnt. Ze steekt haar voeten door het gat. Zonder aarzelen zet ze eerst de ene dan de andere op de ladder.

'U zou een dakterras moeten maken.' Ze zucht diep. 'Wat kan ik schrijven?'

'De waarheid,' zegt Aline. '"Bewoonster ontdekt verrukt dat haar dak de afgelopen lente onderdak aan een meeuwenfamilie heeft geboden. Bewoonster gelooft dat de meeuwen een boodschap voor haar hebben achtergelaten."'

'En mag ik uw naam erbij vermelden?'

'Natuurlijk. Schrijf dat Aline Paula Tacq van pension Saline, voorheen Algera, het heeft gezegd.'

'Bent u de eigenaar van het pension?'

'Mede-eigenaar.' Ze glimlacht. 'Het pension wordt verkocht. Zet dat erbij. We hopen een koper te vinden die het pension niet afbreekt. Schrijf: de huidige eigenares hoopt dat het pension een toevluchtsoord voor meeuwen blijft. Een meeuwenasiel!'

'Ik wou dat mijn vriend en ik het geld hadden om het te kopen. Dit is onze droom.'

'En ik wou dat ik zo rijk was dat ik het je kon geven.'

De tranen springen Aline in de ogen. Ze veegt ze snel weg en snuit haar neus. 'Het komt door de verfschilfertjes,' zegt ze. Ze wil het meisje omhelzen. Ze wil haar zeggen: je bent een bloem. Ze wil haar zeggen: hou je droom vast. Ze wil haar zeggen: dromen zijn bedrog, maar zonder dromen ben je dood. Het meisje ziet haar verwarring en steekt een hand uit. Ze wil op zoek naar verhalen over overlast.

'Ik zal u een exemplaar van de krant bezorgen. Als ze het stuk plaatsen.'

'Hoe heet je?'

'Ik heet ook Aline. Aline Serneels. Er zijn er niet veel.'

'Nee,' zegt Aline. 'We zijn niet met velen.'


Nog geen uur later staat Aline met haar hoofd door het open luik op de hoogste trede van de hogere ladder. Samen met Ben wil ze op het dak staan en het meeuwennest inspecteren. Ze wil er een strandlaken uitspreiden en met hem in het avondlicht vrijen. Ze wil er picknicken en champagne drinken en naar muziek luisteren. Maar Ben is niet in de stemming voor kitscherige romantiek.

'We hadden een afspraak,' zegt hij kort.

Ze schiet in de lach. Hij klinkt als een leraar die een leerling berispt.

'Er is zoveel gebeurd, Ben! Ik heb je zoveel te vertellen!'

'Je moet kiezen, Aline.'

'Jij moet kiezen, Ben. Je aanvaardt dat ik getrouwd ben geweest en dat Gerard de vader van mijn kinderen is, of je aanvaardt het niet. Ik was bezig op het dak van het pension te klimmen, toen ik dacht: ik bel Ben. Hij moet dit zien.'

'Ik wil jou, Aline. En ik dacht dat jij mij wilde. Waarom verkoop je anders het pension?'

'Het pension wordt verkocht omdat Gerard geld nodig heeft. Ik wil het helemaal niet verkopen. Ik wil hier eeuwig wonen. Het huis was van mij, Ben. Daar had mijn moeder voor gezorgd. Haar dochter moest een veilige plek hebben. Maar die dochter geloofde in de liefde en de liefde heette Gerard en dus schonk ze de helft van het huis aan haar man. Half van mij, half van hem, samen van ons. Maar die man heeft nu geld nodig. Hij heeft geld nodig voor zijn nieuwe vrouw en hun nieuwe kind.'

'Ik ben nu je man, Aline. Ik heb een huis gezien waar jij en ik en de kinderen zouden kunnen wonen. Ik wilde het gisteren samen met jou en je kinderen bezichtigen.'

'Jij bent mijn man niet, Ben. Je hoeft je niet verantwoordelijk voor mij of voor mijn kinderen te voelen.'

'Wat ben ik dan wel?' Hij haat de dubbelzinnigheid van dat woord. Ben. Ik ben Ben. Ik ben die Ben.

'Dat weet ik niet.'

Ze drukt op de rode toets. De toets die verbindingen verbreekt. Het is geen rode toets, maar een toets waarop een rode telefoonhoorn is afgebeeld. Ze strekt haar armen uit en roept de meeuwen. 'Kom,' zegt ze. 'Kom bij Aline.' Alles wil ze doen om het pension te redden. Zij is het pension. Aline Gerarda. Algera! Haar haren wapperen niet in de wind, want het is windstil. Haar woorden worden niet weggewaaid. De zee lijkt met diamanten bezaaid. Op het strand trekt een vrouw haar kleren uit en loopt naar het water. Het is een schitterende dag.

Terwijl ze het luik voorzichtig op zijn plaats schuift, rinkelt de gsm. Ben, denkt ze, maar het is haar moeder.

'Mammie!' zegt ze. 'Ik stond daarnet op het dak!'

'Waarom?'

'Zomaar. Alles goed met jou?'

'Heel goed. Luister, heb je dit weekend een kamer vrij? Er is hier een jonge vrouw uit Roemenië, die nog nooit de zee heeft gezien.'

'We zitten vol, mammie. Tenzij we kamer 12b opnieuw gebruiken, maar...'

'Ze is erger dan 12b gewend. Ze is in een van die vreselijke Roemeense weeshuizen opgegroeid. Op haar dertiende is ze geadopteerd door een man die haar misbruikte. En ze heeft nog nooit de zee gezien.'

'Ze mag 12b hebben en dan betaalt ze twintig euro laten we zeggen. Voor de kamer en ontbijt. Is dat goed?'

'Ik hoopte dat je zoiets zou zeggen. Het is een heel schuchtere vrouw. Je zult geen last van haar hebben.'

'De laatste die in 12b geslapen heeft is Paul.'

'Ja,' zegt haar moeder. 'Hij was de laatste.'


'Ze hebben een lijkje gevonden,' zegt Sally. Haar stem klinkt hoog en schril. 'De jongste. Stacy. Onder het deksel van een riolering langs de spoorweg. Ze hebben de bermen gemaaid en toen kwam dat deksel vrij.'

'En Nathalie?'

'Die hopen ze nu ook gauw te vinden.'

'Ze denken dat...'

'Ja, dat denken ze.'

Omdat Sally huilt, voelt ze zich verstenen. Als een robot loopt ze naar de affiches en haalt die van Stacy weg. Ze spreidt ze uit en aait het lieve, guitige gezichtje. Dan belt ze Ben en vraagt of hij het nieuws gehoord heeft.

'Ik wist dat je zou bellen,' zegt hij. 'Ik hoorde het en ik dacht: nu belt ze.'

'En ik belde.'

In de loop van de middag wordt het bericht verspreid dat ook het lijkje van de kleine Nathalie is gevonden. Anders dan Stacy is zij wel verkracht. Haar broek hing op haar knieën en haar slipje was opzijgeschoven. Met vaste stem leest de nieuwslezer het bericht voor. Daar wordt hij voor betaald.

'Waarom zeggen ze dat erbij?' vraagt Aline. Ze slaat haar armen om haar kinderen en kijkt van Sally naar Paul, die het ook niet kunnen helpen. 'Denkt er dan niemand aan de kinderen die dit horen? Of aan die arme ouders?'

Paul slaat de ogen neer. In gedachten trekt hij een grens tussen zichzelf en de dode meisjes. Hij moet afstand houden.

Sally's ogen zijn rood en opgezwollen. Ze veegt haar tranen met wc-papier weg. De Kleenex is op. 'Ze moeten ze opsluiten,' zegt ze. 'Allemaal.'

Paul zwijgt. Hij wenst de aandacht niet op zich te vestigen. Er rust geen enkele verdenking op hem.

'Zijn Stacy en Nathalie nu bij Julie en Melissa?' vraagt Jakobien.

'Misschien,' zegt Aline.

'En bij mijn broertje?'

Aline knikt. Ze krijgt geen geluid meer uit haar keel.

Als Aline ook Nathalies affiches wil verwijderen, vraagt Jakobien of ze mogen blijven hangen. Ze wil ze met papieren bloemen versieren. Op de affiche schrijft ze: 'Lieve Nathalie, nu hoef jij nooit meer bang te zijn.' Voor elke letter gebruikt ze een andere kleur. Jasper doet zijn best om ook onder de indruk te zijn. Eerst wil hij zijn zus met de bloemen helpen, maar hij maakt het crêpepapier vuil en vouwt wanstaltige bloemen. Als zijn zus hem boos wegstuurt, gaat hij Paul helpen verven. Aline doet hem een oud hemd van Gerard aan en van Paul krijgt hij een borstel. Paul doopt de borstel in de verf en strijkt zorgvuldig de overtollige verf af. Voor hij Jasper de verfborstel geeft, rolt hij de mouwen van Gerards hemd opnieuw op.

'Wat een geluk,' zegt hij, 'dat jij er bent om me te helpen.'

Jasper verft met het puntje van zijn tong tussen zijn lippen. Stacy en Nathalie zijn meisjes. Hij niet. Hij is een jongen. En ook Xavier is een jongen. Nu is hij nog een baby, maar later wordt hij een jongen.

Paul en Jasper leggen hun borstels neer. Ze willen hun werk door Aline laten inspecteren. Zij moet haar goedkeuring geven, want zij is de opdrachtgever. 'Zo gaat dat,' legt Paul zijn jonge knecht uit. Terwijl ze de trap af gaan, komen een man en een vrouw het pension binnen. Paul herkent de vrouw meteen. Haar naam wil hem niet te binnen schieten, maar daar in de hal staat Stephans benzinemeisje. Ooit heeft hij naar zo'n toevallige ontmoeting verlangd, ooit heeft hij gehoopt haar ergens tegen het lijf te lopen. Nu wil hij vluchten, maar hij kan niet vluchten. Hij kan blijven staan waar hij staat, of hij kan rechtsomkeert maken, maar Jasper wil verder. Jasper wil naar zijn moeder en trekt hem mee. Dus tilt ook hij zijn ene voet op en dan de andere.

De vrouw merkt Paul niet op. Hij is de schilder in een kiel, werkvolk. Ze ziet er even jong en kwetsbaar uit als al die jaren geleden. Een vogeltje dat uit haar nest is gevallen. Ze werpt hem een verveelde blik toe; herkent hem niet. Of doet alsof.

Jasper stormt de keuken binnen.

'Ik heb bijna zoveel gedaan als Paul, mama!'

'Dat is waar,' zegt Paul. 'Hij heeft heel hard gewerkt. En heel secuur. Er zijn gasten, Aline.'

'Zijn jullie klaar?'

'Ja.'

'Straks kom ik kijken.'

'Nu, mama!'

'Eén minuutje, Jasper! Ik ben zo terug!'

'Jij hebt nooit tijd voor mij!'

'Kom dan mee!'

'Nee!'

Op het scherm in de keuken ziet Paul hoe Aline de twee een pen overhandigt om hun naam in het register te noteren. Misschien heeft hij de man aan de lijn gehad toen die de kamer reserveerde of hebben ze met elkaar gemaild. Háár naam zou hij hebben herkend. Maar hoe heette ze ook weer? Marianne? Rianne? Drie keer hebben hij en Stephan met haar in een hotel afgesproken. Drie keer heeft eerst Stephan haar genomen en daarna hij. Drie keer heeft hij zich afgevraagd of Stephan en hij eigenlijk met elkaar aan het neuken waren. Toen had Stephan iemand anders ontmoet en was het benzinemeisje uit hun leven verdwenen. Niet Rianne, maar Rie. Rie Van Beveren. Haar vader had een benzinestation en ze rook lichtjes naar benzine. Een meisje met duistere geheimen. Stil, roerloos, maar kolkend van woede. Ze had hem aan Sarah doen denken.

'Het duurt zo lang,' zegt Jasper boos. 'Waarom duurt het altijd zo lang?'

'Heb je die twee gezien?' vraagt Aline als ze de keuken binnenkomt.

Hij knikt.

'Ze komen hier een paar dagen logeren om het pension te leren kennen. Ze willen het kopen! Hij wil het kopen! Hij heeft een pretpark in Nederland, maar zij wil niet in Nederland wonen en daarom zoeken ze hier iets. Hij heet Spriet. Theo Spriet.'

'Mama!'

'Een secondetje, Jasper! Zij maakt keramiek en zou hier een winkel willen starten. Ze denkt dat mensen aan de kust tijd hebben voor workshops keramiek. Ze wil pottenbakkersschijven op de dijk installeren om voorbijgangers te lokken. Zou jij graag potten bakken, Jasper?'

'Ik wil jou mijn werk laten zien!'

'Ja, keramiek,' zegt Paul.

'Waarom zeg jij: "Ja, keramiek?"'

'Zomaar. Kom je ons werk keuren? Ik denk dat we een ijsje hebben verdiend. Wat denk jij, Jasper? Hebben we een ijsje verdiend?'

'Mijn god!' zegt Aline. Ze staart naar het scherm.

'Wat is er?'

'Kijk!'

Ana Lucía staat met de kinderwagen onder de camera. Ze heeft haar ogen achter een zonnebril verstopt en een zwarte hoofddoek om haar haar geknoopt. Wanneer ze Aline ziet, neemt ze de baby in haar armen. Zwijgend staan de vrouwen tegenover elkaar. Aline weet niet of ze haar moet wegjagen of een kop koffie aanbieden. En ook Ana Lucía zegt geen woord. Zonder haar bril af te zetten legt ze de baby in Alines armen. Dan draait ze zich om.

'Ana?' brengt Aline eindelijk uit. Maar Ana Lucía hoort haar niet. Ze is hooguit een minuut in het pension geweest.

Alsof Jakobien haar broertje geroken heeft, komt ze met haar papieren bloemen in de hand aangehold.

'Xavier!' juicht ze. 'Mag hij bij mij slapen, mama? Ja, hij mag bij mij slapen. Dag, dikke baby. Jij eet veel te veel. Mag ik straks zijn flesje geven?' Ze neemt de tas met zijn spulletjes uit het mandje onder de kinderwagen. 'Kijk, mama, Ana Lucía heeft alles meegegeven wat we voor hem nodig hebben!'

'Ik wil dat je komt kijken!' dreint Jasper. 'Jij hebt nooit tijd voor mij. Nooit!'

'Jasper, stel je niet zo aan! Mama, waarom stelt Jasper zich altijd zo aan? Xavier stelt zich niet aan en hij is veel jonger dan jij! Je zou beter aan Stacy en Nathalie kunnen denken. Stacy is maar een jaar ouder dan jij, maar Stacy is dood!'

'Stacy is een meisje. Jongens worden niet vermoord.'

'Jongens zijn moordenaars,' zegt Jakobien. 'Ik trouw later met een vrouw!'

'Dat kan niet!'

'Dat kan wel!'

'Jakobien heeft gelijk, Jasper. Jongens kunnen met jongens trouwen en meisjes met meisjes.'

'Dat is stom,' zegt Jasper.

'In mijn klas zit iemand wiens mama nu een vriendin heeft. En ze gaan trouwen. Ze zijn heel gelukkig, veel gelukkiger dan vroeger met hun man!'

'Mama zou dat nooit doen.'

'Hoe weet jij dat? Je kunt dat niet weten. Misschien wordt mama verliefd op een vrouw.'

'Mama is verliefd op Ben!'

'En vroeger was ze verliefd op papa. Verliefdheid verandert. Je mag me roepen, mama, als Xavier zijn flesje nodig heeft. Ik heb nog werk.'

Als haar dochter haar niet meer kan horen, drukt Aline Jasper tegen zich aan en fluistert in zijn oor dat hij zich geen zorgen hoeft te maken: zijn mama zal nooit met een andere vrouw trouwen.

'En met een andere man?'

'Ook niet. Ik trouw alleen nog met jou, maar dat mag niet, en dus trouw ik nooit meer.'

Ze kijkt naar baby Xavier. Nooit heeft ze een mooier kind gezien.

'Wat moet ik met jou beginnen?' fluistert ze.

Spriet wil de boeken zien, waarop Aline riposteert dat iedereen wel kan beweren dat hij het pension wil kopen en inzage in haar boekhouding wil hebben.

'Ik wil niets,' zegt Spriet. 'Maar ik koop geen kat in de zak.'

'De boeken zijn niet belangrijk. Wat telt is wat u hier ziet: alle kamers zijn bezet. Iedereen is tevreden en geniet. Zo gaat dat aan de kust. Als het mooi weer is, kan het niet op. Zodra het gaat regenen, blijven de mensen weg of lopen ze met een lang gezicht rond. En wat dit pension betreft: mensen komen hier voor de gezelligheid en voor de zee en het strand, niet voor het comfort.'

'Ze komen vast ook voor u,' zegt Theo Spriet galant.

Aline glimlacht. Ze zit in haar kantoortje met baby Xavier op haar schoot. Hij heeft al drie keer naar haar gelachen. Aline hoopt dat Ana Lucía nooit beter wordt. Of dat ze beter wordt, maar haar baby vergeet. Daarnet is Sally in haar oor komen fluisteren dat Paul met de vrouw van Spriet op de bank zit. 'We kunnen Spriet beter bij de bank weghouden,' zei ze. Sally klonk alsof ze vreesde dat er bloed kon vloeien en misschien is ze ook jaloers dat háár Paul met een andere vrouw op hún bank zit. Het is veel te mooi weer voor drama's en dus stelt Aline aan Spriet voor hem het appartement te laten zien.

'Als u wilt,' zegt ze opgewekt, 'kunt u zelfs op het dak. We hebben een meeuwennest!'

'Mag ik ook op het dak?' vraagt Jasper.

'Als je mijn hand vasthoudt. Maar je mag niet tot bij het nest. Beloof me dat je je niet losrukt, Jasper. En daarna meteen naar je bed!'

Hij knikt zoals alleen Jasper kan knikken. 'Jij knikt je hoofd er nog eens af,' zegt Aline.

In het appartement legt ze de baby in zijn bedje. Spriet vraagt of hij overal een kijkje mag nemen. Ze zegt dat ze geen geheimen voor hem heeft, maar Jasper en Jakobien willen naar het dak.

Aline klimt op de ladder en schuift het luik opzij. Na haar komen Jasper en Jakobien, en als vierde steekt Theo Spriet zijn hoofd door het gat. Vaag vraagt ze zich af of ze de baby wel alleen kan laten. Op het dak hoort ze hem niet als hij huilt. Maar hij heeft zijn flesje gehad en een schone luier gekregen. Als hij huilt, huilt hij zichzelf vast in slaap.

'U zou hier een dakterras kunnen maken,' zegt ze. Ze houdt Jasper en Jakobien stevig bij de hand. Spriet loopt tot bij het nest. Dan gaat hij plat op zijn buik liggen en kruipt als een slang over het dak tot zijn hoofd over de goot bungelt.

'Het ziet er solider uit dan ik dacht!'

'Die oude huizen zijn onverwoestbaar,' zegt Aline. 'Hebt u geen hoogtevrees?'

'Hoogtevrees? Waarom zou ik hoogtevrees hebben? Theo Spriet kent geen vrees. Toen Theo Spriet een pretpark opende, voorspelde iedereen dat hij failliet zou gaan, maar Theo Spriet gaat niet failliet. En weet u waarom niet? Theo Spriet gelooft in zichzelf en geloof verzet bergen!'

'Als u maar niet gelooft dat u kunt vliegen! Weten jullie nog,' zegt Aline tegen haar kinderen, 'die keer dat Ana Lucía vleugels voor jullie had gemaakt? Vlieg vlieg!' Ze steekt hun armen omhoog, maar blijft veilig midden op het dak.

'Ben jij niet meer boos op Ana Lucía?' vraagt Jakobien.

'Mogen we weer tegen jou iets over Ana Lucía zeggen?' vraagt Jasper.

Ze bukt zich en drukt haar kinderen tegen zich aan. 'Kom, we gaan naar beneden. Jullie moeten naar bed. En nee, Bientje, Xavier slaapt niet bij jou in de kamer. Xaviers bedje blijft in mijn kamer staan. Daar hebben jullie ook geslapen toen jullie zo klein waren als hij!'

'Maar Xavier is mijn broertje!'

'En Jasper is ook je broertje!'

'Dat is anders, mam. Xavier mag niet sterven. Zijn broertje is dood en misschien zal hij naar hem op zoek willen gaan. Hij moet weten dat hij ook hier een broer heeft, én een zus.'

'Dat weet hij, liefje. Xavier blijft hier. Je hoeft niet bang te zijn.'

'Blijft hij echt hier?'

'Ja, Bientje, hij blijft hier.'

Als de kinderen eindelijk in bed liggen, staat Theo Spriet de keuken te inspecteren. Ze ziet wat hij ziet: gammele meubelen en huishoudapparaten.

'Hoe lang hebt u hier gewoond?'

'Bijna mijn hele leven.'

'Als ik het koop, zult u mij dat dan kwalijk nemen?'

Ze voelt zich ontmaskerd.

De volgende morgen staat de andere Aline met een krant onder de arm in de ontbijtzaal te stralen. Haar allereerste artikel heeft de voorpagina van de lokale krant gehaald.

Berichten over meeuwenoverlast zwaar overdreven. Aline Tacq, eigenares van het bekende pension Saline (voorheen Algera), ziet in de meeuwen zelfs boodschappers. 'Ze brengen ons berichten uit de onderwereld,' verklaart ze resoluut. 'Net als de ooievaars zijn ze verbonden met leven en dood.'

'Wat mooi!' zegt Aline. 'Aan die ooievaars had ik niet gedacht.'

'U vindt het niet erg dat ik die zin heb toegevoegd?'

'O nee. De ooievaar is hier trouwens geweest.' Ze lacht. 'Heb je echt niemand gevonden die klachten over de meeuwen had?'

'Helemaal niemand. Ik heb tot drie uur door Nieuwpoort gelopen en mensen aangeklampt. Mijn chef wilde mij eerst niet geloven, maar toen bleek dat er op de redactie ook niemand last van de meeuwen had. Niemand wil ze weg hebben. Vandaag moet ik iets maken over Stacy en Nathalie. Ik moet ouders met jonge kinderen vragen of ze zich nu ongeruster voelen. Voelt u zich ongeruster?'

'Ik ben altijd ongerust. Als ik kon, hield ik mijn kinderen dag en nacht aan de leiband. Jakobien heeft al drie keer straf gekregen omdat ze haar gsm op haar bank legt tijdens de les. Maar dat is mijn fout. Ik bestook haar met sms'jes. Ga maar eens praten met de directeur van haar school. Die mensen worden gek van de ongerustheid van de ouders en tegelijkertijd zijn ze zelf dodelijk ongerust.'

'Mag ik uw dochter een paar vragen stellen?'

'Ja, natuurlijk. Ze is in de keuken.'

Om Alines hals hangt haar helft van de babyfoon. Ze hoort de baby kreunen, kraaien, grommen, slikken, pruttelen als een pan kokende soep. Als ze vijf minuten niets hoort, vliegt ze naar zijn bedje. Loos alarm. Xavier blijft hier.

Spriet en zijn vriendin zitten bij het raam te ontbijten. Aline toont hun het artikel en stelt voor rond elf uur een rondleiding door de kamers te geven. Dan zijn de meeste gasten naar het strand. Toen ze gisteren met Spriet beneden kwam, zaten Paul en de vrouw nog altijd op de bank. Sally had zich in de keuken verschanst, waar ze de ene reep chocolade na de andere in haar mond propte. Spriet gedroeg zich dapper en kondigde aan dat hij de sfeer in de salon wilde opsnuiven. En mocht hij er wat flyers voor zijn pretpark neerleggen? En mocht hij haar en de kinderen er in de nabije toekomst welkom heten? Tegen middernacht wist ze alles over zijn pretpark en begon ze te vrezen dat Paul er met die vrouw vandoor was, maar plotseling stonden ze daar.

'Wij moesten een beetje bijpraten,' zei Paul.

'De wereld is klein,' zei de vrouw.

'In België,' zei Paul. 'Zaterdag ga ik varen. Als jullie hier nog zijn: welkom aan boord.' Hij strekte zijn hand uit naar Theo

Spriet, die hem krachtig schudde. Rie en Aline kregen allebei een discrete kus. 'Ik zie je morgen,' zei Paul. Het was niet duidelijk wie hij bedoelde: Rie of Aline. In de keuken was Sally in slaap gesukkeld. Aline dekte haar met een deken toe.

Ze denkt aan de man in haar leven, de man die niet minder jaloers is dan Sally.

'Wanneer kom je?' sms't ze hem.

'Ben aan het werk. Vanavond op de bank?'

Ze is de vrouw op de bank, de vrouw op het dak en nu ook de vrouw met de baby. Ze heeft geen vertrouwen in de babyfoon en stopt Xavier in een buiktas. De hele dag loopt ze met hem rond. Als ze de trappen op en af loopt, botst zijn hoofdje tegen haar borst. Ze denkt niet aan Ana Lucía, die geen druppel melk voor deze baby had, en ook aan Gerard denkt ze niet. Ze vergeet zelfs Jakobien en Jasper sms'jes te sturen. Af en toe voelt ze aan haar borsten.

Ben schildert snel en geconcentreerd. Hij schildert Aline die als Vrouwe Justitia een weegschaal in haar handen houdt. Maar ze is niet Vrouwe Justitia. Ze is Aline. In de ene schaal heeft hij met snelle penseelstreken zichzelf getekend, in de andere haar kinderen. Ook zichzelf tekent hij als een kind. Hij is ook een kind. Hij weet helemaal niets meer. Het enige wat hij weet is dat hij Aline nodig heeft.

Op Alines linkerschouder schildert hij een man: haar vader. Op haar rechter een jongen: zijn zoon. Alles is in evenwicht.

Hij werkt tot vier uur. Dan wast hij zijn borstels uit, gaat onder de douche en trekt schone kleren aan. Zonder een blik te werpen op wat hij die dag heeft gemaakt, gaat hij de deur uit. Hij komt langs het huis waarop hij van plan was geweest een bod te doen, maar hij loopt het voorbij. Hij gaat de hoek om en blijft staan voor een statige woning. Aan de deur hangt een koperen plaat: 'Binnen zonder bellen'.

'Een miljoen euro,' zegt Theo Spriet tegen Aline. 'Dat is mijn enige bod. Te nemen of te laten. Een projectontwikkelaar zal meer betalen, maar die gooit het plat. Een miljoen euro en ik neem jou en mevrouw Sally in dienst.'

'Mevrouw Sally verhuist,' zegt Sally.

'Maar Aline blijft,' zegt Aline.

Ben zit in het kantoor van de notaris. Er hangt een werkje van hem, dat dateert van voor hij naar Nieuwpoort verhuisde. *Kast met klapstoeltjes* heet het. Het maakt deel uit van een reeks. De notaris komt het kantoor binnen, schudt hem de hand en vraagt wat hij voor hem kan doen.

'Ik wil dat u voor mij een document opstelt,' zegt Ben. 'Of dat u mij helpt een document op te stellen. En vervolgens wil ik dat u het samen met een paar hoofdharen van me ergens veilig bewaart en dat u het over acht jaar, wanneer de persoon voor wie het document is bestemd zijn achttiende verjaardag zal hebben bereikt, hier in dit kantoor persoonlijk aan hem overhandigt.'

'Geen enkel probleem, zolang het geen doodsbedreiging betreft.'

'Nee,' zegt Ben. 'Geen doodsbedreiging.'

Paul maakt een uitvergrote kopie van het artikel over de meeuwen en hangt die boven de papieren bloemen waarmee Bientje de affiches van Stacy en Nathalie heeft versierd. Straks is het tien jaar geleden dat Sabine en Laetitia uit de kelder van Dutroux zijn bevrijd. De kranten zullen opnieuw alle gruwelijke details herkauwen. Op 20 oktober zal de tiende verjaardag van de Witte Mars worden gevierd. Hoeveel mensen zullen zich de vrouw herinneren die in een flat in Antwerpen een nieuwe witte jurk had aangetrokken en naar Brussel was gespoord in de hoop hem te ontmoeten?

Drie keer is hij gestorven en drie keer herrezen: na Sarahs dood, na Francines dood en na Ziggy's dood. Zelfs zijn therapeute had die derde verrijzenis niet mogelijk geacht. 'Aline,' zegt hij tegen haar. 'Aline heeft het mogelijk gemaakt.'

In het kantoor van de notaris dicteert Ben de slotzinnen van het document: 'Je bent vrij om op deze brief te reageren zoals je wilt. De notaris bewaart een kopie voor het geval je hem in een opwelling verscheurt. Ik kan niet beweren dat ik van je moeder heb gehouden of zij van mij. Ik vraag je ook geen vergiffenis voor iets wat jaren geleden is gebeurd, toen ik niet veel ouder was dan jij nu. Ik wil alleen dat je de waarheid kent, want het is niet goed voor een mens om met een leugen te leven. Misschien wil je me op een dag leren kennen. Je zult dan welkom zijn.'

De notaris houdt op met tikken. Hij heeft een onprofessionele brok in de keel.

'Ik print het uit en dan kunt u het in alle rust nalezen.'

Ben knikt. Hij weet dat hij de juiste beslissing heeft genomen. Hij heeft de weg ontdekt om zich aan Cils emotionele chantage te onttrekken. Hij is geen vrij man, maar hij is ook geen marionet.

Aline en Rie staan naast elkaar voor de spiegel in de keuken. Aline heeft de spiegel daar gehangen om de aandacht af te leiden van Ana Lucía's muurschilderingen, die koppig door de verf blijven schemeren, hoe dikwijls Aline de muur ook verft. Paul heeft de twee vrouwen voor de spiegel gezet. Hij wil dat ze zien hoe ze de wereld met dezelfde blik observeren. Over hun schouder kijkt Theo Spriet mee.

'Je hebt verdorie gelijk!' zegt hij.

Maar Aline en Rie halen hun schouders op. 'Mannen,' zegt Rie. Haar gezicht licht op door een zeldzame lach.

'Kijk,' zegt Paul. 'Die lach!'

En ook Aline lacht nu. Ze lacht naar zichzelf en ze lacht naar Rie. De vrouwen weten niet wat de mannen willen dat ze zien, maar zij zien het niet. Ze zien zichzelf en ze zien de ander. Dan grijpt Rie Alines hand. Ze tuurt in de spiegel. Schouder aan schouder staan ze nu, met hun hoofden dicht bij elkaar. Rie strijkt het haar uit haar gezicht; Aline imiteert het gebaar. Ze lachen niet meer. Ze kijken en kijken. Ze hebben iets gezien, maar ze weten nog niet wat.